Pfister, Alb

Nach Amerika im Dienste Friedrich Schillers

Pfister, Albert von

Nach Amerika im Dienste Friedrich Schillers

Inktank publishing, 2018

www.inktank-publishing.com

ISBN/EAN: 9783750131583

Nach Amerika

im Dienste

Friedrich Schillers

Der Völkerfreundschaft

gewidmet von

Albert Pfister

Stuttgart und Berlin 1906

J. G. Cotta'sche Buchhandlung Nachfolger

Vorwort

In den Sätzen, mit denen Karl Schurz seine Biographie von Abraham Lincoln einleitet, sagt er: „Wenn wir über einen Freund schreiben, geraten wir immer in Gefahr, zu idealisieren, und das ist keine Gemütsverfassung, um ein ganz unparteiisches Urteil zu fällen." — Ja, ich leugne es nicht, ein Freund ist es, über den zu schreiben ich mir vorgenommen habe und ich komme in Gefahr, manche Züge an ihm in viel zu rosigem Licht zu sehen.

Freilich, zugleich fühle ich, wie es Sache des die erhaltenen Eindrücke in stiller Stube mit leidenschaftsloser Ruhe Verarbeitenden ist, alle Abtönungen der Eindrücke zu ihrem Recht kommen zu lassen, Licht und Schatten in billiger Weise zu verteilen. Man hat ja den Vereinigten Staaten von Amerika die verschiedenartigsten Bezeichnungen gegeben: Land der unbegrenzten Möglichkeiten, Land der Zukunft, das Land ohne Schatten. Wo viel Licht ist, pflegt man zu sagen, ist auch viel Schatten. Es mag sein, daß heute das Licht bei dem Freunde, von dem ich sprechen will, noch nicht überwiegt. Und wahrlich, niemals hat es an solchen gefehlt, welche, den eigentümlich großen Zug, der durch die Neue Welt geht, ganz übersehend, mit besonderem Eifer die Schattenseiten amerikanischen Wesens und Lebens hervorgehoben haben. Solcher Auffassung gegenüber mag das, was ich zu sagen habe, nicht überflüssig sein. Ist es denn nicht denkbar, daß gerade ein neu zusammenwachsendes Volkstum Aussicht hat, das Licht bei sich zur überwiegenden Kraft zu machen? Ist es nicht heute schon gestattet, den Spuren des mit Übermacht durch allerlei Finsternisse heraufwachsenden Lichtes nachzugehen?

Man verstehe mich aber nicht falsch: nicht deshalb lasse ich Schatten, Fehler und Mängel mehr in den Hintergrund treten, weil sie nicht zu erkennen sind; nein, nur aus dem Grund,

weil es mir scheint, daß alle Völker, die mit großem Zuschnitt
Welthandelspolitik treiben, ziemlich in dieselben Fehler verfallen,
während sie häufig sich nicht in demselben Maß korrigierender
Faktoren zu erfreuen haben, wie sie ein werdendes Volk auf
unermeßlichem Gebiet besitzt. Was früher tugendhafte Ent=
rüstung der still und zufrieden in ihrem kleinen Hause Sitzenden
hervorgerufen hat, das entdecken jetzt die in das Treiben der
großen Welt Verwickelten mit Schrecken an sich selbst.

Dabei kann ich vielleicht die Striche in meiner Zeichnung
etwas geradliniger und schärfer führen, weil ein glücklicher Zu=
fall es gefügt hat, daß ich durch meine vorübergehende Stellung
bei den Schillerfeierlichkeiten vom Mai 1905 manchen Einblick
zu tun vermochte und trotz der Kürze meiner Anwesenheit auf
amerikanischem Boden manches zu sehen und zu hören bekam,
was unter anderen Umständen verborgen bleibt, und weil
meine langjährigen amerikanischen Studien mich in den Stand
gesetzt haben, alte Freundschaften zu erneuern und neue zu
knüpfen. Nicht mit jedem Urteil mag ja das meinige zusam=
mentreffen, aber auch diejenigen, die widersprechen, werden bei
näherem Hinblicken erkennen, daß ich nicht geurteilt habe nur
aus dem Grunde, um Streit zu erheben.

Schließlich muß ich bekennen, daß mir nichts ferner liegt,
als mir einzubilden, ich sei im stande, den Kennern viel Neues
zu sagen; ich nehme nur das Eine für mich in Anspruch, von
einem bestimmten Gesichtswinkel aus Dinge, die längst betrachtet
sind, nochmals ins Auge zu fassen, und gerade aus dem Grunde
mag der Überblick, den ich zu geben habe, nicht ganz wert=
los sein.

Buoch bei Stuttgart, im Sommer 1906.

Der Verfasser

Dr. Albert Pfister

Generalmajor z. D.

Inhalt

I. Ziel der Reise und erste Eindrücke

Höher und höher steigt die Morgensonne am ungetrübt blauen Himmel auf und zeichnet das Denkmal von Ulysses Grant, das sich im Norden von Chicago im Lincolnpark erhebt, mit scharfen Umrissen auf die Fläche des breiten Parkwegs. In der Frühe lassen sich heute am besten die Insassen des Parks beobachten, das zutrauliche graue Eichhorn, das Erdhäschen, das neugierig seine Schnauze aus dem Loche steckt, die Amsel mit rotbrauner Brust. Freilich der importierte Spatz ist ein aufdringlicher Gast und fast Meister in der Vogelwelt geworden; aber es gibt immer noch genug Schwalben, prächtig gemalte Spechte, hochgelbe Finken, und zuweilen gewahrst du auch den gar fremdartig aussehenden Blauvogel; und Möven sind ja auch da, denn der Michigansee, ein Süßwassermeer, so groß wie die Ostsee, säumt den Lincolnpark in seiner ganzen Länge.

Ungestört vom Publikum lassen sich in so früher Stunde auch die verschiedenen Denkmäler betrachten: das von Abraham Lincoln, von Benjamin Franklin, von Garibaldi, von Beethoven, von Schiller und anderen; die weiten Blumenbeete, Teiche und Gewächshäuser lassen sich besuchen. — In allem sind ja die Amerikaner Verschwender, in Papier und Geld, im Zumessen des Raums für ihre Städte, ihre Friedhöfe, vor allem für ihre Parks.

Wir festländischen Europäer verstehen unter „Park" stets eine Fläche, die mit lockeren Beständen von Bäumen besetzt ist, der Begriff Gehölz herrscht vor. Mit dem englischen Blut aber scheint sich nach Amerika die Vorliebe für die Wiese, die im allgemeinen ebene, leicht gewellte, mit vereinzelten Gruppen von Gebüsch und Bäumen bestandene Grasfläche, übertragen zu haben. Der Begriff Wiese mit freien weiten Durchblicken tritt in den Vordergrund.

Pfister, Nach Amerika im Dienste Friedrich Schillers   1

Gewiß, heute könnte man sich herzerhebenden Entdeckungs=
reisen in dem mächtigen Parke ungestört hingeben. Aber das
ist es nicht, was mich packt; das Grantdenkmal hat mir's an=
getan. Allein es ist nicht der Grant, der das von dem großen
Wohltäter der Menschheit, von Abraham Lincoln, angefangene
Werk vollendet, der die Vereinigten Staaten, seither an der
Kette südstaatlicher Interessen liegend, freigemacht und auf den
Weg geführt hat, der zum Weltreich leitet. Nein, der Mann
dort droben mit seinen derben entschlossenen Zügen, mit seinem
rein deutschen Kopfe unter dem Heckerhut, mit seiner gedrungenen
kräftigen Figur, er ist mir seit ein paar Tagen teuer geworden
wesentlich aus äußeren Gründen; — sie haben dem allverehrten
Mann, um sein Denkmal herauszuheben unter den anderen,
einen Hügel, eine leichte Erderhebung geschaffen, bei deren Be=
steigen, ob dies Tun auch nur wenige Meter in die Höhe
führt, man doch die Empfindung in die Beine bekommt, als
handle es sich um Bergsteigen. Das Wohltuende aber, das
darin liegt, versteht nur der, der vom heimatlichen Bergland
in diese ungemessene Ebene sich versetzt sieht, in dies ewige
horizontal Sichgleichbleiben auf Meilen und Meilen.

Ein weiterer Reiz kommt noch dazu. Am Denkmal selbst
sind alle Tierformen, Adler und Löwen, und sonstige Zubehör=
stücke glücklich vermieden. In edler Einfachheit ist der gewal=
tige Unterbau aus mächtigen Steinblöcken geschichtet, die ein
kühles Hohl bergen, durch das ein Parkweg führt. In diesem
Hohl läßt sich prächtig die immer drückender werdende Hitze
ertragen, hier ist der rechte, ungestörte Platz, um den Gedanken=
gang für die Schillergedächtnisrede sich einzuprägen, die in
wenigen Tagen, am 9. Mai 1905 bei der hundertsten Wiederkehr
des Todestages von mir gehalten werden soll, in Chicago, im
Auditorium, dem größten Theater der Stadt, vor einer Menge
von Menschen.

Es ist an sich schon wunderlich genug, daß ich mich da
unten in der kühlen Höhlung zwischen den Steinblöcken befinde,
welche das Grantdenkmal im Lincolnpark tragen, aber viel
wunderlicher will es scheinen, daß in mein so stilles Leben die
Aufgabe hineingeschleudert worden ist, von Stuttgart rasch mich
nach Chicago zu versetzen, um eine Schillerrede zu halten. Das
wäre an sich nichts Sonderliches und Neues für mich gewesen.
Ich hatte mich vermessen, über Schiller zu reden im Hoftheater

in Stuttgart; und als ich den Auftrag erhielt, für den 10. No‑
vember 1902 im Freien Deutschen Hochstift in Frankfurt am
Main die übliche Schillerrede zu halten, da glaubte ich in diesem
Rufe des Neuen und Fremdartigen genug erblicken zu dürfen.
Damals ahnte ich noch nichts von einem weiteren Schritt in
die Welt.

Welcher Zauber ist es denn eigentlich, der mich plötzlich hier‑
her versetzt hat, hierher in die Höhlung unter dem Grant‑
denkmal? — Es ist vor einer Reihe von Jahren gewesen, als
ich begann, ein schon ziemlich gehäuftes Material für amerika‑
nische Geschichte zu ordnen und zu sieben, neues hinzuzufügen.
Allerlei Zusammenträge ergaben sich mir dabei und ich fand, daß
nicht gerade viel fehlte, um aus dem noch etwas bunten Haufen
einen Beitrag, vielleicht eine vollständige Geschichte der Amerika‑
nischen Revolution 1775—1783 hervorgehen zu lassen. Vorerst
aber griff ich einzelne Bruchstücke heraus, um sie der Frank‑
furter Zeitung zur Verfügung zu stellen. Wie diese Versuche
sich gedruckt ausnehmen, welchen Eindruck sie machen, das sollte
sich zeigen.

Der zweite oder dritte Aufsatz dieser Art war erschienen,
als ich ein Schreiben eines zu eben dieser Zeit in Wiesbaden
weilenden Amerikaners erhielt, des Herrn Otto C. Schneider
aus Chicago, der mich fragte, was ich mit diesen verschiedenen
Artikeln, die in einem inneren Zusammenhang untereinander
stehen, beabsichtige. Das soll mit der Zeit, nach weiterem
Reifenlassen und Zusammenfassen, eine Darstellung der Ameri‑
kanischen Revolution abgeben, lautete meine Antwort. — Gut,
meinte der Amerikaner; er kehre mit ehestem in seine Häus‑
lichkeit nach Chicago zurück und freue sich, aus seiner eigenen
Bibliothek wie aus öffentlichen Sammlungen mir ein Material
senden zu können, das geeignet wäre, auf dem betretenen Wege
weiter zu fördern.

Richtig; da stand in meiner Arbeitsstube in Stuttgart
eine ungeheure Kiste, der alles mögliche alte und neue Hand‑
werkszeug entstieg, Bücher und Manuskripte. Unwillkürlich
mußte ich daran denken, wie ich wohl diese ganze Masse wieder
hinüberschaffe in das ferne Land, von wannen sie gekommen.
Zunächst gestaltete sich nun die Korrespondenz mit Otto C.
Schneider in Chicago lebhafter als je. — Er war ein eifriger
großer Geschäftsmann gewesen, hatte sich aber in verhältnis‑

mäßig noch jungen Jahren zurückgezogen und lebte nun wissen=
schaftlichen Vereinen und literarischen Bestrebungen. Das brachte
ihn gelehrten Kreisen nahe, den Professoren der Universität von
Chicago und denen der Northwestern University in dem benach=
barten Evanston, den Herren James Taft Hatfield, v. Klenze,
Oncken, Jameson u. a. Das neuerdings sich bildende Institute
of Germanics erhielt in Otto C. Schneider seinen Präsidenten.

Aus allen diesen Verbindungen vermochte ich durch die
fleißige und mitteilsame Hand Schneiders Vorteile für meine
Arbeit über die Amerikanische Revolution zu ziehen. Als diese
endlich im Oktober 1904 aus dem großen Hafen des Cottaschen
Verlags in die Welt hinausgelaufen war, wurde sie von den
Freunden in Chicago, die ich von Angesicht freilich nie gesehen,
mit besonderem Wohlwollen aufgenommen; eine Reihe von
Zeitschriften und Tagesblättern in Chicago selbst, in New York,
in Philadelphia sprachen von ihr, und ich selbst, ich war im
Handumdrehen, für einzelne Kreise Amerikas wenigstens, ein
bekannter Mann geworden.

Das waren zugleich die Monate, die in einer ganzen Reihe
von Städten in Europa wie in Amerika Ausschüsse zusammen=
treten sahen, welche den 9. Mai 1905, die hundertste Wieder=
kehr von Schillers Todestag, ins Auge faßten, um von langer
Hand würdige Feiern vorzubereiten. Für Chicago ergab es
sich in ganz natürlicher Weise, daß Otto C. Schneider an die
Spitze des Schillerkomitees trat, der bei Amerikanern aus
deutschem wie aus englischem Stamm gleich beliebte Mann,
der Präsident des Institute of Germanics, dessen taktvolles
Auftreten und Feinfühligkeit sich schon öfter bewährt hatten.
Als Schriftführer trat ihm Professor James Taft Hatfield zur
Seite.

Das alsbald aufgestellte Programm sah eine Reihe von
Festtagen vor; die Reden in Englisch und Deutsch sollten wech=
seln und dadurch gerade der Geist zum Ausdruck kommen, der
dies Fest der Amerikaner vor anderen auszuzeichnen bestimmt
war. Für die Festrede in Englisch war von vornherein der
durch seine Schillerstudien verdiente Professor Calvin Thomas
der Columbia-Universität in New York vorgesehen, andere Pro=
fessoren für weitere deutsche und englische Ansprachen.

Eine Besonderheit aber gedachte das Komitee der Feier in
Chicago zu verleihen dadurch, daß ein Landsmann Friedrich

Schillers, ein Schwabe, ein von dem Landesherrn Schwabens Beauftragter, die deutsche Festrede hielt. In diesem Sinne ging ein Gesuch an das Kabinett des Königs von Württemberg ab; zu gleicher Zeit ein Privatschreiben Schneiders an mich, daß man es in Chicago gerne begrüßen würde, wenn die Wahl zum Redner auf meine Person fallen könnte, nachdem ich schon durch meine Schrift über die Amerikanische Revolution mir dort Boden erobert und Freunde gewonnen.

So geschah es denn auch, und so kam es, daß ich jetzt in der kühlen Höhlung unter den Granitblöcken des Grantdenk= mals saß, an meine Rede zum 9. Mai dachte und zugleich meine Blicke rückwärts schweifen ließ, um all die Wunder vor meinen Augen wieder auferstehen zu lassen, die mich von der Heimat hierher getragen und begleitet hatten. Meerfahrt und Landung, die Reise über den Boden und durch die Städte von Amerika füllten ja, sich drängend und fast überstürzend, die Zeitspanne von wenig mehr als zwei Wochen aus, füllten sie an mit tiefgehenden Eindrücken, wie sie das ruhige Vorüber= gleiten des Lebens sonst nicht in Jahren kennt.

Aus der ganzen Flut aber ragten turmhoch zwei Anblicke heraus: Das Kapitol in Washington und die Bai von New York. — Eine gewisse Feierlichkeit erfüllte meine Seele, als ich in Bremerhaven an Bord des Schnelldampfers „Kronprinz Wil= helm" stieg und ich ärgerte mich an dem Alltagsgewäsch der Leute, die mit mir hinaufstiegen, denen aber dies Anbordsteigen und Hinüberfahren als Alltägliches galt. Endlich allein; den Aufgang der Sonne erwartete ich am ersten Morgen an Deck: heller Himmel; da bricht die Sonne aus den Wolken. Mit ihr kommt der Tag und vor ihr her eilt die Morgenröte, und die Nacht zieht sich immer weiter nach Westen zurück. Sieben Stunden ungefähr braucht die Sonne, bis sie die fliehende Feindin, die Nacht, vertrieben hat hinter den Michigan= see, hinter Chicago, bis sie sich in den Besitz des ganzen Atlan= tischen Ozeans und der Oststaaten Amerikas gesetzt hat. Also immer westwärts mit der Sonne! — Aus dem Dunst, der auf den Wassern lagert, scheinen endlich flache Küsten aufzu= dämmern, nachdem die Fahrt kaum sieben Tage gedauert. Zu= erst fast ineinanderfließend gewinnen die Küsten von Statenis= land und Longisland allmählich feste Formen und Farben; die Durchfahrt wird sichtbar; da! — dort! Die fackeltragende

Statue der Freiheit, Schiffe in Menge, Inselchen mit Schanzen. Den dämmerigen Frühstunden folgt bestimmteres Licht; dort rechts liegt New York, links Hoboken und zwischen beiden breit und mächtig der Mündungstrichter des Hudson.

Die ersten Absucher der Küste zu Beginn des 17. Jahrhunderts waren an dem herrlichsten Hafen der Neuen Welt vorübergesegelt, sie hatten den Torweg, die Narrows, zwischen Longisland und Statenisland nicht gefunden. Erst am 11. September 1609 entdeckte Henry Hudson die Straße, fuhr hindurch und fand sich nun in dem Seebecken, das nachmals den Hafen von New York abgeben sollte. In all die Wunder, in den von schwellenden Hügeln wie von schroffen Höhen, von Wiesen und Wald eingefaßten Strom, fuhr der erstaunte Seefahrer auf seinem guten Schiff „Der Halbmond" hinein, vermeinend, er segle auf einem Meeresarm, der in die Südsee hinüberleite. In tiefem Frieden lag das Land zu beiden Seiten, verwundert über das Ungewohnte des Anblicks trat neugierig der Hirsch zwischen den Urwaldbäumen ans Ufer und blickte dem in seine Segel gehüllten Schiffe nach, wie es durch seine Heimat dahinschwamm, während der Seeadler, nach seinem Horste steuernd, es mit gellem Schrei begrüßte. Bei ihrem Feuer aber mögen sich die roten Männer von dem schwimmenden Hause erzählt haben und von dem, was es bringe.

Henry Hudson gab dem Flusse seinen Namen, kehrte nach Holland, in dessen Dienst er stand, zurück und schilderte das Land an den Ufern seines Flusses als „das schönste der ganzen Welt". Bald kamen holländische Kaufleute und handelten den Indianern um eine Kleinigkeit die Manhattaninsel, auf der New York heute liegt, ab, um einen Mittelpunkt für ihren Tauschhandel zu gründen. Auf der Südspitze der langgestreckten Insel, da wo die Battery liegt, erhoben sich bald ein paar Blockhütten und darüber wehte die holländische Fahne; Neuamsterdam nannten sie den Posten; 1653 zählte das Städtchen 1000 Einwohner. Aber am ganzen Hudson entlang klangen die Schläge der Axt: holländische Buren setzten sich da und dort; die Neuen Niederlande, wie man die Kolonie bezeichnete, hatten sich wie ein Keil zwischen die englischen Niederlassungen an dieser Küste, zwischen Virginien und Neuengland eingeschoben. Was war natürlicher, als daß England bei der ersten Gelegenheit, die sich bot, die Holländer vertrieb und aus seinen

Besitzungen von Florida bis Maine ein zusammenhängendes Ganzes machte?

Mit dem Monat Oktober 1664 hat die holländische Herrschaft, die ungefähr ein halbes Jahrhundert gedauert, ihr Ende erreicht. König Karl II. von England belehnte mit dem eroberten Lande seinen Bruder, den Herzog von York (nachmals König Jakob II.). So kam die Stadt zu ihrem Namen. Wer aber heute in den Hafen von New York einfährt und der alten Geschichten gedenkt, dem ist es zu Mut, als rufe er sich Gestalten und Taten ins Gedächtnis, die mindestens so weit zurückliegen wie die Tage Karls des Großen oder der Kreuzzüge, fast so weit zurück wie die Sagen der versunkenen germanischen Vorzeit. —

Es ist ein allzu gewaltiges Stück Welt, das vor uns liegt, um es mit den Augen bewältigen, verschlingen, sich einprägen zu können. Erst war das Auge gefangen durch die sanft geschwungenen Höhenzüge auf Longisland und Statenisland, Gärten, Villen, Paläste, Städte, durch die Inseln und Flotten von Schiffen. Und nun der weit sich spannende Hafen mit seinen Schiffsgassen und Anlandestellen für alle Seefahrernationen der Erde. Eigentümlich wirkt das Stadtbild, das sich bietet. Die Türme sind es nicht, welche, das Häusermeer überragend, den Fremdling von fernher grüßen: es stecken die Türme ja zwischen den himmelhohen Häusern. Gerade diese Bauungetüme, hellfarbig, treten zuerst hervor und geben von vornherein den Stempel des Neuen, Ungewöhnlichen.

Unser Dampfer fährt immer langsamer; jetzt läßt sich bequem alles der Reihe nach betrachten. Aber er dreht ja dem glänzenden Bilde von New York den Rücken. Kleine pustende Schiffchen, hitzige, stämmige Kerle rennen ihm in die Seite, drehen ihn fast um seine Achse und zwingen ihn hinüber nach Hoboken, der Anlandestadt, die, durch den Hudson von New York getrennt, aus lauter Schuppen zu bestehen scheint. — Es ist schon Mittag vorüber am 25. April, und wir rutschen immer näher hin zu den Planken, mit deren Hilfe wir in wenigen Minuten den Boden Amerikas betreten sollen. Die Gefühle fangen an sich zu streiten; wie wird es uns drüben am Land gehen? Hier an Bord war es doch nicht schlecht, und jetzt endlich hätte man sich ausgekannt; gerade wenn man hinter alle Geheimnisse und Schliche gekommen ist, wenn man durch nichts Unerwartetes mehr überrascht worden wäre, gerade jetzt muß man das brave Schiff verlassen. So geht es aber auch in großen Dingen, ja im Leben selbst.

Ob unter den Massen von Menschen, die das Schiff erwarten, auch für uns ein Herz schlägt? Man trippelt hinüber; freilich: Otto C. Schneider aus Chicago ist da und unser Vetter aus Philadelphia. So also sieht Herr Schneider aus, mit dem ich schon lange korrespondiert; ich hätte mir ihn nicht so jung gedacht; der Vetter hat sich nicht verändert, seit wir ihn das letzte Mal am Bodensee gesehen. Alles aber, Freunde und Feierlichkeit des Augenblicks, in dem wir erstmals amerikanischen Boden unter den Füßen haben, alles das wird zurückgedrängt durch den Ernst der Zollrevision. Bevor jedoch die eigentliche Not anging, kam der Anführer der Zöllner dahinter, daß ich dank meiner halbamtlichen Sendung freie Einfuhr habe.

Jetzt noch die Reporter; die New Yorker Staatszeitung hat die Freundlichkeit gehabt, mich durch Herrn Ridder begrüßen zu lassen; World und Associated Preß ließen sich auch durch Sendlinge erkundigen. — So vollzog sich meine Einführung. Und nun konnte ich mich den Freunden widmen. Ja, wir würden in Philadelphia zu ihm kommen, das ist dem nach Hause reisenden Vetter W. Fischer versprochen worden, der, von eingewandertem deutschem Vater und altamerikanischer Mutter stammend, vollständig zum Amerikaner geworden ist.

Der Abend war schon eingebrochen, als uns Freund Schneider über den von einem Lichtstrome übergossenen Hudson hinüberführte nach New York. Am anderen Tage befanden wir uns auf dem Weg nach Philadelphia. Es ist schon oft berichtet worden, wie diese Strecke eine Fülle von Bildern eines immer reicher sich entfaltenden Kulturlebens zeigt.' Ununterbrochen begleiten uns zugleich Reklameschilder groteskester Art. — Da wird der Delaware überschritten, Trenton; Weihnachtszeit 1776 steigt in der Erinnerung herauf, die Tage, in denen Georg Washington sich in seiner ganzen Feldherrngröße zeigte und mit dem Schild seiner kleinen beweglichen Armee den Kongreß und die Stadt der Unabhängigkeitserklärung, Philadelphia, deckte.

Es gibt Städtenamen, deren Klang ganz bestimmte Erin-

nerungen heraufzwingt; Prag — und sofort tönt es im Ohre
weiter: Martiniß und Slawata, kaiserliche Statthalter aus dem
Fenster gestürzt, Beginn des Kriegs der dreißig Jahre. Heute,
wenn der Name Philadelphia klang, rief es wieder durch
all das Rasseln des Zugs: Unabhängigkeitserklärung vom
4. Juli 1776, erste und größte Tat der sich zur Freiheit em=
porringenden Menschheit. Vorerst aber kamen geschichtliche
Erinnerungen noch nicht zu Wort; es war noch Alltag, als
wir gegen Abend im Hotel Continental abstiegen und auch das
Gepäck auf jene geheimnisvolle Weise, an die wir uns all=
mählich gewöhnten, bei uns eintraf. „Wenn er irgend ein
wohlhabender Mann ist, hat er ein Telephon," sprach Freund
Schneider und meinte damit den Vetter Fischer, bei dem wir
anrufen wollten, ob wir passend zum Diner kommen. Meine
Frau, aus deren Stamm der Vetter sproßte, war bange, ob
der Wohlstand des ehemaligen Musikprofessors die Probe be=
stehen würde. Richtig; er besaß Telephon und kam mit einem
Wagen, uns zu holen. Hinüber über den Schuylkill in die
Vorstadt. Schönes kleines Landhaus, Neger am Kutschenschlag.
Echt amerikanisches Mittagessen bei voller Abstinenz in heime=
liger Stube, während draußen der Regen klatscht. Da sind die
zwei Töchter, die uns von früher her kennen, Enkelinnen des
Eingewanderten. Bei ihnen ist kaum mehr eine Erinnerung
an deutsche Sprache; die eine besorgt das Hauswesen, die
andere arbeitet auf der Redaktion einer großen Zeitschrift.

Ein Erbe aber haben sie treu bewahrt: die Liebe zur
Musik, die Begeisterung namentlich für deutsche Musik und
Poesie. Frohe Weisen klingen in den Abend hinaus und ziehen
die Nachbarn herbei, Amerikaner alten Bluts. Und das
deutsche Lied ist der gemeinschaftliche Boden, auf dem wir uns
finden. — Die letzte „Car" bringt uns zurück ins Hotel.

Waren wir am Abend freundlich begrüßt worden durch die
Klänge deutscher Lieder aus amerikanischem Mund, so bot uns
der Morgen volle Gelegenheit, unsere Herzen zu wärmen an
der aufgehenden Sonne, an der aufkeimenden Freiheit und
Größe Amerikas. — Die Unabhängigkeitshalle befindet
sich ziemlich noch in demselben Zustand, wenn auch erneuert,
wie zu der Zeit, da der Kongreß, der sich der „Kontinentale"
nannte, weil alle dreizehn Kolonien umfassend, hier zusammen=
trat und endlich nach langen Kämpfen sich entschloß, am 4. Juli

1776 die Unabhängigkeitserklärung auszusprechen, durch welche der von den Engländern „Rebellion" genannte Freiheitskampf zu einem Krieg zwischen zwei Gleichberechtigten geworden ist, von denen jeder gleicherweise bündnisfähig war. So sah sich der Vorgang in der Nähe an, die Wirkung nach außen ging viel weiter.

Da blicken sie ja aus ihren Rahmen auf uns herab, John Hancock, Patrik Henry, Georg Washington, andere Führer und Mitunterzeichner der Unabhängigkeitserklärung. Seid gegrüßt, ihr Lichtbringer! — Wie gut den zumeist glatten Gesichtern der eigentümliche Stempel steht, den die Aufklärungszeit allen ihren Söhnen aufgedrückt hat! Wenn man in diese Gesichter blickt, versteht man die Abstraktionen der Enzyklopädistenschule, an welche sich die einleitenden Gedankenreihen der Unabhängigkeits= erklärung anschließen. In feierlich priesterlichem Tone wird hier das Naturrecht der Menschen auf Gleichheit und Freiheit erstmals von einem Volke öffentlich vor der ganzen Welt allen seinen anderen Forderungen zu Grund gelegt. Ohne Leiden= schaft, ohne besonderes Pathos, mit klaren, einfachen, wohl abgewogenen Worten. Denn die innere Glut der philosophischen Abstraktionen sah sich hier gemildert durch die nüchterne Art der englischen Auffassung. Trotz aller fremden, namentlich deutschen Beimischung, war ja der Grundton in allen 13 Kolo= nien durchaus englisch geblieben.

So hoch bedeutsame Kunde ist niemals über den Ozean getragen worden seit dem Tage, da Kolumbus mit dem Erfolg seiner Tat in die Alte Welt zurückkehrte. Aus weltabgeschie= benem Winkel rieselte, von einer Wunderlampe ausgehend, ein blendender Lichtstrahl über die ganze Erde hin; viele Bewunderer fand der Glanz des aufgehenden Sternes unter den Aufgeklär= ten und Wissenden, die Menge aber blinzelte noch dem hellen Schein entgegen, der erst allmählich seine Wirkung auf den Gang der Ereignisse äußern konnte. Sein Geburtsland aber hat der in diese neue Form gegossene Freiheitsgedanke zum klassischen Boden für die Entfesselung der Arbeit gemacht, zum modernsten Land der Gegenwart, in welchem wirtschaftliche, geistige und politische Selbstbestimmung des einzelnen aufs innigste mit der Blüte und Freiheit des Ganzen zusammen= hängen.

Der Gürtel Landes, der sich von Boston über den Hudson

bei West Point und Saratoga zum Delaware bei Trenton nach Philadelphia und weiter über den Potomak an der Küste Virginiens bis Yorktown zieht, dieser Gürtel faßt alle die Örtlichkeiten in sich, die Zeugen waren von den Taten für Erringung der Freiheit. Er grenzt zugleich nach Süden und Südwesten an den Boden, der die Entscheidungen im Bürgerkrieg sah, als Freiheit und Einheit von entstellenden Formen gereinigt und gesichert werden mußten. Alle Erinnerungen, alles Arbeiten für Gegenwart und Zukunft aber und die Geschehnisse früherer Tage laufen in einer einzigen Örtlichkeit zusammen, in der für diesen Zweck geschaffenen Bundeshauptstadt Washington.

Schon auf der Fahrt von Philadelphia nach Washington glaubte man in diesen letzten Tagen des April vom Frühling in den Sommer versetzt zu sein. So fortgeschritten zeigte sich die Vegetation, so weich fühlte sich die Luft an. Ja, im Hause selbst, in allen Räumen, meinte man jetzt viel stockige Luft, vielleicht von den Warmwasserröhren sich herleitend, zu verspüren. So lange es draußen kalt war, kam das weniger zum Bewußtsein. — In der Stadt Washington selbst vollständiger Sommer. Jetzt gerade hatten die Parks, die Alleen, in deren Grün die Stadt mit ihren weitläufigen breiten Straßen gebettet ist, ihren herrlichsten Schmuck angelegt und gossen über diese Stadt der Blüten einen eigenen Zauber; erst wenn man seine Wanderungen zu einem gewissen Abschluß gebracht hat, kommt man auf den wahren Namen: Stadt der Paläste.

Die alten Residenzen, welche in Europa große und kleine Dynasten außerhalb der eigentlichen Hauptstädte der Länder gebaut haben, zeigen ja auch Anhäufungen von Palästen und palastartigen Bauten, die umsomehr zur Wirkung kommen, als neben ihnen die eigentlichen Wohnhäuser der Schloßstadt einen kümmerlichen, armseligen Eindruck machen und den Gebäuden, die für den öffentlichen Dienst bestimmt sind, zumeist die Kaserne als Vorbild gedient hat. Ganz anders in Washington; hier wird das Empfinden der Großen nicht dadurch gehoben, daß das für ihre Person bestimmte Gebäude alle anderen weit überragt, daß neben ihnen nichts zur Geltung kommt, was anderen Sterblichen oder dem öffentlichen Dienst angehört. Nein, der erste und bleibende Eindruck, den Washington macht, ist der einer vornehmen selbstbewußten Ruhe, die über dem Ganzen

liegt, über den Palästen, welche der Regierungsapparat dieses
großen Landes nötig hat, über den großartigen Heimstätten,
die sich die Wissenschaft als Zentralen für das ganze Reich
gebaut hat, über den Prachtbauten, welche in langen Zeilen
von behäbigem, ruhig genießendem Reichtum, von Geschäfts=
leuten, die sich zurückgezogen haben, von hohen Beamten des
Reichs, von den Gesandtschaften der Fremden erstellt wor=
den sind.

Freilich, der Herrscher des Landes, der Kongreß, thront
auch hier, wenn er, seine Sitzungen haltend, im Amte ist, aber
nur dann, am höchsten. Ihm sind für seine Tätigkeit Hallen
im Kapitol angewiesen, das, stolz von seiner Anhöhe herab=
blickend, in demselben Maße wie der zu Ehren Washingtons
aufgestellte Obelisk, das ganze Meer der im Grünen gebetteten
Paläste überragt. Es läßt sich eben der Eindruck, den der An=
blick der Stadt macht, mit nichts vergleichen; er ist echt ameri=
kanisch und wiederum kosmopolitisch, universell durchweht durch
den Geist, der in diesen großartigen Baugedanken, in diesem
Durcheinanderwerfen von Stilformen weht, in deren Mannig=
faltigkeit doch immer wieder eine schlichte, stolz=selbstbewußte
Einfachheit die Oberhand erringt.

Die Stadt mit ihren breiten Straßen, Plätzen, Gärten,
Parks nimmt heute schon einen riesigen Raum ein, ein noch
größerer ist ihr zugewiesen. Wenn ich die Amerikaner nicht
schon Verschwender genannt hätte, hier müßte ich sie erst recht
so heißen. Die Entfernungen sind demnach auch riesig. Die
Droschke, die in den europäischen Großstädten billig den Ver=
kehr vermittelt, fehlt hier, oder vielmehr sind die nicht sehr
zahlreichen Exemplare dieser Mietwagen für den Alltagsgebrauch
viel zu teuer. Wo keine „Car", keine Trambahn läuft, da hat
man Gelegenheit, tüchtige Fußtouren zu machen.

Sehr bequem liegt Arlingtonhotel, in dem wir uns ein=
quartiert hatten. Es läßt sich auf echt amerikanische Weise,
wenn auch nicht billig, doch höchst angenehm leben. Der Zufall
führte uns mit interessanter Tischgesellschaft zusammen; Richard
Bartholdt, Kongreßmitglied für Missouri, war aus St. Louis
mit seiner Gattin herübergekommen. Das höchste Ziel des
Strebens für diejenigen Männer, die sich dem öffentlichen Dienst
widmen, liegt ja in der Ehre, im Kongreß in Washington zu
sitzen, im Haus der Repräsentanten, oder gar in dem anderen

Zweige der Volksvertretung, im Senat. Jeder einzelne fühlt sich als Träger wichtiger Aufgaben, als ein aus der Mitte seines Volkes sich Heraushebender. Über eine Menge von Persönlichkeiten, Einrichtungen und Zuständen, an denen ich vielleicht achtlos vorübergegangen wäre, erhielt ich von dem geistvollen Tischnachbar Aufklärung.

Als junger Bursche zog Bartholdt aus Thüringen nach Amerika hinüber und verheiratete sich hier mit einer Amerikanerin alten Stamms. Beide besuchen nicht selten Deutschland, insbesondere auch die Heimat des Familienhauptes. Frau Bartholdt hat sehr gut Deutsch gelernt und weiß über ihre Erlebnisse in Deutschland anregend zu erzählen. Das Unterscheidende in der Stellung der Frau, der Frau aus dem Volk insbesondere, fällt ja einem empfänglichen weiblichen Gemüt in besonderem Maße auf. Mit Entsetzen sehen aus Amerika kommende Touristinnen, wie in Deutschland Frauen auf dem Felde arbeiten, wie sie auf dem Bahnhof sich anbieten, Gepäck zu tragen; solch Bild der Entwürdigung, meinte Frau Bartholdt, werde man gar nicht wieder los. Für mich und meine Frau, die eben im Begriff waren, in eine neue Welt einzutreten, bekamen die Erzählungen unserer freundlichen Mitbewohner ganz besonderen Wert.

Eine prächtige Fußwanderung hätten sie jüngst in Thüringen ausgeführt, berichtete Bartholdt. Schon am ersten Tage sahen sie einen älteren Bauersmann auf schmalem Pfade entgegenkommen, die Pfeife im Mund, während seine Frau ihm folgte, den Kartoffelsack tragend. Voll Entsetzen über diese Erscheinung rief Frau Bartholdt ihrem Gatten zu: „Wenn du wirklich ein amerikanischer Bürger bist, so nimm auf der Stelle der Frau ihren Sack ab!" — „Mütterchen," redete Bartholdt die Bauersfrau an, der erhaltenen Weisung ebensosehr wie dem eigenen Antrieb folgend, „Mütterchen, ich möchte wohl den Sack für Euch tragen." Langsam nur verstand die Bäuerin, was der fremde Herr beabsichtigte; nach einigem Zögern hatte Bartholdt den Sack auf der Schulter. „Na, wenn das so gemeint ist," dehnte endlich der Bauer, „dann kann ich wohl auch den Sack tragen."

Heute ist Bartholdt das Haupt der großen Friedensbewegung in den Vereinigten Staaten; 1904 wurde er zum Präsidenten der interparlamentarischen Union für internationales Schieds-

gericht gewählt und erschien als einer der Führer auf der
Brüsseler Friedenskonferenz im Sommer 1905. Auch bei der
Friedenskonferenz in London 1906 war er tätig.

Die Verehrung für die Frauen kommt auch in der Residenz
des Präsidenten, in den anspruchslosen Räumen des Weißen
Hauses, zur Anschauung durch die Bildnisse der Gemahlinnen
der Präsidenten, wie sie aufeinander gefolgt sind. Eine durch
die deutsche Botschaft vermittelte Vorstellung bei Roosevelt
konnte nicht ausgeführt werden, weil der Präsident auf längerer
Amtsreise im Westen des Reichs abwesend war. Auch der
deutsche Botschafter, Speck von Sternburg, selbst war abwesend
und wir erfuhren im Botschaftsgebäude neben manchem anderen
Interessanten nur, daß der Botschafter der von Chicago er-
gangenen Einladung zum Schillerfest nicht zu folgen vermöge,
sich durch den Legationsrat Scheller-Steinwartz vertreten lassen
werde.

Dem Weißen Hause, das unserem Hotel benachbart liegt,
vorgelagert ist noch, zugleich in der Nähe des Justizministeriums,
der Lafayettesquare mit den Denkmälern von Lafayette, Ro-
chambeau und Andrew Jackson. Unser Begleiter, Kongreßmitglied Bartholdt, wußte uns hier mitzuteilen, daß ein von
ihm ausgehender Antrag, dem General Friedrich Wilhelm
v. Steuben ein Denkmal zu errichten, alle Aussicht habe, angenommen zu werden. Die amerikanischen Städte jeder Größe
sind eben im besten Zuge, ihre freien Plätze durch Denkmäler
zu verschönen; berühmte Soldaten aus dem Bürgerkrieg nehmen
dabei der Zahl nach die erste Stelle ein. Washington wird,
was Denkmäler anlangt, wohl allen Städten den Rang ab-
laufen auch dadurch, daß die fremden Nationen vertreten sind;
Deutschland durch Luther, Friedrich den Großen, Friedrich
Hahnemann. In unseren Hauptstädten fehlen immer noch die
großen Wohltäter der Menschheit, Georg Washington und Benjamin Franklin.

Vom Weißen Hause aus werden in allererster Linie die
Blicke gefesselt durch das hochgelegene, weithin schimmernde
Kapitol, das von breit ausladenden Terrassen und mächtigen
Freitreppen umgeben, aus üppigem Park in herrlich gezogenen
Linien sich aufschwingt. Es lohnt sich, zu Fuß hinaufzupilgern
nach all der Pracht, zu der in Stein und Bild vor uns tretenden
Geschichte dieses mächtigen Landes, das trotz seiner Jugend schon

eine gewaltige Menge von Erlebnissen und stürmischen Durch=
gangszuständen hinter sich hat.

Mit Vorliebe habe ich mich von jeher mit dem Werdegang
des amerikanischen Weltreiches beschäftigt, mit seinem Keimen
und Emporstreben zum Licht ebensowohl wie mit seinem Ent=
falten. Nur die Anschauung hatte gefehlt. Heute durfte ich
in vollen Zügen all das einsaugen, was diese bildlichen Dar=
stellungen, diese Marmorfiguren zu erzählen haben. — Da stehe
ich in der Rotunde unter der hochragenden Kuppel; rings Bilder
aus der ersten Entstehungsgeschichte; dann in der Nationalhalle
mit ihren Statuen. Jeder Staat hat das Recht, die Stand=
bilder zweier seiner berühmtesten Söhne aufzustellen. — Da
stehst du ja mit deinem Schwärmerblicke, Eathan Allen, der du
die alte Puritanerkampflust in das Freiheitsringen von 1775
hereingetragen hast, als du mit deinem Gewehrkolben, von
wenigen verwegenen Gesellen begleitet, an das Tor der eng=
lischen Feste Ticonderoga pochtest: „Aufgemacht im Namen des
Großen Jehovah und des Kontinentalen Kongresses!" Da stehst
du von Glorienschein umflossen, der du zum Märtyrer wurdest,
du Rebell, in grausamer englischer Gefangenschaft! Und heute
kann man wieder den Ruf hören der ganzen Welt gegenüber:
„Aufgemacht!"

Zur Rechten von der Rotunde befindet sich der riesige Saal
für den Teil des Kongresses, der mit seinen 386 Mitgliedern
das Haus der Repräsentanten oder kurz „das Haus" genannt
wird; links gelangt man zum Sitzungssaal des oberen Teils
vom Kongreß, des Senats, der 90 Vertreter zählt; angehängt
ist der Raum für das Bundesobergericht.

Dem Haupteingang gegenüber steht das Kolossalstandbild
Georg Washingtons, von dem bis ans Ende der Tage gilt,
was auf seinem Grabe steht: „Er war der Erste im Krieg, der
Erste im Frieden und ist der Erste im Herzen seiner Lands=
leute." Auch Thomas Jefferson, vielfach sein Gegner, sagt
von ihm: „Er vereinigte die größte mir bekannte Makellosig=
keit und Reinheit des Charakters mit der unbeugsamsten Ge=
rechtigkeitsliebe. Er war in jedem Sinne des Worts ein weiser,
guter und großer Mann." — Für uns Nichtamerikaner wird
Georg Washington stets zu den aus dem historischen Gewimmel
heraustretenden Lichtgestalten zählen, zu den Erscheinungen,
die unwillkürlich ihren Zauber ausüben und durch das Vorbild=

liche ihres Handelns, Denkens, Urteilens Heilmittel für die
Schäden aller Lebenskreise und aller Zeiten zu liefern wissen.

Auf der Akropolis ihrer Städte pflegten die Alten einem
besonders Hochgehaltenen ein Heiligtum zu bauen. Die Ameri=
kaner haben auf der geheiligten Anhöhe, welche in der Bundes=
hauptstadt Washington ihr Kapitol trägt, dem von ihnen be=
sonders hochgehaltenen Gott — dem Buch — einen Tempel
errichtet. Gegenüber dem Kapitol erhebt sich der Kolossalbau
der Bibliothek des Kongresses. Großartigkeit des Stils zeichnet
alle öffentlichen Bauten der Amerikaner aus, aber beim Bau
dieser Nationalbibliothek ist eine besondere Pracht in Farben
und Formen entwickelt worden. Dazu vorzügliche Einrichtungen
für Beleuchtung und Erwärmung, für Lesesäle, für rasche Ver=
sorgung mit Büchern.

Schon heute ist diese Bücherei teils durch die Pflichtexem=
plare, die sie von allen in Amerika gedruckten Werken erhält,
teils durch eigene Erwerbungen, auf mehr als eine Million
Bände gebracht und sie enthält noch Raum für weitere Mil=
lionen. — Lernbegieriger als der Amerikaner ist niemand auf
der Erde. Natürlich. Demokratien müssen ein kenntnisreiches,
einsichtsvolles Volk haben, wenn sie nicht übertölpelt und be=
nachteiligt werden wollen. Offene Köpfe waren es, die als
Heimatsucher einstmals hier ans Land traten, um ganz auf
eigenen Füßen zu stehen; nichts wollten sie sich vormachen lassen,
in gar nichts Vormundschaft dulden. Darum mußten sie alles
selbst erkennen, durch den Verstand in sich aufnehmen, ver=
arbeiten; kurz, sie sahen sich genötigt, ununterbrochen zu lernen.

In seiner Bücherliebe, in seiner wachsenden Leselust hat sich
nun das amerikanische Volk hier einen wirklichen Bücherpalast
errichtet, wie ihn in solcher Pracht die Welt noch nicht gesehen
hat. An diese Stätte des Lesens und Sammelns schließen sich
in der Bundeshauptstadt noch die großen Regierungsinstitute
an, die nicht wie die ebenfalls hier errichteten Hochschulen sich
dem Unterrichten unmittelbar, sondern mehr dem Forschen und
Experimentieren widmen; ferner die großen Bibliotheken der
Ministerien, unter denen besonders die des Kriegsministeriums
hervorragt. An allen diesen Büchereien und Sammlungen ist
ein Heer von 6000 Regierungsbeamten angestellt. Damit wäre
also für den Hofstaat eines der amerikanischen Götter, des
Buchs, ausgiebig gesorgt.

Nach dem Vorbild von Washington, oder auch, wie in Neu=
england, diesem vorauseilend, sind in allen großen Städten
verschwenderisch ausgestattete öffentliche Bibliotheken eingerichtet
worden, die zum Teil auch Lesesäle für Kinder haben. Allen
Ständen, allen Lebensaltern soll der Besuch der Bücherpaläste
zur Lebensgewohnheit gemacht werden.

Dies ist etwas Großes, aber etwas noch viel Bedeutungs=
volleres liegt in dem Umstand, daß sich in jedem erst aufkeimen=
den Dorfe des Westens, dessen Wohnstätten noch aus Blöcken
geschichtet sind, doch zwei Gebäude finden, die durch ihre re=
lative Großartigkeit in die Augen fallen: die Schule und die
Volksbibliothek. Und wächst das Dorf zur Stadt heran, so
überraschen wiederum die Schulen und die öffentliche Bibliothek
durch ihre schöne Front und ihre stolze Aufschrift. Hier sind
die Handwerkstätten, wo die besten Waffen geschmiedet werden
gegen Alkoholismus und Kleinlichkeit, die schließlich auch der
Korruption gegenüber zum Sieg verhelfen müssen. —

Unter meinem Gepäck befand sich ein riesiger Kasten, der
über die Koffer herausragend fast den Eindruck machte, als wäre
er haushoch. Es stak darin eine Schillerbüste nach Dannecker,
als Geschenk des Königs Wilhelm II. von Württemberg für
die John Hopkins=Universität in Baltimore bestimmt. Zu
meinen Aufgaben gehörte es, diese Schillerbüste der Universität
mit den Grüßen und besten Wünschen des Geschenkgebers zu
überreichen. Am Abend des 28. April kamen wir in Balti=
more an, von unseren Gastfreunden, dem Professor Henry
Wood und seiner Gattin, aufs herzlichste empfangen. Am fol=
genden Tage sollte die etwas vordatierte Schillerfeier stattfinden
und ich bekam dabei den Inhalt meines großen Gepäckstückes,
den ich bisher in seiner Hülle nur zu ahnen vermochte, wirklich
zu sehen und zwar in besonders weihevoller Stunde. Unter
dem Abschnitt, der den „Schillerfeiern" gewidmet ist, wird dar=
über berichtet werden.

Nun gab es aber kein Zaudern mehr; es ging dem ersten
und eigentlichen Ziele, Chicago, zu. Eine ziemlich weite Reise,
trotz beschleunigter Fahrt immerhin 24 Stunden, bis zu weit=
gehendster Bequemlichkeit gemildert durch die Einrichtungen der
Baltimore= und Ohiobahn. Landschaftliche Schönheiten hatten
ja auch bisher das Auge entzückt, aber nun nahmen sie anderen
Charakter an. Die Täler der Alleghanies haben nicht

wenig Ähnlichkeit mit dem Thüringer Wald, nur zeigt sich die
Decke, die der Wald über die Hänge und Kuppen breitet, weit
lichter und lockerer, ausgebeuteter, als in den Mittelgebirgen
Deutschlands. Hoffentlich kommen die Amerikaner nicht zu spät
den Mahnungen des weitblickenden Staatsmannes Karl Schurz
nach, der wiederholt für den Wald sprach, für seine Schonung
und Vervollkommnung. Noch ein anderes Unterscheidendes: im
deutschen Bergland rieseln zumeist nur Bäche oder kleinere Flüsse,
Quelläufe der großen; hier schaffen sich mächtige Ströme Bahn:
Potomac, Shenandoah, Susquehannah; die Allgegenwart des
Wassers bringt Leben in die entlegensten Winkel.

Harpersferry am Potomac in großartiger landschaftlicher
Umgebung. Der Platz hat eine Rolle gespielt im Bürgerkrieg;
1862 hat der südstaatliche General Stonewall Jackson hier eine
Armee der Nordstaaten zur Ergebung gezwungen. Aber noch
mehr; in Harpersferry ist die Vorrede zum großen Bürger=
krieg gehalten worden; das Vorpostengefecht, das der Haupt=
schlacht vorausgeht, hat sich hier abgespielt. — Zu Ende des
Jahres 1859 ist John Brown mit einer Anzahl seiner Ge=
fährten gehängt worden, weil er es versuchte, die Sklaverei in
einem ihrer Hauptsitze, in Virginien, mit den Waffen in der
Hand aufzuheben. Erfüllt mit dem ganzen Idealismus der
Tat, mit der fast dämonischen Kraft der Puritaner Cromwells,
mit alttestamentlichem Fanatismus und Fatalismus, so war John
Brown auf den Plan getreten. Nichts brannte in dem Herzen
des Abkömmlings der Pilgrimväter so heiß als die Begierde,
Krieg gegen die Sklavenhalter zu führen, an den beleidigte Mensch=
heit an ihnen zu rächen. Harpersferry enthielt ein kleines Zeug=
haus. Wenig mehr als zwanzig entschlossene Gefährten horchten
auf seine Stimme, als er sich im Oktober 1859 zum Anführer
aufwarf und den Posten besetzte. Gegen die kleine Schar mar=
schierten virginische Milizen und Marinetruppen der Vereinigten
Staaten; mit wenigen wurde John Brown gefangen, die übri=
gen fielen. Am Abend vor der Hinrichtung nahm er mit der
Ruhe eines klassischen Helden Abschied von seiner Frau, und
so schrieb er kurz vor seiner Abführung zum Galgen: „Ich
bin nun überzeugt, daß die große Ungerechtigkeit, welche auf
diesem Lande lastet, nur durch Ströme von Blut beseitigt
werden kann."

Die Bahn beginnt zu steigen nach dem Kamm der Alle=

ghanies zu; die Wasserscheide wird überschritten. Dahinten
liegt nun das Gebiet, aus welchem alle Wasser mit dem Poto=
mac und anderen Strömen zum Atlantischen Ozean eilen; wir
treten ein in das Gelände, das mit dem Monongahela und
Ohio seine Bäche und Ströme zum Mississippi schickt, um mit
diesem in jenen Teil des Atlantischen Ozeans zu münden, der
Meerbusen von Mexiko genannt wird.

Da ist Pittsburg erreicht, jener wichtige strategische
Punkt, an welchem durch Zusammenströmen des Monongahela
und des Alleghany der Ohio seinen Anfang und seinen Namen
erhält. Ein Gelände, das in der Mitte des 18. Jahrhunderts
Taten gesehen, deren Erzählung heute anmutet, als hörten wir
Abenteuer aus der Zeit des Mittelalters berichten. — Fran=
zosen waren es, über die Seen aus Kanada kommend, welche
erstmals diesen Boden betraten und dem Ohio, die Bedeutung
des indianischen Namens übersetzend, den Namen La Belle
Rivière gaben. Sie hißten ihre Königsflagge und bauten als
ihren Stützpunkt Fort Duquesne. Zu gleicher Zeit drangen
virginische Hinterwäldler über den Kamm des Alleghanies her=
über, keinen Zweifel darüber hegend, daß dieses schöne West=
land ihnen und ihren Nachkommen gehöre. So ging der Kampf
um den Ohio an in den Jahren 1754 bis 1758, ein Kampf,
an dessen Hin= und Herfluten sich der Name des jugendlichen
Georg Washington knüpft, der eben aus einem Feldmesser zu
einem Führer der virginischen Freiwilligen sich umzubilden be=
gann.

Ja, es kamen unter alten Generalen auch englische Linien=
truppen zu Hilfe. Aber diese Führer verstanden nichts vom
Buschkrieg, nichts von der Kunst, Strapazen zu ertragen, überall
einen Ausweg zu finden, niemals zu verzagen. Zudem waren
die Indianerstämme längst von den Franzosen gewonnen, deren
Sendlinge mit dem roten Mann sich auf vertrauten Fuß zu
stellen wußten, aus einer Schnapsflasche mit ihm tranken, sich
an den nächtlichen Tänzen beteiligten und schließlich wohl auch
die rote Maid zur Gefährtin nahmen, recht im Gegensatz zu
den Leuten aus den englischen Kolonien, die so zurückhaltend
und steif dem Indianer begegneten.

So kam es, daß Engländer und Virginier zunächst mit
blutigen Köpfen abzogen; das Tal des Monongahela hallte
wider vom Kriegsgeheul der Indianer, die in der Vorhut ihrer

französischen Bundesgenossen standen. Erst dem kecken und
klugen Vorgehen Washingtons gelang es, die Franzosen zum
Aufgeben ihrer Feste Duquesne zu veranlassen. Auf der Stätte,
wo ihre rauchenden Trümmer standen, an der Stromgabel, wo
aus den zusammenfließenden Wassern von Monongahela und
Alleghany der Ohio hervorgeht, wuchs eine virginische Niederlassung empor, Pittsburg geheißen zu Ehren von William Pitt,
der als erster unter den englischen Ministern die Weltbedeutung
dieser Kolonien erkannt und sie aus der Stellung von Dienen-
den zum Rang von Gleichberechtigten und Mithandelnden em-
porzuheben begann. —

Der Morgen des 1. Mai bringt auch in den Schlafwagen
herein; recht im Innern der Vereinigten Staaten, in Indiana
wahrscheinlich. Wie wohl das Land sich hier dem Auge zeigt?
Ein kühler, fast von Frost begleiteter Morgen; rings ebenes
Feld, da und dort Gehölze; ein Ackersmann, der mit zwei
Gäulen am Pflug lange, lange Furchen zieht; benachbart eine
Wiese, auf der ein paar Fohlen Reißaus nehmen, während eine
Schar Kühe das Schauspiel des rasselnden Schnellzugs gefaßt
erträgt. Einzelne Farmen, bald sorgfältig angelegt, bald not-
dürftiges Dach gewährend; in einiger Entfernung ein größerer
Wohnplatz, nach dem eine kerzengerade Straße führt, zuweilen
sogar ein bescheidener Kirchturm.

Eine kleine Dünenlandschaft kündigt die Nähe vom Südufer des Michigansees an. Sonst alles weithin flach. Die Anzeichen von der Nähe Chicagos mehren sich. Durch ganze
Stadtviertel nicht eben imponierenden Aussehens braust der Zug
hindurch, Schornsteine und geschwärzte Vorstadtstraßen. Wahrhaftig, wir sind an Ort und Stelle, in höchst unfreundlicher
Halle. Desto freundlicher gestaltete sich der Empfang. Frau
Otto C. Schneider schloß nicht nur ihren Gatten, sondern auch
uns, die von ihm mit so viel Sorgfalt behüteten Fremdlinge,
in die Arme, packte uns in bequeme Kutsche und fort ging es
auf langer Fahrt. Erst unterwegs erfuhren wir, was es heißen
wollte, eben in diesen Tagen einen Wagen zu erhalten; denn
es war Streik, ein Streik schlimmster Art, der Ausstand der
Kutscher und Fuhrleute in Chicago. Fort ging es, bald holpernd
und stoßend, bald auf glatter Bahn, bis wir die im Norden der
Stadt gelegene, dem Lincolnpark benachbarte La Salle Avenue
erreicht hatten und vor Schneiders Hause hielten.

Noch ganz besonders mußte ich die Hausnummer betrachten; da steht sie also, die ich seit Jahren so oft geschrieben; über diese Treppen, durch diese Haustüre hat so lange der Brief= träger meine Zuschriften befördert. Es ist La Salle Avenue, eine gar stille Straße, nicht gestört durch Kaufläden oder Wirt= schaften, geeignet für ruhige, behäbige Leute. Nur in kleinen, kaum bemerkbaren Ausläufern bringt das Tosen und Lärmen der Weltstadt hierher, wenn der Zeitungsjunge mit gellem Ausrufen sich bemerkbar macht, oder die Karrenführer bei den Köchinnen für ihre Waren Aufmerksamkeit zu erregen suchen. Ihren Namen hat der Straße jener große Entdecker La Salle gegeben, der zu Ende des 17. Jahrhunderts von Kanaba aus seine Reisen begann und mit Hilfe der großen Seen die sehnlichst gesuchten Küsten der Südsee zu erreichen trachtete. Denn es dauerte lange, bis die Menschen es in ihre Vorstellungen aufzunehmen vermochten, daß der Zugang vom Atlantischen Ozean zur Süd= see, zum Pacific, durch den amerikanischen Kontinent fast von einem Pol zum anderen zugemauert sein sollte. Durchfahrten suchen wurde zur Mode.

Für eine Reihe von Tagen oder vielmehr von Wochen sahen wir uns nun im sicheren Hafen eingelaufen. Auspacken, Ordnen, sich mit der Topographie des Hauses und seiner Lebens= ordnung bekannt machen. Erster Ausgang in die Office der Illinois Staatszeitung, in deren Chefredakteur Wilhelm Rapp ich einen Landsmann zu begrüßen habe. Unzählige Grüße von gemeinschaftlichen Freunden aus dem Schwabenland hatte ich zu bestellen. Denn dort drüben ist Wilhelm Rapp ein ebenso volkstümlicher Mann wie hier, wo er sich vom Achtundvierziger Flüchtling zum Chefredakteur und einem der angesehensten öffent= lichen Charaktere aufgeschwungen hat. Er schmunzelte vergnügt, der brave, herrliche Alte, als er Kunde von so viel Zeichen freundlichsten Gedenkens erhielt.

Die nächsten Tage wurden beherrscht durch die von dem Streik veranlaßten Unbequemlichkeiten und durch eine Reihe von Gesellschaften, welche reiche Gelegenheit boten, die bei den geplanten Schillerfeierlichkeiten tätigen Persönlichkeiten kennen zu lernen und sich mit den Formen und Gesetzen geselligen Verkehrs vertraut zu machen. — Von dem Streik, der in den entlegenen Industrie= und Geschäftsvierteln mancherlei Unbe= quemlichkeiten schuf, drangen Berichte in unsere stille La Salle

Avenue, wie wenn sie aus einer anderen Welt kämen; eine
Berührung mit dem Hin= und Herwogen der Bewegung fand
nur statt, wenn wir die weite Reise aus unserer Idylle hinein
in die rauhe Wirklichkeit unternahmen. Man erinnerte sich des
Streifs vor 11 Jahren, dessen schlimme Begleiterscheinungen
durch ein Truppenaufgebot gedämpft werden mußten. Wo man
hinhorchte, fand man auch, daß ein außerordentlich heilsamer
Respekt vor den Truppen der Bundesarmee und ihrer rücksichts=
losen Energie bestand. Ja, auch vor den äußerlichen Abzeichen
der Bundesgewalt. Wo ein U. S. aufgemalt sich zeigte, da
konnten die als Willige sich stellenden Fuhrleute, meist Farbige,
ruhig ihres Wegs ziehen, während bei anderen Gelegenheiten
sich terroristische Roheit nicht selten ans Licht getraute.

Dem Streik verdanke ich das Bekanntwerden mit einer Eigen=
schaft des amerikanischen Volkes, die ich bei dieser temperament=
vollen Rasse nicht gesucht hätte. Es lag für mich ein Paket
auf dem Hauptpostamt. Der Streik der Fuhrleute hatte ein
System zur Folge gehabt, nach welchem die Adressaten An=
weisung erhielten, ihre Pakete selbst auf der Post zu holen oder
holen zu lassen. Dies Geschäft brachte mich in den weiten Raum,
in welchem Hunderte auf ihre Pakete warteten. Wirklich stun=
denlang warten mußten und wirklich ausharrten, bis die Reihe
an sie kam; ausharrten ohne ein Wort des Ärgers, der Unge=
duld, der sich für berechtigt haltenden Entrüstung. Man sah
da Hunderte von Männern stehen, die ihre kostbare Zeit ver=
loren und doch geduldig warteten, bis die in Hemdärmeln sich
abmühenden Beamten mit der Reihe an sie kamen.

Man spricht so viel von der Gutherzigkeit z. B. des Schwa=
ben; die wichtigtuende Schimpferei aber hätte ich hören mögen,
wenn der Paketraum mit seinem wartenden Publikum sich nicht
am Michigansee, sondern am Bodensee oder am Neckar befunden
hätte. Die bewußte Gutherzigkeit des Amerikaners gehört eben
wesentlich dem überlegenen Verstand, nicht bloß dem Herzen,
d. h. der augenblicklichen Laune an. Auch bei großen Verkehrs=
stockungen mußte ich die unzerstörbare Geduld der Massen be=
wundern. So werden auch die Angewöhnungen oder Willens=
äußerungen eines anderen, wenn sie im Augenblick auch ein
wenig stören, mit außerordentlicher Nachsicht ertragen. Man
ehrt den Willen des Fremden. Natürliche gute Manier hat an
solcher Geduldbezeigung auch ihr gut Teil. Kindern und Dienst=

boten gegenüber zeigt sich dieselbe Langmut; hört man Schimpfe=
rei, so ist der Beweis geliefert, daß der Lärmmacher noch nicht
lange im Lande ist.

Aus dem Hotel auf die Straße blickend, im Hotel selbst,
auf dem Tram, auf der Eisenbahn läßt sich gewiß manch Über=
raschendes und Neues beobachten. Nur kommt der Beobachtende
in Gefahr, auf der Oberfläche Liegendes, Zufälliges für Ein=
gelebtes, allgemein Übliches zu halten. Die Gefelligkeit, welche
alltäglich zweimal Gäste zusammenführte in dem Schneiberschen
Haufe und in befreundeten, auch zuweilen im Klub, brachte mir
den Vorteil, trotz kurzer Anwesenheit auf dem Boden Amerikas
doch manchen Dingen auf den Grund gehen zu können, nament=
lich die Kunst herauszufinden, diese Amerikaner und Amerikane=
rinnen als neue Erscheinungen voll zu würdigen. Manche mögen
sich damit begnügen, das Unterscheidende zwischen dem deutschen
und amerikanischen Menschenkind mit aller Genauigkeit zu ver=
zeichnen. Beffer tut man und rascher kommt man zu seinem
Ziele, den amerikanischen Menschen eben zu nehmen wie er ist,
weniger das Unterscheidende herauszubestillieren, als vielmehr
die Merkmale seiner Wesenheit festzustellen.

So viel Gefelligkeit hätte ja ermüdend wirken können, wenn
nicht immer wieder neue Anregung aus ihrer Zusammensetzung
hervorgegangen wäre. Geschäftsleute, große und kleinere, Richter,
Profefforen der Univerfität, Redakteure, Deutschamerikaner und
aus altenglischem Blut Stammende, Herren wie Damen gleich
anregend. Zwei Dinge kommen dazu: das fein ausgedachte
Zeremoniell, mit dem die amerikanische Sitte trotz der all=
gemeinen Ungebundenheit jede Verunzierung ihres gefelligen
Tons fernzuhalten weiß, und die außerordentliche Mäßigkeit im
Genuß geistiger Getränke, die bei vielen, namentlich bei der
jüngeren Generation, in völlige Abstinenz übergeht.

Diese Tage, welche den Schillerfesten vorangingen, brachten
mir auch die Auszeichnung einer Einladung in den Kolumbia=
Frauenklub. Geschäftliche Angelegenheiten wurden verhandelt
und ich mußte die Ruhe und Sicherheit der Leitung sowohl als
des weiblichen Publikums bewundern. Profeffor Hohlfeld von
der Madifon=Univerfität hielt einen Vortrag über Goethes
Fauft; dann kam ich selbst auf kurze Zeit zum Wort, um den
Damen zu erklären, wie ich überhaupt zu meiner Sendung
nach Amerika gekommen sei, wie ein Hauptaugenmerk von mir

sich darauf richte, die Amerikanerinnen kennen zu lernen. Als
Gehilfin bei solchem Streben habe sich deshalb, der Worte von
Longfellow gedenkend:

> Wie die Sehne zu dem Bogen,
> So gehört das Weib zum Manne,.

meine Frau angeschlossen.

Und hier, im Kreise gebildeter, strebsamer Damen sitzend,
finde ich wohl am ehesten Gelegenheit, etwas, wenn auch wohl
Lückenhaftes über die amerikanische Frau zu sagen. — „Dies
Land gehört den Frauen"; eine derartig lautende Inschrift
wäre schon in den ersten Generationen der Kolonisten am Platz
gewesen; heute erscheint die Herrschaft der Frau im geselligen
und häuslichen Leben, ihre Anteilnahme an der Herausbildung
der öffentlichen Meinung als ein außerordentlich wichtiger, vom
Leben dieses Volkes nicht trennbarer Faktor.

Unter den die Axt schwingenden Pionieren erschien die Frau
noch als eine seltene Zierde des Haushalts. Wo sie aber am
Herde stand, ist sie über alles hochgehalten worden. Der Mann
ging vollständig in grober Arbeit, im Geschäfte auf. Die Frau
allein fand Zeit, für den Schmuck des Lebens und des Hauses
zu sorgen. Sie allein erhielt Gelegenheit, Nützliches zu lesen
und nachzudenken. So zog allmählich mit dem Fortgang histori-
scher Entwicklung das Gefühl geistiger Überlegenheit beim amerikanischen Weibe ein und der Mann verstand sich dazu, dies
Gefühl zu respektieren.

Tiefsitzende ursprüngliche Empfindungen pflanzen sich auf
geheimnisvolle Weise durch Generationen fort. Heute findet
sich in allen Lebenskreisen und in allen Schichten die Verehrung
der Frau und die Schonung ihrer Kräfte durch einen nicht ver-
letzbaren Kranz von Gesetzen und, was mehr ist, von heilig
gehaltenen Gebräuchen umrahmt.

Viele der hessischen Landsknechte, welche im Revolutions-
krieg von 1776 an auf seiten der Engländer dienten, haben
fleißig Tagebücher geschrieben. In keinem derselben fehlt der
ungesuchte Ausdruck der Bewunderung für die schönen Amerikanerinnen, für ihre zierliche Taille, geraden Wuchs, verführe-
rische und doch abweisende Miene. — Der niedersächsische Stamm
ist an sich schon ein bevorzugter und hat durch seine Aussaat
in England weitere glückliche Mischung erfahren. Von diesem
edelsten Stamm englischer Landleute sind die ersten leichten

Wogen der nach Westen gerichteten neuen Völkerwanderung ausgegangen. Voll Befriedigung sahen der Stuartkönig und seine Kavaliere, wie diese Stücke englischen Volkstums, zum Teil unruhiger und neuerungssüchtiger Natur, in der Ferne verschwanden und von dem Boden Amerikas gewissermaßen eingeschluckt wurden, wie man ihrer los sei für alle Zeiten. Daß gerade die Tüchtigsten und Beanlagtesten hinauswanderten, das blieb lange ein Geheimnis.

Manch ein wilder Schößling aus den vornehmsten Völkern Europas gesellte sich in Amerika selbst noch zu dem ursprünglichen angelsächsischen Blut und trug weitere Rasseneigentümlichkeit hinüber. Die Amerikanerin von heute hält ihre schlanke Figur in gerader, sicherer Haltung. Auch die Angehörige der unteren Klassen weiß in jede ihrer Bewegungen einen Adel, eine Würde zu legen, welche die Frauen anderwärts von gleicher, ja selbst höherer Rangstufe nicht kennen, wenigstens nicht von Natur aus. Mehr noch, die Amerikanerin weiß die Frauen eingewanderter Stämme von Generation zu Generation mehr und mehr in ihre Haltung und Anschauung hineinzuzwingen. Neben dem Ausdruck der Entschlossenheit und Selbstbeherrschung wohnt in dieser Miene ein feiner Ausdruck des Taktes. Es zeigen sich spielende Liebenswürdigkeit und eine eigene Art herzlicher Vertraulichkeit, gleich weit entfernt von gemeiner Familiarität wie von der aus ihr erwachsenden Zudringlichkeit.

Unter Amerikanerinnen wird man sich in vollem Maße bewußt, daß wir wirklich in einer neuen Welt sind, unter neuen Menschen uns befinden, deren Kultur, obwohl in ihren Elementen europäisch, durch und durch neue Formen, amerikanische Natur angenommen hat. Da ist nichts Aufgewärmtes, Nachgeäfftes, wie man es denn in Amerika nicht liebt, Nachahmer zu sein. Bald wird man inne, daß Ursprung, Prinzipien und Gedankengang dieser Republikaner ganz und gar von den unsrigen verschieden sind, daß dies Volk nach einem anderen Maßstab als dem gewöhnlichen europäischen, am wenigsten aber von oben herab, beurteilt werden muß.

Der Ranke, die sich an stärkerem Anhalt emporschlingt, gleicht die Amerikanerin nicht. Aber darum bleiben ihr doch echt weibliche Züge. Eine Unterhaltung mit amerikanischen Frauen wird durch ihr Wissen, ihre Belesenheit, die Un=

befangenheit ihres Urteils zum Genuß; allein dabei find fie zu=
gleich in Überwachung und Führung des Haushalts wohl er=
fahren, ohne jedoch das mindeste Aufheben davon zu machen.
Die Wichtigtuerei mit jeder Einzelheit häuslicher Sorge und
häuslicher Arbeit fehlt. Keine aufdringlichen Geständniffe, daß
fie es feien, welche die Hausarbeit verrichten, während doch oft
genug nur das Wischtuch ihr Fetisch ift. Alles geht fo ftille,
fo ruhig vor fich, arbeitet fich fo geräuschlos in die Hände,
man hört fo felten eine fchreiende, laute Stimme, fo ungemein
felten etwas, was einem Gezänke auch nur von ferne gleicht;
fo anftändig gelaffen und doch wieder ungemein lebendig bringt
die Amerikanerin ihr Haus in Ordnung und erhält es.

Nicht zu leugnen ift, daß ein gut Stück von dem Herr=
fchaftsgebiet des Mannes, wie es andern Orts noch von feftem
Zaun umhegt bafteht, in Amerika in die Hand der Frau hin=
übergleitet, ohne daß diefe an Weiblichkeit eingebüßt hätte.
Damit hat die Amerikanerin Rechte bekommen, deren fie fich
würdig gezeigt hat dadurch, daß fie zugleich die damit verbun=
denen Pflichten übernommen hat. Sie erfcheint als Herrfcherin
im Haufe, in der Gefellfchaft, als Hüterin der guten Sitte.
Ihrem Einfluß ift es auch wohl zuzufchreiben, daß heute auch
der größte Geldfack nicht mehr allein in die Kreife der Arifto=
kratie einführt. Seit der Ton der ariftokratifchen Gefellfchaft
beherrfcht wird von den auf der Univerfität herangebildeten
Männern und Frauen, feit diefem Zeitpunkt ift ein wefentlicher
Umfchwung eingetreten. Die Million, namentlich wenn fie der
Befitzer felbft erworben, nicht bloß ererbt hat, mag ihm immer=
hin eine gewiffe Bedeutung geben, aber die eigentliche Einlaß=
karte in die Kreife der Ariftokratie wird doch von dem Grad
der erlangten Bildung, von dem Refinement, von dem Befuch
einer Univerfität erteilt.

Es war ein glücklicher Einfall von mir, daß ich meine Frau
veranlaßt hatte, fich mir als Reifegefährtin anzufchließen.
Mancher Raum ift mir dadurch zugänglich, manche Perfönlich=
keit näher gerückt worden. Drollig ift, was fpätere Eingeftänd=
niffe enthüllt haben. Deutfche Generale hatte man in Amerika
fchon oft gefehen, auch ein Bild von mir war hinübergekommen.
Nur von meiner Frau vermochte man fich in den Kreifen, die
fich für uns intereffierten, keine rechte Vorftellung zu machen.
Gleicht fie jenen mageren, dürren, fteifen Figuren, die fo ftreng

blicken, oder jenem Typ aus den Fliegenden Blättern, wo dicke, gewichtige Kommandeusen die angstschwitzenden Leutnante zum Tanze befehlen? Eine große Genugtuung war es jedesmal, zu sehen, wie beim Empfang sich die besorgten Gesichter merklich beruhigten.

Die Erziehung ist es, welche der Amerikanerin zu ihren reichen natürlichen Anlagen noch schätzenswerte Mitgaben hinzu= gefügt hat. „Behandle deinen Knaben als einen Mann und er ist ein Mann," pflegt man in Amerika zu sagen. Und man sagt nicht nur so, man handelt danach und zwar bei beiden Geschlechtern. Überall gilt, von der Kinderzeit an bis über die Jünglingsjahre hinaus, der unbeaufsichtigte Verkehr zwischen Knaben und Mädchen als selbstverständlich und harmlos. Sie sitzen auf denselben Schulbänken und trennen sich allermeist auch im College und auf der Universität nicht. Ja, in dem gemeinschaftlichen Gymnasium trifft man zuweilen mehr Mädchen als Knaben. Manche der männlichen Schulkameraden mußten schon hinaustreten ins Erwerbsleben, die Mädchen blieben der Wissenschaft treu; auch später zeigt sich das oft: die Männer lesen Zeitungen, die Frauen Bücher.

Aus dem öffentlichen Leben, aus dem, was die Volksseele beschäftigt, pflegten die amerikanischen Frauen mit sicherem Empfinden stets ein Bedeutsames herauszugreifen und als ihr spezielles Arbeitsfeld voranzustellen. Mit Feuereifer stürzten sie sich ehemals in Bekämpfung der Sklaverei, heute treten sie auf den Plan für alles das, was mit Temperenz zusammen= hängt; eine gewisse Bewegung zeigt sich auch, die für Frauen= stimmrecht eintritt. In Beziehung auf Ausübung von Berufen aber scheint die Amerikanerin an der Grenze des Erreichbaren angekommen zu sein. Gerichte und Behörden, Post und Tele= graphen, die Schreibstuben der Geschäftsleute rekrutieren sich ja längst aus den Kreisen der Frauen; weibliche Architekten, Apotheker, Pfarrer, ja selbst Lokomotivführer sind keine Selten= heit mehr. — Sollte bei so viel Aufwärtsstreben, bei so viel Licht nicht auch Schatten sich zeigen? Die mit einem gewissen Egoismus durchgeführte Hebung des Individuums droht in der Tat die Gesamtheit zu schädigen. Vielleicht ist die Zeit nicht mehr allzu ferne, wo die Frau wieder für die Familie und deren nächste Aufgaben zurückerobert werden muß. —

Die Art des Wohnens erleichtert der Amerikanerin ganz

wesentlich ihre Aufgabe. Von Anfang an trachtet jede Familie
nach eigenem Haus und Gärtchen. So ergibt sich als Regel,
daß man im eigenen Hause wohnt. Und im eigenen Haus
verrichten Mann und Frau manche Arbeit, die in der Miet=
kaserne kaum möglich ist. Zudem wird alles ins Haus geliefert
und täglich sehe ich, wie in unserer La Salle Avenue, von der
ich regelmäßig in den Lincolnpark wandere, mit den gelieferten
Lebensmitteln zugleich Kochrezepte in die Küche fliegen. Es
wird auch nicht so oft und so vielerlei gekocht. — Das hängt
mit der Schwierigkeit zusammen, Dienstboten zu halten. Nicht
nur ungemein hoch stellt sich ihr Lohn, sondern jederlei grobe
Arbeit muß ihnen abgenommen werden. In dem bequemen,
geräumigen Hause bei der Familie Schneider werden zwei
Dienstboten gehalten, ein riesiger Luxus, Köchin und Zimmer=
mädchen. Dennoch erfreuen sich meine Stiefel nicht der ge=
ringsten Beachtung; erst als die Mädchen glaubten, auf ihre
Weise ihren Beifall bekunden zu müssen für dieses oder jenes
in der Öffentlichkeit über mich gehörte Wort, erst von diesem
Zeitpunkt an wurde mein Schuhzeug wenigstens einigermaßen
zu einem Gegenstand ihrer Aufmerksamkeit.

Solchen Gedanken und Erinnerungen aus den letzten ereignis=
reichen Tagen nachgehend, saß ich also in dem kühlen Hohl
unter dem Grantdenkmal im Lincolnpark in Chicago. Nur
eine außerordentlich kurze Pause trennte die jüngste Ver=
gangenheit von den bedeutsamen Festtagen, die mit dem 6. Mai
für die Schillerfreunde in Chicago anbrechen sollten. Groß=
artige Vorbereitungen waren im Gang, das fühlte man, um
die vier Tage vom 6. Mai bis zum Todestag Schillers am
9. Mai in würdiger Weise auszufüllen. Es schien diese große
Zeitspanne eben notwendig, um allen etwas zu bieten: den
deutschen wie den bloß englisch sprechenden Mitbürgern, jüngst
eingewanderten Deutschen und ihren Kindern, wie den alten
Ansiedlern aus angelsächsischem Stamm, den Liebhabern der
Musik wie der Poesie, denen, die volkstümliche Vorträge gerne
hörten, wie solchen, die akademisch gehaltene Ausführungen
vorzogen.
Noch aber sollte die Zeit ausgenützt werden, um die Börse
und andere Sehenswürdigkeiten der Großstadt in Augenschein

zu nehmen. Also Abschied nehmen von meiner weltabgeschie-
benen Höhlung in dem massigen Felsgestein des Grantdenkmals
und sich den liebenswürdigen Führern zur Verfügung stellen.
— Wir näherten uns offenbar dem Herd eines Aufstandes,
dessen Brüllen uns entgegenschlug wie das Rachegeheul eines
leidenschaftlich erregten Volkshaufens. Oder ist es Meeres-
brandung? Also hinauf zu den Zuschauerbänken! Man genießt
hier von oben herab das Schauspiel, wie mehrere hundert
Verrückter und Tobsüchtiger auf einem runden Podium von
riesigem Durchmesser aufeinander losstürzen und sich totschreien,
sich selbst und die anderen. Was sie tun? Sie machen den
Weltpreis für den Weizen. Wie nur aus solchem höllischen
Durcheinander etwas Vernünftiges herausbestilliert werden kann?

Abseits von dem Podium, auf dem der Wettkampf im
Brüllen und Aufschreien ausgefochten wird, stehen längs den
Wänden der weiten Halle zahlreiche Schreibpulte, Telegraphen-
und Telephoneinrichtungen. Sie scheinen die Quelle zu bilden,
aus der immer neuer Stoff zum Toben fließt. Da kommt auf
einem Zettel eine Kunde von einer der Quellen her: wie eine
Bombe schlägt der Zettel ein. So wie ein scharfer Windstoß
in die schon erregte See fährt und die Wellen brüllend hoch
aufbäumen macht, so scheinen sich jetzt die Kämpfer zu recken,
ihre Mähnen zu schütteln und mit einer Kraft, als hätten
sie heute noch gar nichts geleistet, gegeneinander loszutoben.
Etwas abseits von der Weizenschlacht erhebt sich ein zweites
freisrundes Podium, das Kämpfer in Angelegenheiten von Mais
an sich lockt. Es geht hier vergleichsweise ruhig her gegenüber
dem scharfen Zusammenstoß dort.

Zur Erholung ging es ins „Hofbräu" und zur Besichtigung
einer der riesigen Brauereien, die ihre Gründung und die Nach-
haltigkeit ihres Aufschwungs Deutschen verdanken. Mit ange-
messenem Staunen wurde der Pferdestall im ersten Stock mit
seinen achtzig schönen Insassen schwersten Schlags bewundert,
die Einrichtungen zum Putzen der Tiere; die Keller im dritten,
im vierten und im fünften Stock, für welche Kühlvorrichtungen
die erforderliche Temperatur erzeugen. — In Chicago gewesen
sein und die Stockyards, die Schlachthäuser nicht gesehen haben?
Das schien meinen Begleitern undenkbar zu sein. Meine Sache
ist es sonst nicht, auch nur in einen Fleischerladen zu gehen;
auch imponieren mir riesige Zahlen nicht, wie solche von täg-

lich geschlachteten, gekühlten, verkauften, zerstückten Tieren.
Schließlich mußte ich zustimmen. Armselig und die Gesundheit
der in Massen angesammelten Tiere wenig fördernd erscheinen
die Viehhürden. In den Schlachthäusern selbst verlief die Sache
besser als ich gefürchtet hatte; nirgends in diesen ungeheuren
Hainen von geschlachteten und in gefrorenem Zustand auf=
gehängten Tieren und Tierstücken irgend ein abstoßender Geruch
oder sonst widerwärtiger Eindruck. — Besonders drollig war
es im Schlachthaus der Schafe zu sehen, wie ein alter Hammel
in außerordentlich geschäftiger Weise zwischen Schlachtbank und
Schafhürde hin und her lief, um immer wieder einen neuen
Trupp seiner scheuen Volksgenossen durch sein unbefangenes
Voranschreiten zum Eintreten in den verhängnisvollen Raum
der Schlachtbank zu veranlassen. Am Ende wird er wohl selbst
auch einmal daran glauben müssen, wenn er sich nicht vorher
aus dem Staube macht, was ihm in seiner Lage bei weitem
schwerer fallen wird als anderen Verführern blind vertrauender
Stammesgenossen.

II. Schiller in Amerika

1. Der deutsche Dichter und die Amerikaner

Die herrenlose Schönheit des Landes, die Großartigkeit
seiner Natur sprachen lange Zeit mit allzu überwältigender
Stimme zu den Kindern des Landes, als daß sie ihre Sinne
auf etwas hätten richten können, das nicht unmittelbar mit
diesem Boden zusammenhing. Wenn man von religiösen Be=
trachtungen absieht, so wurde in der Tat auf geistigem Gebiet
in den ersten Generationen der Kolonialzeit kaum etwas pro=
duziert, was jenseits des täglichen Lebens und der nächsten
Interessen des Landes liegt. Das amerikanische Volk hat mit
den Anfängen seines geistigen Lebens so viel in die Nähe wirken
müssen, es sah sich so viele Ziele von praktischer Bedeutung un=
mittelbar vor die Augen hingestellt, daß ihm keine Zeit übrig
blieb, in die Tiefe zu gehen; noch fehlte jeder Enthusiasmus
für große Leistungen in Kunst und Wissenschaft, die um ihrer
selbst willen da sind und ihren Zweck in der eigenen Vervoll=
kommnung finden.

Die Einsamkeit des ersten Ansiedlerlebens drückte amerika=
nischer Denkweise in mehrfacher Beziehung ihren Stempel auf.
Mit einer Art selbstbewußter Schweigsamkeit lernte der Kolonist
in allen Lagen sich selbst helfen; die Nötigung zu jeder Art
von Handarbeit gestaltete sich im Wechsel der Zeiten zu der
Quelle für eine besondere Art von Findigkeit, welche das
Wesen des Amerikaners kennzeichnet. Sein Verstand blieb
weit entfernt, sich mit unlösbaren Aufgaben abzugeben, er
richtete ihn ungeteilt auf die lösbaren Fragen des Lebens. Und
weiter: der puritanische Geist, der von Anfang an die besondere
Art von Tapferkeit in die Seele des neu sich zusammenschließen=
den Volkstums goß, bürgte zunächst für die Aufrechterhaltung
aller geistig sittlichen Werte, schuf aber Schranken für freie
literarische Betätigung.

Die eine Freistatt gefunden hatten für sich selbst, eine neue
Heimat dem Boden abrangen für Kinder und Kindeskinder,
die stets im Kampfe lagen mit einer kräftig wuchernden Natur,
mit wilden Tieren und Indianern, mit den Gewalttätigkeiten
der Oberherren in London, solche Leute verspürten keinen
Drang, die Bilder ihrer Phantasie, die Spiegelungen der
Außenwelt in Schriftstücken oder gar im Lied der Nachwelt zu
hinterlassen. Ja, in religiösen Betrachtungen suchten sie sich
zu stärken und pflegten auch dann, wenn sie mit Außendingen
sich beschäftigten, diese im Licht religiöser Gesinnungen zu be=
trachten.

Diejenigen aber, welche das Bedürfnis nach schöner Lite=
ratur empfanden oder welche sich, abweichend von der Mehr=
zahl der Volksgenossen, selbst auf diesem Gebiete versuchen
wollten, lehnten sich noch vollständig an englisches Vorbild.
Erst als die Amerikaner in ihrer Revolution vom Jahr 1775
ab aus den engen Rahmen herauszutreten begannen, mit denen
die englische Bevormundung sie politisch und wirtschaftlich ein=
schloß, als sie Fenster hinausschlugen aus ihrer Enge, um un=
befangen selbst hinausblicken zu können, um zugleich von allen
Weltgegenden her Licht und Wärme hereinströmen zu lassen in
diese Neue Welt, erst von diesem Augenblick an scheint sich
eine nähere Bekanntschaft mit der deutschen Literatur, mit dem
Erwärmen an den Werken der deutschen Klassiker, insbesondere
an Goethe und Schiller zu datieren. —

Es ist das alles jüngst in treffenden Darlegungen nach=

gewiesen worden durch J. T. Hatfield, Professor an der
Northwestern-Universität in Evanston in Americana Germa-
nica, III. 3 and 4, durch Marion Dexter Learned, Professor
an der Universität von Pennsylvanien in Philadelphia, und
durch Otto C. Schneider, Präsidenten des Institute of Germanics in Chicago, von diesen beiden letzteren im Marbacher
Schillerbuch.

„Einfluß der amerikanischen Revolution auf die deutsche
Literatur" betitelt J. T. Hatfield seine reichhaltigen Betrachtungen, aus denen wir zurückschließen können auf das wachsende
Interesse der Amerikaner für deutsche Literatur, insbesondere
für Schiller. Der Verfasser läßt Goethe in „Dichtung und
Wahrheit" reden: „Noch lebhafter aber war die Welt interessiert,
als ein ganzes Volk sich zu befreien Miene machte ... man
wünschte den Amerikanern alles Glück und die Namen Franklin
und Washington fingen an, am politischen und kriegerischen
Himmel zu glänzen und zu funkeln." Goethe sowohl als
Schiller haben in ihren Unterhaltungen nur freundliche Worte
für das amerikanische Volk und sein glorreiches Land gehabt.

Am meisten mutete den Amerikaner bei Schiller an der tief
menschliche nach Freiheit ringende Zug, der in den „Räubern"
zum Ausdruck kommt, die heiße Glut der emporlobernden
Flamme, die Wärme, mit der das Elend der Menschheit umfaßt
wird; die republikanische Zielbewußtheit in „Fiesko"; das Ver-
dammen despotischer Willkür in „Kabale und Liebe". Nach einer
in London erschienenen Übersetzung wurden „Die Räuber" als
„The Robbers" in Philadelphia nachgedruckt als erstes Schiller-
sches Drama; am 14. Mai 1796 wurde dieses erstmals auf der
Bühne in New York aufgeführt. Bevor das 18. Jahrhundert
zur Rüste ging und in den ersten Jahren des 19. feierte das
deutsche Drama auf der amerikanischen Bühne eine Reihe von
Triumphen; wenn auch nicht unverstümmelt, gingen „Kabale
und Liebe", „Don Carlos" über die Bretter; Übersetzungen befanden sich außerdem in den Händen des Publikums von
„Geisterseher", „Piccolomini", „Wallenstein", „Geschichte des
dreißigjährigen Kriegs".

„Wir gewinnen also", sagt Learned, „einen neuen Gesichtspunkt für Schillers Einfluß auf Amerika in dieser Zeit und
sehen ihn nicht sowohl als deutschen Dichter, als vielmehr als
Zeit- und Weltdichter; wir sehen ihn auch sozusagen als eng-

lischen Emigrantendichter auf die literarische und kulturelle Entwicklung der jungen Republik Einfluß gewinnen."

In dem weiteren Gang von Schillers Einwirkung auf das amerikanische Geistesleben sind zwei Zeitspannen zu unter= scheiden: Die Rückwirkung der auf deutschen Universitäten studierenden Amerikaner von 1820 etwa bis 1840; und zum zweiten der Einfluß der von Deutschland nach Amerika ab= fließenden Welle von politischen Flüchtlingen, die Achtundvierziger genannt.

Den Anstoß zu selbständigem Studium der deutschen Lite= ratur gaben junge Amerikaner, unter denen Alexander Hill Everett, George Bancroft, Henry Wadsworth Longfellow, Bayard Taylor voranstehen. Sie emanzipierten sich von der Vermittlung durch England und stiegen bei längerem Aufenthalt auf deutschen Universitäten und anderen Zentren deutschen Geisteslebens un= mittelbar zur Quelle hinab. — In der Zeitschrift North American Review erschien 1823 ein Aufsatz von Everett über Heinrich Dörings Schillerbiographie, in welchem er Deutschland beglückwünschte, einen Dichter zu besitzen, der so gewaltigen Einfluß ausübe auf Tugend und Glückseligkeit der Menschen= kinder. In dieselbe Zeit fallen Übersetzungen einer Reihe von Gedichten durch George Bancroft. Bis in sein spätes Alter bewahrte der berühmte amerikanische Historiker seine Vorliebe für Schiller. In seinen Studies in German Literature spricht er stets mit größter Begeisterung von ihm.

Der besondere Freund der deutschen Literatur, Henry Long= fellow, zeigte eine hervorragende Aufnahmefähigkeit für deutsches Wesen, die aus seinem ganzen Wirken spricht. Überall ist der Einfluß von Friedrich Schiller unverkennbar. Longfellow sagt von ihm: „Schiller war ein Mann von tiefem und ernstem Charakter. Er ist bei weitem der größte tragische Dichter der deutschen, ja einer der größten in der modernen Literatur über= haupt. Edelste Erzeugnisse sind auch seine lyrischen Gedichte. Als Historiker und Philosoph steht er auf einer sehr hohen Stufe. Zu den ausgeprägtesten Kennzeichen seines Schaffens gehört die moralische Höhe, auf der sich alle seine Werke halten. Sein Name ist ein unsterblicher Besitz für Deutschland."

Longfellow und nicht wenige seiner Zeitgenossen: Everett Hale, Bayard Taylor, George Henry Calvert, haben das Ihrige getan, um für Schiller und die ganze deutsche Literatur den

Boden vorzubereiten. Sie waren Männer, die im Geiste Schillers
wirkten und seinen Idealen Eingang in allen Lebenskreisen
ihres Vaterlandes verschafften, zunächst Interesse für den deutschen
Dichter erweckten, aus dem allmählich eine Vorliebe für ihn
herauswuchs. Mancherlei Züge in Schillers Wesen erleichterten
dies Streben, gerade ihm eine bevorzugte Stellung unter dem
Volk angelsächsischen Stammes zu verschaffen: der Dichter des
„Wilhelm Tell" erscheint ihnen als Bannerträger der ihre
scharf umschriebenen Rechte fordernden Freiheit; die Reinheit
seiner sittlichen Ideale, nachdem der erste Jugendsturm ver=
flogen war, vermag auch einen strengen Richter zu ertragen
und der Hochflug seiner Gedanken läßt ahnen, wie der Dichter
des Gottes voll sei, wie ein Stück seines Gotterfülltseins auch
auf die übergehe, die an ihn glauben und zu ihm aufblicken.

„Die große Vorliebe für Schiller in den Vereinigten
Staaten", sagt Otto C. Schneider, „ist großenteils auf seine
reine Persönlichkeit zurückzuführen, welcher von dem Sitze des
Puritanismus und der Gelehrsamkeit in den Neuenglandstaaten
stets die größte Verehrung entgegengebracht wurde. Die Tat=
sache, daß verschiedene Übersetzer von Gedichten Schillers, wie
Chaning, Hedges, Frothingham, Brooks und Clarke, Prediger
waren, beweist, wie hoch sie den Mann schätzten, den sie ihren
Gemeinden als einen Dichter schilderten, der sich in rein mensch=
licher Liebe der Welt widmete, um sie zu bessern."

Wer in Anschlag bringt, wie tiefgehend der Einfluß ist, den
die religiösen Genossenschaften und deren berufene Vertreter,
die Prediger, auf weite Kreise des amerikanischen Volkes aus=
üben, der mag erfassen, welch großer Vorschub auf diesem
Weg dem Eindringen Schillerscher Ideen geleistet worden ist.
Leicht ist es dadurch auch den amerikanischen Bürgern aus
deutschem Blut geworden, ihrer besonderen Art von Schiller=
verehrung nachzugehen; ja, es wäre ihnen gar nicht möglich
gewesen, den deutschen Dichter zu vergessen, auch wenn sie
gewollt hätten. Sie konnten aber gar nicht auf Schiller ver=
zichten, denn sie brauchten Heroen, Heldengestalten, geeignet der
Stellung des Deutschtums sittlichen Halt zu geben. Darum
stellten sie Schiller voran. Und das in immer steigendem
Maße.

Karl Follen hatte mit seinem Bruder, dem Dichter, als
Freiwilliger sich gestellt beim Ausbruch der Befreiungskriege,

mußte aber, zu den Gießener „Schwarzen" gerechnet, den deutſchen Boden verlaſſen wegen Verdachts demagogiſcher Umtriebe.

Als Dozent der deutſchen Sprache am damaligen Harvard College in Cambridge bei Boſton ſah er eine glänzende akademiſche Laufbahn vor ſich, die er aber opferte, als ihm die damals herrſchende Stimmung Hinderniſſe ſchuf, für Abſchaffung der Negerſklaverei einzutreten. Während ſeines Lehramtes mußte er viel Intereſſe für Schiller zu erwecken, namentlich durch ſeine vor einem Boſtoner Publikum in engliſcher Sprache während des Winters 1832 auf 33 gehaltenen Vorleſungen: On Schillers life and dramas. Zu gleicher Zeit etwa mit Follen waren andere hervorragende Männer aus Deutſchland nach Amerika gekommen: Franz Lieber, Karl Beck, Franz Joſeph Grund, Guſtav Körner, Robert und Wilhelm Weſſelhöft, Friedrich Liſt. Sie alle erhielten Gelegenheit, in deutſchem Geiſte zu wirken und zwar unter Umgebungen, denen deutſches Weſen zumeiſt noch ganz fremd war. Lieber, Beck und Grund fanden Anſtellung als Profeſſoren, teils an der Harvard=Univerſität, teils an der Columbia=Univerſität in New York.

Eine große Menge von geiſtig hochſtehenden deutſchen Männern aber, die auf das ganze Volk Einfluß auszuüben vermochten, betrat den Strand Amerikas, als die in Deutſchland nach den Stürmen von 1848 und 1849 eintretende Reaktion viele der in den erſten Reihen für Freiheit und Einheit fechtenden Streiter zwang, eine neue Heimat zu ſuchen. Es war ja ein Elend geweſen, daß an der Spitze der deutſchen Auswandererhaufen im 17. und 18. Jahrhundert, abgeſehen von Kirchenhäuptern, keine hervorragenden Männer als Führer ſtanden, die durch Rat und Beiſpiel einen Mittelpunkt hätten bilden, den Amerikanern vom erſten Augenblick hätten Achtung abzwingen können. Jetzt hatte man mit einem einzigen Schlag Führer genug, die für Hunderttauſende von Einwanderern genügt hätten.

Empfangend und gebend, als Schüler wie als Lehrer, haben ſich die „Achtundvierziger" am politiſchen Leben Amerikas beteiligt. Gerade die Fünfzigerjahre bis zur Wahl Lincolns bilden mit dem Obenaufkommen der republikaniſchen Partei den Wendepunkt im inneren Leben des amerikaniſchen Volkes. Der ſittliche Ernſt, die gehobene Stimmung und die Begeiſterung

der Massen während der ausschlaggebenden Wahlen ist zum
großen Teil dem deutschen Idealismus zuzuschreiben, der bei
dieser Gelegenheit das nüchterne amerikanische Wesen belebend
durchdrang und der ganzen Bewegung einen gewissen Schwung
verlieh. Dadurch haben sich die amerikanischen Bürger aus
deutschem Blut, unter der Führung der Achtundvierzigermänner,
wohlverdient um die Freiheit Amerikas gemacht, sich des neuen
Vaterlandes würdig gezeigt und sich als Macht erwiesen im
Wandel der sittlichen Anschauungen.

Der Sieg der Union über den Sonderbund, der Freiheit
über die Sklaverei, des nationalen Einheitsgedankens über Ab-
sonderungsbestrebungen ist nicht in letzter Linie aus der Weis-
heit und Energie der deutschen Führer hervorgegangen. Und
nun kamen die schönsten Tage für das Deutschtum in Amerika,
hervorgehend aus den kriegerischen Eigenschaften, aus der Treue
und Hingebung, welche deutsche Führer und deutsche Soldaten im
Bürgerkrieg der Jahre 1861 bis 1865 an den Tag legten. Ge-
krönt erscheinen diese Tage des Ruhms auf amerikanischem Boden
durch das, was bald nachher auf deutschem Boden sich vollzog:
der Glanz von Kaiser und Reich strahlte aus der alten Heimat
herüber und verlieh dem zum Amerikaner gewandelten Deutschen
mächtigen Rückhalt, neuen Sporn, mit Stolz seines deutschen
Herkommens zu gedenken. Als die Achtundvierziger am 15. Juni
1874 ihre fünfundzwanzigjährige Gedenkfeier in Chicago hielten,
da sprach Wilhelm Rapp:

„Heute gilt unser innigstes Empfinden dem alten Vaterland.
Mit Rührung blicken wir auf das schwarz-rot-goldene Band als
das Symbol idealen und schmerzlichen Sehnens und Ringens
nach der Einheit und Freiheit Deutschlands. Aber wir trauern
nicht, wir freuen uns über die Verdrängung von Schwarz-Rot-
Gold durch eine andere, lebenskräftigere und mächtigere Flagge,
deren Farben, zusammengesetzt aus den Farben Friedrichs des
Großen und der ruhmreichen deutschen Hansa, heute das vom
ganzen Erdkreise anerkannte Symbol deutscher Kraft und Macht
sind — Schwarz-Weiß-Rot!"

Aus den Bestrebungen der Achtundvierziger gingen die deutschen Turnvereine, die Gesangvereine und eine gewisse Ge-
schlossenheit im Auftreten des Deutschtums hervor. Über all
dem Reden und Singen, über allen deutschen Festen schwebte,
als Schutzgott gewissermaßen, der Name Friedrich Schiller. Die

neuen Freiheitsmänner hatten sich ja längst zu den Idealen Schillers, zu dem vorbildlichen politischen Gedankenkreis in seinem „Wilhelm Tell" bekannt, sie atmeten und predigten Freiheit und fachten mit der Glut der eigenen Verehrung die Begeisterung, die vorher schon in Amerika für Schiller bestand, noch weiter an.

In der Schillerfeier des Jahres 1859 aber gipfelte der Schillerenthusiasmus in den Kreisen der alten Amerikaner sowohl als ihrer aus deutschem Blut stammenden Mitbürger. Jetzt konnte die ganze Welt Zeuge sein, wie die sonst so vielfach getrennten Deutschen sich alle um ein gemeinschaftliches Heiligtum scharten und einem Unsterblichen aus ihres Volkes Mitte ihre Huldigungen darbrachten.

So haben amerikanische Dichter, Gelehrte und Historiker mit deutschen Einwanderern zusammen gewirkt als feinsinnige und kraftvolle Vermittler deutscher Dichtung, haben insbesondere dem Genius Friedrich Schillers ein Heimatrecht auf dem Boden Amerikas erworben. Seit den Festtagen des Jahres 1859 ist keine Gelegenheit versäumt worden, um an Schiller und seine Stellung zum amerikanischen Volkstum zu erinnern. Es ist ja nicht zu leugnen, daß mit dem Einfluß der Universitäten die geistig Führenden in Amerika an Gewicht und Einfluß gewannen, daß deutsche Schulmethode, mit freier Forschung und geistbefreiendem Unterricht schon ein Eigentum der großen Universitäten geworden ist, sich immer mehr Boden erobert hat. Neben den großen deutschen Pädagogen und Philosophen aber hat die heute sich geltend machende geistige Aristokratie in Amerika noch den Idealismus der deutschen Dichter nötig, um den Bahnen der Geisteskultur unbeirrt folgen zu können, die einmal eingeschlagen sind; den beiden genialsten Dichtern des deutschen Volkes, Goethe und Schiller, wird neben Meister Shakespeare ein Ehrenplatz angewiesen; Schiller insbesondere hat sich seit dem Jahr 1859 als der gefeiertste und volkstümlichste Dichter seinen Platz bewahrt.

In einer Reihe von Städten hat Schiller Standbilder erhalten. In Chicago ist das Schillerdenkmal, eine Nachbildung desjenigen zu Marbach, am 9. Mai 1886 enthüllt worden mit einer in großem Stil angelegten Feier, bei der Wilhelm Rapp und Julius Rosental die Festreden hielten. Die Deutschen des Staates Kalifornien haben die Mittel aufgebracht, um ein

Goethe-Schillerdenkmal, Abguß des Weimarer, am 11. August
1901 im Golden Gatepark in San Franzisko der Stadtverwaltung zu übergeben.   Am Schillertag des Jahres 1903 hat das
gelehrte Amerikanertum auf der an erster Stelle sich behaup-
tenden Harvard-Universität seiner Geistesrichtung Ausdruck gegeben durch Einweihung des neuen Germanischen Museums,
das auch vom deutschen Kaiser in freigebigster Weise beschenkt
worden ist.   Als ähnliches Unternehmen kennzeichnet sich das
„American Institute of Germanics“, das die Aufgabe hat, das
Interesse für deutsche Kulturideale wach zu erhalten.   In denselben Dienst stellt sich das neueste Werk von Calvin Thomas,
Professor an der Columbia-Universität in New York „The Life
and Works of Friedrich Schiller“, 1902 erschienen.   Wenn
der Verfasser in Schiller den Deutschesten der Deutschen erkennt, so feiert er ihn zugleich als einen der großen Erzieher
des Menschengeschlechts.

——————

Schon ist des großen Schillerfestes vom Jahr 1859
gedacht worden.   Amerikaner wetteiferten mit Deutschen, dem
Gedächtnis des großen Dichters zu huldigen.   Sammelbücher
aus Schillers Dichtungen, Prachtausgaben seiner Werke wurden
herausgegeben.   In den meisten großen Städten sprachen zwei
Redner, einer aus deutschem Stamm und ein Angloamerikaner;
in New York William Cullen Bryant und Dr. Löwe, in Boston
Karl Beck und Dr. Fred. H. Hedges, der Prediger und Schiller-
übersetzer; ein anderer Prediger, Dr. W. H. Furneß und Gustav
Remak in Philadelphia, Mr. Durant und Dr. Gutheim in New
Orleans, Karl Schurz in Milwaukee, Lorenz Brentano und
Kaspar Butz in Chicago.
    Allerorten stellte sich die Schillerfeier als ein Siegesfest
deutschen Geistes dar, als ein Zeugnis für die immer wachsende
Volkstümlichkeit des deutschen Dichters; als der Ausdruck eines
lebendigen Gefühls geistigen Zusammenhangs mit der alten
Heimat bei den Deutschen, als eine Huldigung für den Geistes-
verwandten und gemeinschaftlichen Erzieher bei den Anglo-
amerikanern.
    In den Beschreibungen der Feste begegnet man einer wahren
Musterkarte von Namen der „Achtundvierziger“.   Die Masse von
Festgedichten ist kaum zu sammeln.   Der Preis des Schiller-

vereins New York aber ist dem Lied Reinhold Solgers zu teil
geworden, des Achtundvierzigers, der es verstand, deutscher
Wissenschaft und Kritik eine heimische Stätte unter Amerikanern
zu schaffen, und zwar durch Vorlesungen in englischer Sprache,
die er so fließend, elegant und mit so viel Kraft handhabte,
wie die aus englischem Blut Abstammenden. Reinhold Solger
sagt in seinem Preisgedicht unter anderem:

> Solange noch der Glaube nicht vergeht
> Im Menschen an das Gute, Schöne, Wahre,
> Steht Schiller, ihr begeistertster Poet,
> Ihr Hoch= und höchster Priester am Altare. —
> Die Sonne von des fernsten Ostens Pforten,
> Von Land zu Lande, geht in ihrem Lauf
> Bis zu des fernsten Westens Uferborden
> Heut' über Feste, wie das unsre auf,
> Geht über Kirchen auf, wo die Gemeinen
> Aus allem Blute wie aus allen Zungen,
> Doch von dem deutschen Grundton überklungen,
> In seinem Namen sich, in seinem Geist vereinen.

In der Tat, die Sonne des 10. Mai 1859 sah die glän=
zenden Feste in den großen Städten von der atlantischen Küste
bis zum Ufer des Pacific; sie blickte in die hellen Festsäle und
Riesenhallen wie in die bescheidenen Versammlungsräume; auf
die Gemeindewiese, wo die Ansiedler kaum gegründeter Nieder=
lassungen sich erbauten an Reben und Gesang, dem Welt= und
Volksdichter geweiht. Ist es nicht rührend, wenn die wenigen
Bewohner von Yorktown in Texas zu Ehren Schillers dessen
Braut von Messina aufführen, oder wenn die Deutschen einer
jungen Niederlassung in Kansas an seinem Geburtstag ihr
Schulhaus gründen?

Gerade bei diesen deutschen Pionieren der nach Westen fort=
schreitenden Kultur arbeitete sich das Vertrauen auf die welt=
erobernde Kraft des deutschen Geistes, der Glaube an die deutschen
Heerkönige mit ganz besonderer Kraft an die Oberfläche. —
Minnesota war noch spärlich besiedelt; eben erst im Jahr 1858
als Staat in die Union aufgenommen worden; deutsche Kolo=
nisten hatten sich in Neuulm zusammengefunden und sich gerade
aus dem Gröbsten herausgearbeitet. Da begingen sie, zur Feier
ihrer Ankunft auf aussichtsreicher Höhe gewissermaßen, ein
Schiller=Goethefest. Nicht viel über drei Jahre seien es her,
führte der Redner aus, daß diese Gegend eine heulende Wildnis

war. — In der Tat, fast vierzig Jahre, nachdem diese Worte gesprochen worden sind, im Jahr 1898, ist gerade Minnesota und die Gegend von Neuulm, im Süden dieses Staates gelegen, von einem der letzten Indianeraufstände heimgesucht worden.

Jetzt, fährt der Redner aus der Zeit des ersten Aufkeimens fort, sei dasselbe Land mit Tausenden von Farmen, den Heimstätten der Freien und Fleißigen, besät, wie durch Zauber aus der Wildnis emporgesprungen. „Wir feiern jetzt das Siegesfest, den Triumph der Zivilisation über die Wildnis." — So mag einst vor Jahrtausenden der Führer einer ionischen, dorischen oder phönikischen Kolonistengemeinde geredet haben, wenn an italischem, sikelischem, afrikanischem oder gallischem Strand die ersten Anzeichen aufblühenden Kulturlebens sich zeigten und die Gemüter unwillkürlich sich sammelten im Gedenken an den Schutz der heimischen Gottheiten, die vom alten Vaterland herüberstrahlten, deren Abbilder man mit sich geführt hatte.

2. Schillerfeiern

Ich habe schon gesagt (S. 17), daß sich unter meinem Gepäck eine riesige Kiste befand, ein Geschenk des Königs Wilhelm II. von Württemberg an die Johns Hopkins-Universität in Baltimore enthaltend. Der 29. April war bestimmt, um ein Stück der Schillerfeier vorwegzunehmen und die in der Kiste enthaltene Schillerbüste der Universität zu übergeben. Professor Henry Wood, Vertreter der deutschen Literatur an der Universität, samt seiner Gattin, geb. v. Kretschman, hatten die Liebenswürdigkeit gehabt, uns in ihr Haus einzuladen, und empfingen uns am Bahnhof am Abend des 28. April. — Schneller ist wohl niemals von uns Toilette gemacht worden als jetzt, da es hieß, in kürzester Zeit werden die Gäste zum Diner eintreffen und wir müßten nach amerikanischem Brauch noch vor diesen bereit stehen, um mit den Wirten die Rolle der Empfangenden zu spielen. Die hervorragendsten Persönlichkeiten der Universität waren es, die wir hier kennen lernten, insbesondere den Präsidenten Ira Remsen und seine Gattin; die meisten sprachen Deutsch.

Es ging schon gegen Mitternacht, als Professor Wood mir
anvertraute, es sei eine Ehrung für mich zugleich mit der
Schillerfeier beabsichtigt und mir sei deshalb die Festrede zu-
gedacht. Das ging nun allerdings gegen den ursprünglichen
Vertrag; allein ich fügte mich und benutzte einen Teil der Nacht,
um den Übergang herzustellen aus den einfachen Worten einer
Geschenkübergabe zu einer wirklichen Festrede. Punkt 12 Uhr
Mittags sollte die Feier beginnen und nach dem Frühstück
glaubte ich noch Zeit genug zu haben, um den Gedankengang
der Rede meinem Gedächtnis einzuprägen. Da ereignete sich
ein Zwischenfall, auf den ich nicht gefaßt war. Es ist ja richtig,
an Überraschungen mußte man sich gewöhnen, aber niemals
hätte ich mir träumen lassen, daß man mir in Baltimore mel-
den könnte: die Frau Feldwebel Meyenberger bitte dringend,
mich sprechen zu dürfen. Ich mußte, auf Nachmittag und Abend
konnte ich nicht vertrösten, jede Minute hatte ihre Bestimmung,
und doch wollte ich die Frau, der viel an der Begegnung zu
liegen schien, in diesen Tagen des Glücks nicht abweisen; also:
herein!

Richtig; das war ja die Frau des Feldwebels Meyenberger,
den ich wohl gekannt; sie sei Wäscherin bei Frau Professor
Wood, habe meinen Namen nennen hören und ich sei ja der
Major ihres Mannes gewesen; sie habe auch das viele schwarz-
rote Band gesehen und so sei ihr der Mut gewachsen; ach! sie
brauche jemand, der ihren guten verstorbenen Mann gekannt,
um mit ihm klagen und weinen zu können. Denn ihre zweite
Verheiratung hier in Baltimore habe sich unheilvoll für sie
erwiesen. Der Zeiger rückte schon beängstigend nahe gegen
12 Uhr, als ich mich wieder dem Geschäfte des Tages zu widmen vermochte.

Die Damen waren fertig, ich selbst auch; es ging zur Universität. Zunächst in die Ankleidezimmer. Hier fand ich Präsident Remsen, der mir selbst Talar, Mütze und sonstige Abzeichen eines Doktors anlegte. Die Reihe der Professoren, alle
im Talar, begann sich zu stellen und dann wurde in feierlichem
Zuge, Präsident Remsen mit mir an der Spitze, die Mac Coy-
halle betreten, die sich schon mit zahlreichem Publikum gefüllt
hatte. Unter meiner Mütze mit der Trobbel weg schielte ich
nach dem Platze hin, wo neben Frau Professor Wood meine
Frau saß und eben ihrer Nachbarin zuflüsterte, daß der neben

Remsen schreitende Professor ihrem Manne so ähnlich sehe.
Sie erkannte mich in der Tat erst nachher an der Stimme.

Vor dem Podium stand Danneckers Schillerbüste, das Ge=
schenk des Königs, bekränzt und mit den württembergischen
Farben neben denen der Universität geschmückt; ein riesiges
Rosenbukett daneben, dahinter die deutsche und die amerikanische
Flagge. An der linken Seite der Büste war mir ein Platz
eingeräumt worden; neben dem Präsidenten Ira Remsen hatten
der Ehrenpräsident Dr. Daniel C. Gilman, die Professoren
Basil Gildersleeve, William Halsted, Henry Wood und wohl
noch zwanzig weitere Platz genommen nebst zahlreichen Mit=
gliedern des Kuratoriums und dem deutschen Konsul.

Präsident Remsen eröffnete die Feierlichkeit und erteilte
mir dann das Wort zu einer Ansprache, in der ich ausführte:

In dem Augenblicke, da ich mich vor wenigen Tagen der
amerikanischen Küste genähert, um zum ersten Male den Boden
dieses Landes zu betreten, sei eine Fülle von Bildern an meinem
Auge vorübergezogen, welche die ersten Ansiedler dieses Landes
zeigten, die Pilgrime und die anderen Heimatsucher, religiöser
Unduldsamkeit oder materieller Not entronnen. Mir selbst aber
sei es zu Mut gewesen, als ob ich über eine hohe Brücke schreite,
auf lichter Höhe von einem Land zum anderen; als ob der
Erbauer selbst über diese Brücke gegangen sei, um das ganze
Menschentum zu einer Brüderschaft zu vereinigen.

„Aber ich stehe nicht hier, Sie zu ersuchen, unserem Fried=
rich Schiller einen Platz einzuräumen; einen solchen hat er sich
selbst schon erobert in den Herzen der Amerikaner. Ich stehe
hier, um mich eines Auftrages Seiner Majestät des Königs
Wilhelm II. von Württemberg zu entledigen, um dessen Grüße
und besten Wünsche zu übermitteln, um die Bande aufrichtiger
Freundschaft noch fester zu knüpfen mit dieser Universität und
diesem ganzen Lande, dessen Größe aufzurichten ein ganzer
Strom deutschen Blutes mitgeholfen hat." Ich ging dann
über auf die Zeitumstände, unter denen das Bild des Dichters
durch Dannecker entstanden ist, auf Schillers Krankheit in Jena,
auf die Notwendigkeit einer Erholungsreise und wie nach dem
Wunsche des Dichters diese Reise in die schwäbische Heimat
führen sollte, wie die Mittel dazu geschaffen worden seien durch
das Dazwischentreten zweier edler Menschen, des Prinzen Fried=
rich Christian von Schleswig=Holstein und Ernst Schimmelmanns,

wie einer der herrlichsten Briefe, die Schiller je empfing, von diesen ausging. Und die Schlußworte: „Der Menschheit wün= schen wir einen ihrer Lehrer zu erhalten" leiteten mich auf meinem Gedankengang weiter. Die Macht des Augenblicks mochte in solcher Umgebung kräftiger einwirken als noch so sorgfältige Vorbereitung.

„Zweierlei Gefühle sind es," so schloß ich, „die mich be= seelen, so wie ich hier stehe; einmal das Gefühl des Stolzes auf meine Sendung sowohl im Hinblick auf den, der mich ge= sandt hat, als im Hinblick auf die, an welche mein Auftrag gerichtet ist; zum anderen ist es das Gefühl der Ehrfurcht, mit der ich diese Halle betrete, in welcher der schwäbische Lands= mann mit so viel Wärme willkommen geheißen wird. — Sei gegrüßt, du Sohn der deutschen Erde, in diesen Räumen, in denen sich eine Schar von Männern aufgestellt hat, um Wache zu halten bei dem Licht deines Geistes; sei gegrüßt auf deiner Kanzel, du gotterfüllter Prediger von der Pflicht; sei gegrüßt du Sänger der Menschenrechte und der Freiheit!"

Sofort trat Präsident Remsen vor die Rampe: Er wünsche den Dank der Johns Hopkins=Universität auszusprechen, müsse das aber in der Sprache dieses Landes tun, da er der schönen deutschen Sprache nicht hinlänglich mächtig sei. — „Heute, an der Schwelle zur Schillerfeier, sind wir uns der großen Ehre bewußt, die uns durch dies schöne Geschenk des hochherzigen Gebers zu teil wird. Wir haben dieselbe tief empfundene Ver= ehrung für Schillers Genius, die sich stets im Herzen und Ge= müt der Bevölkerung von Württemberg bekundet.

„Wenn die Studenten in Zukunft, inmitten der Anlagen von Homewood, den erhebenden Einfluß des gefeierten Dichters empfinden, wie er von dem Piedestal auf uns herabblickt, dann wird der Gedanke, daß die herrliche Büste ein Geschenk des Königs von Schillers Geburtsland, seinem teuren Württemberg, ist, den Wert und die Bedeutung derselben noch erhöhen. Mit Begeisterung erkennen wir in dieser Schillerbüste ein dauerndes Symbol der Eintracht in gemeinsamen Bestrebungen für das Schöne und Wahre, Bestrebungen, welche Universitäten wertvoll und Könige gepriesen machen, welche den richtigen Ton zur ‚Konkordia' anschlagen und alle gesinnungstüchtigen Männer als emsige Arbeiter in einem neuen ‚Lied von der Glocke' er= scheinen lassen.

„Ich will nun die Gelegenheit nicht vorübergehen lassen, ohne der freundlichen Beziehungen zwischen dieser Universität und deutscher Gelehrsamkeit mit wenigen Worten zu gedenken. Sie sind alle nicht zu jung und werden sich der Gründung dieser Universität erinnern. Wir begannen mit einem ganz kleinen Stabe; nur sechs Professoren hatten wir; davon waren drei in Deutschland ausgebildet, und es erscheint darum durch= aus nicht befremdend, daß gerade an dieser Universität deutsche Vorbilder herrschend geworden sind. Deutscher Einfluß hat sich seit den neunundzwanzig Jahren unserer Existenz stets leitend und helfend erwiesen. Dem leitenden Gedanken bei Schaffung dieser Universität lag die Absicht zu Grunde, ein Institut ins Leben zu rufen, welches all denen, die nach Deutschland gehen mußten, um sich höheres Wissen anzueignen, einen Ersatz und eine Zuflucht bieten sollte. Um diese Ideen zu verwirklichen, war es notwendig, eine Anzahl von Professoren von Deutsch= land zu gewinnen, und wir haben seither stets deutsche Pro= fessoren unter uns gehabt und haben diese auch heute noch.

„Aber auch die Deutschen in unserer eigenen Stadt haben großes Interesse für unsere Universität bekundet. Durch unseren Freund, Herrn Gail, den ich hier in der Halle sehe, haben wir eine große und wertvolle Bereicherung unserer Bibliothek erhalten. Und als es vor drei Jahren notwendig wurde, unsere finanziellen Angelegenheiten zu reorganisieren, da waren es wieder Deutsche, welche zu dem Hilfsfonds in generöser Weise beisteuerten, wie die Herren Gail, Schmeißer, Lauts, Hilken, v. Lingen und andere. Desgleichen schätzen wir die Gabe des deutschen Kaisers, welcher das Denkmal Friedrichs des Großen nach diesem Lande sandte, sehr hoch. Ich halte es für ange= bracht, diese Umstände in Verbindung mit dem wertvollen Ge= schenk hier vor uns zu erwähnen."

Stürmischer Applaus folgte diesen Worten, und nun erhob sich der Vorstand der deutschen Abteilung (Germanic Depart= ment), Professor Wood, und verkündigte, daß die Vertreter der Universität beschlossen haben, den Abgesandten des Königs von Württemberg zum Doctor honoris causa zu ernennen. — Niemals hätte ich geglaubt, daß alle die Schriften, die ich die Kühnheit gehabt, in den letzten Jahrzehnten der Öffentlichkeit zu übergeben, einstmals Erwähnung finden würden in den Hallen einer amerikanischen Universität; endlich kam der Redner

auch auf meine amerikanischen Studien und auf meine neueste
Schrift: „Die Amerikanische Revolution 1775—1783", zu
sprechen.

Darauf erhob sich Präsident Remsen, nahm seine Mütze
ab gleich mir selbst (denn es wird mit bedecktem Haupte ge=
sprochen) und übergab mir das Doktordiplom mit den Worten:
„Im Namen des Staates Maryland und im Namen der Uni=
versität ernenne ich Sie hiermit in Anerkennung Ihrer ver=
dienstvollen Lebensarbeit und in Würdigung der wertvollen
Beziehungen zwischen Deutschland und den Vereinigten Staaten
zum Ehrendoktor der Rechte."

Ich kann nicht leugnen, daß der laute Jubel, mit dem diese
Worte aufgenommen wurden, den Mut mir mächtig stärkte, als
ich nun vor die Leiter der Universität hintrat, um meinen
Dank zu sagen: „Niemals habe ich daran gezweifelt, daß ich
eine reiche geistige Ausbeute aus diesem Land nach meiner
deutschen Heimat zurückbringen würde. In den letzten zwanzig
Jahren meines schriftstellerischen Wirkens habe ich versucht, mich
in amerikanisches Leben und Denken hineinzufinden, und heute
kann ich zu meiner innigsten Freude erkennen, daß Sie meinem
geistigen Streben tatsächliches Heimat= und Bürgerrecht ver=
leihen. Möge dieser Umstand eine günstige Vorbedeutung für
die gedeihlichste Freundschaft zwischen den beiden großen Reichen,
Deutschland und Amerika, sein und zugleich eine Bürgschaft
dafür, daß keinerlei Kleinlichkeiten diese Freundschaft beein=
trächtigen werden. Wenn sich diese Wünsche verwirklichen
könnten, dann möchte ich die Fleischwerdung der beiderseitigen
Gefühle als den schönsten Lohn betrachten. Ich spreche meinen
ehrfurchtsvollsten Dank dem Kuratorium, dem Präsidenten und
der gesamten Universität aus."

Es war bezeichnend, daß bei den Worten, welche der Freund=
schaft zwischen Deutschland und Amerika galten, sich sämtliche
Anwesende in der stattlich gefüllten weiten Halle unter brausen=
den, fast tosenden Beifallsbezeugungen erhoben und sich um die
Vertreter der Universität und deren neuen Schützling drängten,
beglückwünschend und Hände schüttelnd. — Der Jubel wieder=
holte sich, als Präsident Remsen Ruhe geschaffen hatte, um zu
verkündigen, daß eine Depesche an den König von Württemberg
abgesandt worden sei des Inhalts:

„König Wilhelm der Zweite, Stuttgart. — Die Trustees,

Fakultät und Studenten der Johns Hopkins-Universität, welche mit Bürgern Baltimores in der Aula versammelt sind, drücken ihren aufrichtigen Dank für das gnädige Geschenk der Schiller= büste, welche von Hunderten von anwesenden Amerikanern und Deutschamerikanern willkommen geheißen wurde, aus."

Eine ausführliche Schilderung des Vorgangs in der Aula habe ich deshalb gerne gegeben, um einen Mann wie Remsen, der als Chemiker Weltruf genießt, zum Wort kommen zu lassen und durch Anschauung manches besser und rascher zu erklären, als es durch bloße Ausführungen geschehen kann. — Wenn ich noch den Wortlaut des mir überreichten Diploms hinzufüge, so glaube ich die Vorgänge erschöpfend dargestellt zu haben: This diploma makes known that The Johns Hopkins University in recognition of his valuable services in historical research and in promoting a feeling of brotherhood between Germany and the United States has conferred upon Albert von Pfister the degree of Doctor of Laws and that he is intitled to all the honours, rights and privileges to that degree appertaining. — Given in the City of Baltimore in the state of Maryland 29. April 1905.

Unter den Zuhörern befand sich auch die protestantische Geistlichkeit, aus der ich einen Vertreter, den Pastor Julius Hofmann von der lutherischen Zionskirche, zugleich Hilfsprofessor an der Universität, näher kennen lernte.

Die ganze Feier hatte um 12 Uhr Mittags begonnen und es war etwas über die gewöhnliche Zeit des Luncheon, als sie endigte. Zu dem festlichen Frühstück in den Räumen des Prä= sidenten Ira Remsen schien sich alles zu sammeln, was Balti= more an Gelehrsamkeit und Schönheit besitzt. Manche ergöt= liche Szene spielte sich ab. Der späte Nachmittag brachte eine Spazierfahrt mit Herrn und Frau Professor Wood in den Druid Hill=Park, auf den die Stadt besonders stolz ist. Die beiden geistvollen Menschen, deren Gäste wir sein durften, wur= den nicht müde, uns manche Aufklärung zu geben und Rätsel= haftes aufzudecken. — Die Universität sei 1876 ins Leben ge= rufen worden dadurch, daß ein Baltimorer Handelsherr, Johns Hopkins, den größeren Teil seines Vermögens mit drei bis vier Millionen Dollars zum Grundstock für eine Universität bestimmte; sie zähle jetzt 131 Professoren und Hilfslehrer und gegen 1000 Studenten; sehr beschränkt sei die Zahl der Ehrendoktoren,

unter den in jüngster Zeit ernannten befinde sich der ehemalige
deutsche Botschafter in Washington, Freiherr v. Holleben.

Mit außerordentlicher Liebenswürdigkeit hatte der Germania-
Klub von Baltimore unter dem Vorsitz von Henry Lauts mir
auf dreißig Tage ein Ehrenbürgerrecht in seinen Räumen ver-
liehen; ich konnte leider nur an dem einzigen Abend des 29. April
Gebrauch von dem geselligen Beisammensein dort machen. Schon
habe ich erzählt (S. 17), wie es am folgenden Tag weiterging
nach Chicago. —

Schon im Spätherbst des Jahres 1904 waren die Vertreter
des American Institute of Germanics und des Schwabenvereins in Chicago zusammengetreten, um der Stadt, die
eine halbe Million Deutscher und aus deutschem Blut Stam-
mender zählt, die auch schon 1859 eine großartige Schillerfeier
begangen hatte, für das Totenfest eine Veranstaltung zu sichern,
die an innerem Gehalt keiner anderen auf der Erde nachstehen
sollte. Im Vordergrund standen beim Zentralkomitee die Persönlichkeiten, die wir schon genannt haben (S. 4): Präsident
des Institute of Germanics Otto C. Schneider, Professor James
Taft Hatfield, der erstere als Vorsitzender für alle Schillerfestlichkeiten, der zweite als korrespondierender Sekretär; Vize-
präsident Ernst Hummel. Im Exekutivkomitee führte Otto
C. Butz den Vorsitz; es hatten hier ferner mitzuwirken Theodor
Brentano, Wilhelm Rapp, Professor v. Klenze, John Weiß,
Professor Busse und andere. Zu Ehrenpräsidenten waren ernannt worden Edward F. Dunne, Bürgermeister von Chicago,
und Dr. Walter Wever, deutscher Generalkonsul.

Von vornherein lag es im Plane, die Feierlichkeiten im
Mai 1905 auf mehrere Tage zu verteilen und zwar auf vier.
Eine Vorfeier mit Aufführung von „Wilhelm Tell" am 14. April.
Die eigentlichen Festlichkeiten hatten am 6. Mai zu beginnen
mit Konzert; am 7. Mai englische Festrede von Calvin Thomas,
Professor an der Columbia-Universität in New York; 8. Mai
akademische Konferenz, Vorträge einer Reihe von Professoren,
englisch und deutsch; 9. Mai Feier am Schillerdenkmal im
Lincolnpark und deutsche Festrede, die ich halten sollte; darauf
Lied von der Glocke. — Für die größere Zahl von Festlichkeiten
war das Auditorium bestimmt, ein Theater mit 4000 Sitzplätzen
und riesenhafter Bühne.

Am 6. Mai begannen die Feierlichkeiten mit großem Kon-

zert im Auditorium Abends 8 Uhr und einer höchst unange=
nehmen Pflicht für unseren Vorsitzenden, Otto C. Schneider.
Wir, meine Frau und ich, genossen ja den Vorzug, Gäste in
seinem Hause in der vornehmen La Salle Avenue zu sein, und
so kamen wir auch dazu, alle seine Sorgen teilen zu können.
Der Präsident der Illinois=Staatsuniverstät nämlich, Dr. Ed=
mund James, der zugesagt hatte, die erste einleitende Ansprache
an das Publikum zu halten, hatte Nachricht von unvorher=
gesehener Abhaltung geschickt, und nun war es Sache des Vor=
sitzenden, dem Publikum am Abend selbst beizubringen, daß
gerade der Mann fehle, der für den geeigneten gehalten wurde,
diese viertägige Gedenkfeier zu Ehren der Manen Schillers auf
die würdigste Weise zu eröffnen, der Mann, der, ein geborener
Amerikaner, sich aus einer deutschen Universitätsstadt nicht nur
seinen Doktorhut, sondern auch seine liebenswürdige Gemahlin
geholt hatte.

Ich muß gestehen, für mich selbst brachte der Ausfall eine
schwere Enttäuschung. Wie bei anderen Gelegenheiten und
Vorfällen fand ich aber auch hier, daß der Amerikaner und als
dessen Schüler auch der Deutschamerikaner sich mit außerordent=
licher Geduld und Gelassenheit in veränderte Umstände, gegen
die einmal nicht anzukämpfen ist, hineinfindet.

Wir betraten also heute erstmals den Schauplatz der Feste
für die nächsten Tage, das Auditorium. Bei amerikanischen
Theatern fällt als wesentlichstes Kennzeichen vor allem anderen
ins Auge das Fehlen aller Räume für Ablegen und Garderobe.
Jeder Besucher behält alles bei sich, was er auf dem Leibe
hat oder mit sich trägt. Es mag das seine Nachteile haben;
wer aber beobachtet, wie ruhig jeder Ankommende nach seinem
Platze wandelt, ohne sich vorher in der Garderobe herumzu=
drücken, wer namentlich die Ruhe und Gelassenheit beim Ver=
lassen des Theaters ins Auge faßt, der wird dem amerikanischen
System einen wesentlichen Vorzug zuerkennen. Und noch etwas:
die Sorge, seine Sachen wieder rasch und richtig zu bekommen,
pflegt gerade gegen das Ende der Aufführung die Seele nicht
wenig zu ängstigen. Kaum ist der letzte Ton verklungen, kaum
die letzte Szene flüchtig betrachtet, drängt alles dem Ausgang
zur Garderobe zu, um nicht der letzte zu sein; in Amerika
bleibt alles ruhig und gelassen sitzen und spendet seinen Beifall
auch noch der Schlußszene, wobei es dem Künstler die nicht

sehr erhebende Situation erspart, welche ihm beim Schluß seines Auftretens nur die Rücken der rasch nach der Garderobe sich Drängenden zeigt.

Also ruhig nach den Logen hinauf, die, sehr breiträumig berechnet, äußerst bequeme Sitzplätze bieten; sie waren, wie es schien, alle von den Hervorragenden unter den Deutschamerika-nern für die ganze Festzeit belegt worden. Überall Ausschmückung mit deutschen, württembergischen und amerikanischen Farben; Höhe, Durchmesser, amphitheatralischer Aufbau des Hauses machen einen großartigen Eindruck. — Die Hauptdarbietungen dieses Abends bestanden in Beethovens „Neunter Symphonie" mit dem gewaltigen Finale „Hymne an die Freude" und die Wallensteintrilogie von d'Indy.

Sonntag, 7. Mai, Nachmittags 3 Uhr. Um die Bedeutung dieses Festtages zu kennzeichnen, zogen, als die letzten Töne des einleitenden Tannhäusermarsches verklungen waren, gegen 50 Professoren in Amtskleidung auf die Bühne und nahmen hier Platz; unter ihnen auch eine Anzahl von Dozentinnen; wie reizend nahm sich auf solchem Lockenhaupt die viereckige Mütze mit der Trobbel aus! Hinter diesem akademischen Kranze bauten sich Sitze auf für 700 Sänger; ein Orchester von 60 Mann kam dazu. An diesem Tage hatte ich die Ehre, in meiner Loge den Hauptmann von der Bundesarmee, Hermann C. Schumm von Leavenworth, Kansas, kennen zu lernen; er ist 1906 zu den Kaisermanövern nach Deutschland kommandiert worden.

Ein englischer Prolog eröffnete das Fest, gesprochen von Miß Maud Winifred Rogers; noch einige Musikstücke und Otto C. Schneider trat vor, das Publikum in deutscher Sprache so anredend:

„Wenn wir auf das vergangene Jahrhundert und die geistige Entwicklung dieses Volkes zurückblicken, kommen wir zu der Überzeugung, daß in keinem Lande jeder Fortschritt und jede Neuerung mit solcher Begierde ergriffen wird wie hier. Selbst die Religion, die bei den meisten Völkern nicht leicht zugänglich für Neuerungen gehalten wird, hat hier eine Verschiedenheit der Formen aufzuweisen, die sich mit keinem anderen Lande vergleichen läßt. Zu jung, um viele Traditionen haben zu können, und zu unfertig, um einen ausgeprägten Typus sein eigen zu nennen, wird noch eine lange Reihe von Jahren vergehen müssen, bis der Schwerpunkt der Bevölkerung weiter nach dem

Pfister, Nach Amerika im Dienste Friedrich Schillers 4

Westen gerückt und aus seinem Inneren ein geläuterter Men=
schenschlag hervorgetreten ist, der besondere Grundzüge pflegt
und heilig hält.

„Doch einem Himmelszeichen blieb dieses Volk zu jeder Zeit
treu und wird es auch stets bleiben, solange der Himmel nicht
einfällt und die Welt nicht untergeht, und das ist der gute
Stern, unter dem es als Nation geboren wurde: der Stern der
Freiheit!

„Was die idealen Männer der Revolution mit der Tat
vollbrachten, das kam als begeistertes, himmelstürmendes Wort
aus dem Mund des armen schwäbischen Dichters, Friedrich
Schiller!

„Wie das Wort und die Tat eng miteinander verbunden
sind, so besteht auch zwischen dem Sänger der Freiheit und
dem Lande der Freiheit eine Seelenverwandtschaft, die durch
nichts gestört werden kann, als durch den Untergang der Frei=
heit selbst. Und wie der Stein, der, ins Wasser geworfen,
immer größere Kreise zieht, so hat sich auch das Wort Schillers
immer weiter verbreitet. Von der Zeit an, als 1790 in den
größeren Städten des Ostens, wie New York, Boston und Phila=
delphia, das Verbot gegen die Schaubühne aufgehoben wurde
und ‚Die Räuber‘ 1796 zum ersten Male in New York aufgeführt
werden konnten, bis zur Gegenwart, hat die Verbreitung der
Werke Schillers mit dem Wachstum des Landes beständig Schritt
gehalten, und es gibt wohl keine höhere Lehranstalt, wo nicht
‚Wilhelm Tell‘ einer strebsamen Jugend gelehrt wird. Als
Ende des 18. Jahrhunderts der New Yorker Theaterdirektor
William Dunlap seinen Erfolg darin fand, deutsche Dramen
von Kotzebue seiner Bühne anzupassen, und Schiller noch im
Schatten von Kotzebues längst verblichener Größe wandeln
mußte, da hätte Dunlap es sich nicht träumen lassen, daß der
Verfasser der ‚Räuber‘ seinen deutschen Shakespeare, wie er
Kotzebue nannte, so himmelhoch überragen würde. Obwohl
schon im Jahre 1813 auf 14 das deutsche Drama in englischer
Bearbeitung die Bühne der östlichen Städte fast vollständig
beherrschte, bedurfte es doch der Französin Madame de Staël,
die Aufmerksamkeit der aufstrebenden Literaten Amerikas ernstlich
auf die deutsche Literatur zu lenken. In ihrem Buche über
Deutschland wandte sie ihre Hauptneigung Schiller zu, in welchem
sie seine Liebe für die Freiheit, seine Verehrung der Frauen,

feine Begeisterung für die Kunst und sein tief religiöses Gefühl außerordentlich hochschätzte und bewunderte. Neben dieser war es besonders John Quincy Adams, der nachmalige sechste Präsident der Vereinigten Staaten, der mit leuchtendem Beispiel voranging, das junge Gelehrtentum mit den deutschen Geisteshelden bekannt zu machen.

„Aber als die Wissensdurstigen das Verlangen spürten, sich in die Schätze der deutschen Literatur zu vertiefen und dazu die Sprache erlernen wollten, hatten sie große Schwierigkeiten, Lehrer und deutsche Bücher zu finden, um dies zu ermöglichen. Man berichtet, daß der junge George Ticknor in keiner Bibliothek, in keinem Buchladen Bostons und nicht einmal im Harvard-College in Cambridge ein deutsches Buch dazu auftreiben konnte.

„An der Pennsylvania-Universität wurde zwar schon im Jahr 1754 ein Herr Cramer als Professor der deutschen und französischen Sprache angestellt, und in demselben Institut war seit 1780 der Lehrstuhl der Philologie mit Professoren besetzt, die in deutscher Sprache Vorlesungen hielten. Dies bildete jedoch von allen damaligen höheren Schulen eine Ausnahme.

„Denn nicht früher als 1825 wurde ein Herr Blättermann auf der Universität von Virginia als Professor der modernen Sprachen angestellt, und man vermutet nur, daß er auch Deutsch lehrte. Im Amherst-College wurde 1826 ein Versuch gemacht, Deutsch zu lehren, und nach drei Jahren wieder aufgegeben. Selbst im Harvard-College trat erst 1825 Karl Follen als deutscher Lehrer auf und erwarb sich große Verdienste um Einführung der deutschen Literatur (S. 35) und durch die erste amerikanische Ausgabe von Carlyles Life of Schiller.“

Schneider ging dann über auf die vielen jungen amerikanischen Gelehrten, die nach deutschen Universitäten gingen (S. 33), und wie in den Dreißigerjahren des 19. Jahrhunderts deutsche Gelehrte (S. 35) nach Amerika kamen, wie die Begründer der jungen amerikanischen Literatur immer häufiger auf die Schätze deutscher Dichtkunst hinwiesen. — „Da gelangte allmählich durch Nebel das Licht zur Sonnenklarheit und wurde zu einem der besten Kulturträger in diesem mächtigen Lande. Die Vierzigerjahre brachten einen anderen wertvollen Zuwachs in den geistig hochstehenden achtundvierziger Verbannten und damit in jedem einen streitbaren Verfechter der Ideale seines Vaterlandes, und als 1859 der Geburtstag des großen Dichters zum hundertsten Male wiederkehrte, da wetteiferten Amerikaner mit Deutschen, seinem Andenken auf die erhebendste Weise zu huldigen.

„Im Fortschritt dieses Landes ist Schillers Muse wahrhaftig nicht veraltet, keine Neuerung in der Literatur hat sie verdrängt, denn sein Freiheitslied wird ebensowenig veralten wie die Freiheit selbst. Wir brauchen nur auf die Hohepriester der Alma mater zu schauen, die uns heute mit ihrer Gegenwart beehren, um den besten Beweis zu haben, daß seine Ideale von den würdigsten Gelehrten gepflegt und verbreitet werden. Wir haben heute einen Herrn unter uns, der vor einigen Jahren ein vorzügliches Buch über Schillers Leben und Werke schrieb, das ihm und dem gelehrten Amerikanertum zur größten Ehre gereicht. Diese Gedenkfeier kann keine schönere Weihe empfangen, als wenn ich Ihnen diesen Herrn, den größten Schillerforscher Amerikas, den Redner des Tages vorstelle: Herrn Professor Calvin Thomas."

Meisterhaft seinen Stoff beherrschend und denselben mit leichter Anmut in Worte und in Gedankenreihen von zwingender Überzeugungskraft formend, trug Calvin Thomas ungefähr folgendes in englischer Sprache vor:

Die ersten Jahre des 19. Jahrhunderts haben zwei Leichenzüge für deutsche Dichter gesehen, einander sehr ungleich. Mit allem Pomp sei der Sänger des „Messias" in Ottensen zur Ruhe gebettet worden; eine gar bescheidene nächtliche Szene biete die Grablegung Friedrich Schillers dar; nur wenige trauernde Freunde, keinerlei in die Augen fallenden Zeremonien. „Wie hat sich im Strome der Zeit das Bild geändert! Heute ist Klopstock wenig mehr als ein Name, dem Gelehrten vorbehalten; jene hervorragenden Schauspieler auf der Napoleonischen Bühne, die Männer, welche einst die Welt erfüllt haben mit dem Getöse ihrer Schlachten, alle sind vergessen oder leben nur in den Blättern der Geschichtschreiber; aber der stille Träumer, er, dessen sterbliche Hülle vor hundert Jahren ohne viele Umstände der Erde übergeben worden ist, der lebt mit uns als eine mächtige und heilbringende Persönlichkeit. — Über die ganze Erde hin, wo immer Deutsche wohnen und die deutsche Sprache in den Herzen klingt, werden Männer und Frauen sich bei dieser Jahrhundertwiederkehr zusammenscharen,

wie wir hier zusammengekommen sind, um von Schiller zu
hören und sein Andenken zu ehren."

Ohne reichen Wechsel sei sein Erdenwallen gewesen; nie
habe er fremde Länder kennen gelernt. „Seine Wanderungen
bestanden in den Erlebnissen der Seele durch das unsichtbare
Reich der Wahrheit und Schönheit." Bemerkenswert sei, was
Wilhelm v. Humboldt am Tage, da er die Nachricht von Schillers
Tod erfahren, an Frau v. Staël geschrieben. (Es ist das
Schreiben, mit dem, als Beitrag von Erich Schmidt, das „Mar=
bacher Schillerbuch" sich einleitet.) So sei der Eindruck gewesen,
den Schillers Charakter auf einen ihm nahestehenden großen
Mann machte. Aber nicht zu kritisieren seien wir heute ver=
sammelt, nein, zu bewundern, und doch nicht blindlings.
„Lassen Sie uns deshalb in kurzer Zeitspanne die Hoheit be=
trachten, die in dieses Mannes Denkweise liegt, und die Er=
habenheit seiner Ideale." — „Sollen wir dem König der
deutschen Dramatiker unsere Huldigung verweigern, weil er
unähnlich ist einem Shakespeare? Oder sollen wir die Augen
schließen vor der Schönheit seiner Schöpfungen, weil diese
unähnlich sind denen eines Goethe, Heine, Uhland? Ist denn
nicht Raum genug auf der Erde für die verschiedensten Er=
scheinungen des künstlerischen Genius und der mächtigen Per=
sönlichkeit? Wünschen wir denn alle Blumen als Rosen, alle
Berge gleich der Jungfrau?

„Ja, Schiller war ein Idealist. Wenn irgend etwas über
ihn wahr ist, so ist es dieses." Auf seine Weise sei er auch
Realist gewesen; Idealismus und Realismus seien es eben, die
zusammen arbeiten müssen, wenn in der Literatur irgend etwas
geschaffen werden solle, wert der Vergessenheit entrissen zu
werden.

Nun sei ein Dichter offenbar als ein Mann aufzufassen,
der mit starken Empfindungen das Wesen des Innenlebens
seiner Zeit mitlebt und die Gabe besitzt, dieses Leben zur An=
schauung zu bringen in künstlerischer Sprache. Und wir nennen
ihn einen großen Dichter, wenn er dieses Leben, das er mit=
lebt, so zum Ausdruck bringt, daß seine Worte nicht nur für
seine eigene Zeit und für seine eigenen Landsleute Wert er=
halten, sondern für alle Zeiten und für die ganze Welt.

„Der nationale Dichter," sagt Ibsen, „ist derjenige Poet,
der es versteht, seinen Schöpfungen solche Grundtöne zu ver=

leihen, welche für uns einen Widerhall hervorrufen aus Berg
und Tal, vom Felsenrand und vom Ufer, aber zu allererst aus
unseren eigenen Herzen." Gerade hierin liege das für Schiller
Kennzeichnende. Er habe es verstanden, seinen Schöpfungen
einen Grundton zu verleihen, der durch alle Wechsel der Zeiten,
der Anschauungen, der politischen Lage, einen Widerhall finde
aus dem Herzen des deutschen Volkes. — Wir verehren Schiller
in erster Linie als Apostel der Freiheit. Der Gedanke der
Freiheit möge füglich der leitende Stern in seinem geistigen
Leben genannt werden. Der Freiheitgedanke spreche heraus
aus seinen Jugenddramen, aus seinen historischen Werken, vor
allem aus „Wilhelm Tell"; er erscheine als Basis von Schillers
ästhetischer Philosophie, wenn er die Schönheit definiere als
„Freiheit in der Erscheinung".

„Allein wir müssen uns daran erinnern, daß Schiller ein
Kind des 18. Jahrhunderts war und kaum mehr die schüchternen
Anfänge jener großen demokratischen Bewegung gesehen hat,
welche ein besonderes Kennzeichen des 19. Jahrhunderts bilden
sollte. Er war kein ,Volksmann', wenigstens nicht im engen
Sinne." Die Deutschen haben sich ihres Dichters und der
Worte des sterbenden Attinghausen erinnert, als sie über das
zerstückelte, uneinige Vaterland hinblickten. „Es leben noch
genug Personen unter uns, welche sich des Jubiläums von
1859 erinnern können mit dem nie gesehenen und nirgends
begrenzten Enthusiasmus für den nationalen Dichter. Niemals
vorher, solange man Geschichte schreibt, sind solche Huldigungen
einem Vertreter der Wissenschaft und der Poesie dargebracht
worden." — Heute sei die deutsche Einheit eine alte eingelebte
Sache. Eine ganze Generation sei gekommen und gegangen,
seit sich das neue Kaiserreich eingeführt habe. Die Einheit
Deutschlands und seine politische Freiheit seien nie Gegenstände
gewesen, mit denen sich Schiller in ausgesprochener Weise be=
schäftigt habe. Jedes Zeitalter habe seine eigenen Meinungen
und, um diese zum Ausdruck zu bringen, seine eigenen Männer.
— Die Sinne zu geistiger Freiheit zu erheben, das sei bei
diesem Schwabendichter der Inhalt seines Freiheitsgedankens
gewesen.

„Wir Amerikaner freuen uns dessen, was man politische
Freiheit nennt, und haben uns ihrer in vollem Maße lange
erfreut durch das Verdienst unserer Väter. Wir protzen mit

ihr, wir singen von ihr und halten uns selbst für Bevorzugte
unter den Nationen der Erde um unserer freiheitlichen Insti=
tutionen willen. Aber gerade weil das so ist, sind wir als
Nation besonders geneigt, die Freiheit zu identifizieren mit
einer bestimmten Regierungsform und einen Fetisch zu machen
aus unserer Konstitution. Zeit ist es für uns, daran zu denken,
daß Volksglück nicht hervorgeht aus gewissen politischen Ein=
richtungen, sondern aus hohen Idealen von politischer Tugend.
Als Feind der Freiheit ist für uns nicht ein rücksichtsloser
Herrscher zu fürchten oder ein Unterdrückungsgesetz, sondern
alles das, was unser öffentliches Leben herabwürdigt und ver=
hunzt. Da ist jene gefräßige Zunft, die Machtentfaltung plant
durch unlautere Mittel, die unsere Gesetzgebung zu beeinflussen
oder ihr zu entschlüpfen sucht zu Gunsten der Anteilhaber.
Da ist die terroristische Arbeiterunion, die mit Gewalt dem
freien Mann sein Recht verkürzt, zu leben und zu arbeiten.
Da ist der wahlstimmenkaufende Politiker, der bei seinem Handel
sich Rechnung macht auf die Notlage neuer Einwanderer oder
auf die Verdorbenheit herabgekommener Bürger. Wer die Frei=
heit wahrhaftig liebt, der liebt sie in demselben Maß für seinen
Mitmenschen wie für sich selbst und ohne Rücksicht auf die
Farbe der Haut seines Mitmenschen."

„Heute ist nicht die Zeit für praktische Politik, aber dazu
ist es die richtige Zeit — und sie könnte nicht besser gewählt
werden —, unsere Anhänglichkeit zu erneuern an den Begriff
von Freiheit, wie er uns überliefert worden ist von den großen
Denkern des 18. Jahrhunderts. Es ist Zeit, sich daran zu
erinnern, daß es nur ein Bewährtes, ein Bleibendes im Strom
der Zeit gibt, das Ideal; daß gewaltiger Umfang nicht gleich=
bedeutend ist mit Größe und daß der Ruhm und die Ehre
einer Nation nicht hervorgehen aus statistischen Nachweisen über
Wohlhabenheit und Volkszahl oder aus den Einrichtungen für
Arbeit und Geschäft, sondern aus dem Geist, der in den Herzen
der Bürger wohnt."

Er komme nun auf einen zweiten Zug im Wesen Schillers zu
sprechen, auf seinen unwandelbaren, leuchtenden Glauben an die
Vernunft. Nach dieser Richtung hin sei Schiller wiederum ein
Mann des 18. Jahrhunderts gewesen, der mit seiner Gedanken=
welt im Aufklärungszeitalter wurzelte. — Im Lauf der letzten
hundert Jahre haben der schaffende Geist und das Wissen

ungeheure Fortschritte gemacht. Dinge, von denen sich Schiller nichts träumen ließ, sind zur Wirklichkeit geworden. — Bei einem Streit zwischen Kopf und Herz bleibe doch der Kopf der sicherere Führer.

„Es fällt mir auf, daß wir Amerikaner mit unserer weit= gehenden Leichtgläubigkeit, mit unserem grenzenlosen, jeden Humbug begrüßenden Entgegenkommen, mit unserem immer größer werdenden Pack veralteten Aberglaubens, aufgeputzt und in Parade gesetzt unter verlockenden Namen, — es wundert mich zu sehen, daß gerade wir Amerikaner eine Belebung des Glaubens an den Menschenverstand so besonders nötig haben."

Noch auf eine dritte und ungemein wichtige Richtung in Schillers Gedankenwelt müsse er eingehen, auf die Art, wie er sich der Menschheitsidee gewidmet. Lessing, Herder, Schiller, Goethe — die Gedanken aller kreisten um das, was im Mittel= punkt ihrer geistigen Welt stand: „der Mensch, das Rein= menschliche". In Wahrheit könne unsere Rasse kein höheres Ideal sich zu eigen machen als den Fortschritt des Humanitäts= gedankens, so wie er aufgefaßt worden sei von den Männern des 18. Jahrhunderts.

„Es fehlt nicht an Kritikern, welche über Schiller und Goethe, über Lessing und Herder in absprechender und an= maßender Weise urteilen im Hinblick auf das, was sie deren leeren und abstrakten Kosmopolitismus nennen; im Hinblick darauf, daß sie sich als Weltbürger fühlten und nicht das waren, was man, im engsten Sinne aufgefaßt, deutsche Patrioten nennt. Aber lassen Sie uns nicht vergessen, daß sie in weit höherem Sinn wirkliche deutsche Patrioten waren, weil sie ihrem Vaterland in großartiger Weise dienten auf der Bahn, die ihnen eben offen stand; das will sagen dadurch, daß sie edelste Werke der Literatur und Philosophie schufen, welche dazu dienten, den Idealismus ihrer Landsleute zu nähren und aufrecht zu halten bis zu den spätesten Generationen. Das ist mehr wert, als wenn sie Kriegslieder geschrieben oder wenn sie ihre Person feindlichen Gewehren entgegengeworfen hätten. Ja, sie liebten alle ihr Vaterland, aber sie glaubten zugleich an die Bruderschaft der gesamten Menschheit und sie identifi= zierten niemals ihre Vaterlandsliebe mit nationalem Haß und nationaler Eitelkeit.

„Und sollen wir das tun? Sollen wir uns verschanzen

hinter Vorurteilen der Nationalität, der Rasse, der Religion, indem wir uns einbilden, weiser zu sein als Goethe und Schiller? Sollen wir den gefährlichen Grundsatz annehmen: ,Our country right or wrong', und damit bekennen, daß es um unseren Patriotismus nicht besser bestellt ist als um den Klaninstinkt des Wilden? Soll unser Glaube sich bauen auf Kriegsschiffe und Armeen und nicht auf Ideale? Sollen wir die Macht eines Riesen nur deshalb pflegen, damit wir gleich einem Riesen sie dazu verwenden, um das Reich der Torheit zu verewigen? Soll unsere freie Demokratie kein höheres Wort finden im Rat der Nationen als: Hütet euch vor unseren Kanonen? Sind wir deshalb der dynastischen und religiösen Streitigkeiten ledig geworden, um nun durch kommerzielle Nebenbuhlerschaft hineingerissen zu werden in dieselben alten Hirngespinste? Soll die erbarmungslose Heldenhaftigkeit von Mann gegen Mann fortgehen in alle Ewigkeit?"

Aber man dürfe die Hoffnung nicht sinken lassen. „Noch eine kleine Weile, unter dem langsamen Walten Gottes über die Staaten, und die Welt wird sich aus ihrem verwilderten Zustand erheben, nachdem sie einen besseren Weg als den des Blutvergießens gefunden, um den internationalen Hader bei= zulegen. Und wenn wir uns erst in lichtere Regionen er= hoben haben, dann werden wir mit neuem Enthusiasmus zurückblicken auf jene hohen Ideale von Freiheit, Vernunft und Menschlichkeit, die Lebensbrot und Lebensatem waren für unseren vielgeliebten Schiller."

In vorstehendem habe ich geglaubt, den Reden von Otto E. Schneider sowohl als namentlich von Calvin Thomas einen breiteren Raum zuweisen zu müssen. Beide Männer sind edel= denkende Patrioten, der erstere ein Deutschamerikaner, der andere ein Amerikaner von altem anglosächsischem Stamm. Die Worte beider sagen mehr als Bände von Abhandlungen. —

Den Reden folgte Gesang. Die vereinigten Männerchöre, 700 Sänger, erhoben sich, um zunächst „Sternennacht" von Schulken und sodann „Festgesang an die Künstler", Mendels= john, zu singen. Die musikalische Glanznummer des Abends aber bildete der Vortrag von Ave Maria, Bach=Gounod, durch Frau Theodore Brentano, welche durch ihre Erscheinung wie durch ihre Stimme die ganze Zuhörerschaft bezauberte; ihr klangvoller Mezzosopran füllte die mächtige Halle bis zum letzten Winkel aus. Orchester und Orgel bildeten mit „Eine feste Burg ist unser Gott" den Schluß. —

An einigen geselligen Abenden hatte ich noch das Glück, mit Calvin Thomas und mit Frau Brentano zusammengeführt zu werden; von beiden habe ich wertvolle Aufschlüsse und Mitteilungen erhalten. —

In nördlicher Richtung von dem mächtigen Bau des Auditoriums, mit einer Seite nach dem Michiganfee blickend, liegt das Kunstinstitut (Art Institute), ein Renaissancebau mit jonischen und korinthischen Säulen. Hier und zwar in dem Fullerton Hall genannten Raum war dem dritten Tag der Schillerfeier, dem akademischen Tag, seine Bühne angewiesen.

Es sollten fünf Herren nacheinander reden und zwar Professor Dr. Emil Hirsch von der Chicago-Universität über „Schiller und Kant"; Professor M. H. Carruth von der Staatsuniversität von Kansas über „Schillers Dualismus"; Professor J. S. Nollen von der Staatsuniversität von Indiana über „Schillers Gedichte in den Vereinigten Staaten"; Professor C. J. Little von der Nordwestern-Universität in Evanston über „Schiller der Historiker"; Professor C. v. Klenze von der Chicago-Universität über „Venedig in Schillers Geisterseher". — Der erste und letzte dieser Vorträge deutsch, die anderen englisch gehalten.

Am Montag den 8. Mai Nachmittags 3 Uhr eröffnete der Vorsitzende Professor James Taft Hatfield von der Nordwestern - Universität die Sitzung mit einer Anrede in Englisch an das in der Fullertonhalle, die mit einer von Palmen umgebenen Schillerbüste geschmückt war, versammelte Publikum.

„Meine Damen und Herren! Es gilt als ein Zeichen von Schillers Universalität, daß so viele und so verschiedenartige Volksklassen behaupten, ein spezielles Recht auf seine Ehrung zu besitzen. Wir amerikanischen Lehrer in der Tat, wir mögen mit Recht sagen: er war unser. Wir sollten nicht vergessen, daß Schiller ein Universitätsprofessor war und daß, ganz abgesehen von seinem wirklichen akademischen Schaffen, auch seine ganze Art die eines Gelehrten war. Gerade bei seinen zum höchsten Idealismus sich erhebenden Arbeiten pflegte er die literarische Grundlage vorzubereiten durch in die Breite

und Tiefe gehende Forschungen, die den gewissenhaften Gebrauch jeder wertvollen Quelle in sich schlossen.

„Heute, an solchem Tag, wie es dieser ist, würde es sich
nicht ziemen, schweigend das Verdienst zu übergehen, das sich
amerikanische Lehrer dadurch erworben, daß sie Schiller nach
Hause brachten für die Jugend unseres ganzen Vaterlandes.
Vielleicht ist es nicht zu viel gesagt, daß nirgends sonst die
Teilnahme Schillers am Erziehungswerk in so ernster und tief-
gehender Weise sich vollzieht." Bemerkenswert sei die außerordentlich große Zahl von Schillerausgaben für die Jugend.
Die Gelehrten wetteifern untereinander, Reinheit und Echtheit
des Textes zu wahren, historischen und literarischen Hintergrund
zu schaffen und heilsame Aufklärungen den Werken beizufügen.
Einzelne dieser verdienten Gelehrten seien heute hier anwesend.
Ihre Arbeit habe für Tausende Schiller zugänglich gemacht,
die sonst niemals unter seinen Einfluß, in den Bereich seiner
Anziehungskraft gekommen wären.

„Unser hoher Beruf bringt es mit sich, überall die Liebe
zur Wahrheit um ihrer selbst willen zu fördern und die Gewohnheit, alle Dinge im Licht ihrer allgemeinsten Beziehungen
zu betrachten. Im Blick darauf ist es besonders erfreulich,
als unseren ersten Redner einen Mann auftreten zu sehen, hervorragend in unserer Gemeinschaft nicht nur durch seine
Gelehrsamkeit und Rednergabe, sondern auch anerkannt wegen
seiner Verdienste um die öffentlichen Angelegenheiten in ihren
höheren Fragen — Dr. Emil G. Hirsch."

„Die zweite Hälfte des 18. Jahrhunderts," begann der Redner
seinen Vortrag über „Schiller und Kant", „schien von dem
Streben beseelt zu sein, die dem deutschen Volke angetane
Unbill dadurch wettzumachen, daß es ihm nach so langer Dürre
und Durstigkeit segensreichste Fülle und erquickenden Überfluß
beschied. Am Himmelszelte wandelten nun Planeten, zu Sternen-
familien vereint, ihre leuchtenden Bahnen. —

„Auch ein Kolumbus war erstanden, der, mutiger als andere
Seefahrer, einen neuen geistigen Weltteil entdeckte. Mit gewaltigen, mächtigen Hieben zerschnitt er die Bande, die Denken
und Schauen bis dahin gehemmt. Hieß er auch den grübeln-
den Kopf sich bescheiden, indem er die Grenzen menschlichen

Erkennens scharf bestimmte, so schaffte er dem Wollen desto
reicheren Raum; zerriß er auch die Nebelgespinste anmaßenden
Glaubens, so wies er um so feierlicher hin auf das Sittliche,
welches allein als selbstbestimmendes, doch ewiges Gesetzgebot
dem Menschen Freiheit leihen kann.

„An diesen Zertrümmerer alten Wähnens und Wahns, an
diesen Erbauer eines weiteren lichtvolleren Heiligtums der
Menschenwürde, Kant, schließt sich der Sohn des Schwaben=
landes, dessen wir heute dankbar und bewundernd gedenken,
als Denker an. Damit war durch gleiches Denken die innere
Gleichheit deutschen Seins erwiesen. Der Sohn des kälteren,
schärferen Nordens fand Verständnis und Gefolgschaft dort,
wo alemannische Art die wärmeren Töne des Gemüts zu ent=
bieten gewohnt war. Als Ergänzer und Ausbauer Kantischer
Lehrmeinungen wird Schiller genannt sogar in den Hörsälen,
wo nur die abstrakten Systeme der Zunftphilosophen heimat=
liche Berechtigung zu haben scheinen. Wie ohne Spinoza
Schillers Höhegenosse Goethe nicht verständlich ist, so bleibt
Schiller selbst ein versiegeltes Buch allen, welchen von Kants
grundlegenden Lehrsätzen keine Kunde geworden ist. Nicht in
dem Sinne zwar, als ob in der Zwangsjacke der Schulsprache
ein jeder, der seinen Schiller lesen und würdigen will, erst
sich Kant aneignen müsse. Aber Kant hat wie Schiller aus
dem Vollen deutschen Geistes geschöpft. Man kann mit Fug
und Recht behaupten, Kant sei der deutscheste aller deutschen
Philosophen. Als der urdeutscheste der deutschen Dichter mußte
Schiller sich zu Kant hingezogen fühlen. Zwar ist Goethe auch
grunddeutsch, aber auf eine ganz andere Weise.“

Dem Menschen bleibe es ja versagt, den Urgrund alles
Seins zu erkennen, und doch spiegle sich die Welt in seinem
Geiste, zwar nicht, wie sie an sich sei, aber so aufgebaut, wie
sie nach dem Gesetz menschlichen Denkens eben dem Menschen
erscheinen müsse. — „Man kann mit Fug und Recht behaupten,
Schiller sei der Sänger der menschlichen Persönlichkeit. Von
sich aus erklärt er die Erscheinungen der ihn umgebenden
Welt; aus seinem eigenen Weltbewußtsein heraus bewertet er
alles, was Natur und Geschichte gezeugt und gezeitigt hat.
Daher eilte er, wie Wilhelm v. Humboldt es ihm so schön
bemerklich machte, der Natur eigenmächtig entgegen. Er ließ
sie nicht auf sich wirken, er schöpfte ihr Bild nicht so sehr aus

ihr, als er es aus eigener Kraft aus seinem inneren Besitz=
schatze schaffte. Die Geschichte war für ihn — wie er selbst
sie nannte — ein Magazin für seine Phantasie. — Das Voll=
bewußtsein des Wertes und der Würde des Menschen als einer
sittlichen Persönlichkeit läßt Schiller, gleichwie Kant, aller
Hemmnisse spotten, aller Schranken Macht bezweifeln."

Aus den „Worten des Glaubens" spreche deutlich der Schüler
des Königsberger Denkers. Der Fortschritt von den Nebel=
bildern, welche gaukelnd ihm vorschwebten, als er „die Räuber"
dichtete, sei augenfällig. Schiller hätte wenig Lust an dem
heutigen Herdenfetischismus, der ja auch Nietzsche so pracht=
und machtvoll in den Harnisch gebracht hat. An dem Gezänke,
das durch die Jetztzeit gehe, und dem, was man oft als Frei=
heit erzwingen wolle, hätte er kein Gefallen. — Gleichsam in
der Schattierung aber trete der bezeichnende Unterschied zwischen
Schiller und Kant an den Tag. Kant legt den Nachdruck
auf ‚Du sollst' des kategorischen Imperativs. Schiller betont
das Können des Menschen. In der inneren Einheit der mensch=
lichen Natur scheine für Schiller der Einklang von Neigung
und Tugend, die freudenvolle Stimmung begründet zu sein.
„Ihm ist die schöne Seele das Höhere gegen den bloßen pflicht=
mäßigen Willen. Auf Kants finstere Tugendlehre zielt Schillers
‚geflügeltes' Distichon: Gerne dien' ich den Freunden, doch
tu' ich es leider mit Neigung. Und so wurmt es mir oft,
daß ich nicht tugendsam bin."

„In der Schönheit erblickt Schiller die Verwirklichung der
im Inneren empfundenen Freiheit. Im Reiche des Schönen
kommt der tobende Kampf zum friedvollen Austrag. Im
Schönen liegt und erblüht die wahre Versöhnung. Im Spiele
mit der Schönheit verschwindet sowohl der Zwang der Emp=
findung, als der der Vernunft, beide kommen in Einklang: das
Sinnliche wie das Sittliche, das Körperliche wie das Geistige
kommen zur richtigen Geltung, der Mensch ist ganz Mensch;
ihm wird die Freiheit der ästhetischen Stimmung, in welcher
Sinnlichkeit und Vernunft gleich tätig sind. Sinnliches Be=
gehren und sittliches Wollen sind ja nur Hälften des wahren
Menschen. Die Kunst hebt den Widerstreit dieser beiden Hälften
und Halbheiten auf. In ihr und durch sie wird der Kampf
der Neigung mit der Pflicht gelöst."

Wie allgemein Ideen und Individuelles einander beständig

durchbringen, führte der Redner näher aus. — „Als Geschichts=
forscher wie als Dramatiker schwebte es Schiller, wie kaum
einem anderen, klar vor Augen, daß die Weltgeschichte das
Weltgericht ist." Man mag über die Pragmatiker unter den
Geschichtschreibern nach Herzenslust spotten und auch weg=
werfend Schiller ihnen zuzählen, ich glaube, Notizenkram
noch so gelehrter Art wird schließlich der Menschheit weit
weniger nützen als Schillers Bestreben, den Zeiten das Ge=
heimnis ihrer ewigen Bedeutung im Leben der sich nach höherem
Plan entwickelnden Menschengemeinde abzulauschen." —

Professor W. H. Carruth bestieg nun die Tribüne, um
über „Schillers Dualismus" zu reden. Er ging von Kapitel 19
in Ernst Häckels Buch „die Lebenswunder" aus, wo der
Gegensatz in der philosophischen Stellung Goethes und Schillers
ausgeführt wird. „Lassen Sie uns einmal klar werden darüber,
was Häckel unter Dualismus versteht. Es ist die Voraus=
setzung von zwei durchaus verschiedenen Anschauungsweisen im
Universum, wie Gott und Welt, Geist und Materie und so
fort; Monismus dagegen führt alle Erscheinungen zurück auf
eine gemeinschaftliche Weltanschauung."

Carruth geht nun weiter auf die Schwäche in Häckels Be=
hauptungen ein und führt eine Reihe von Stellen aus Schriften
an. — „Ich glaube, dieser Zitatenschatz wird genügen, um
nachzuweisen, daß Schiller kein Dualist im Sinne Häckels war,
daß er nicht zwei unterscheidbare Prinzipien im Universum an=
nahm, sondern durch Wahrnehmung wie durch Glauben einen
harmonischen Kosmos voraussetzte."

„Meiner Ansicht nach läuft die Ablehnung der Schillerschen
Philosophie bei Häckel hinaus auf die ‚Worte des Glaubens',
das poetische Evangelium von Kants praktischer Vernunft. Denn
Häckel kehrt wieder und wieder zu der Erklärung zurück, daß
diese Dreiheit der Unvernunft: Gott, freier Wille und Unsterb=
lichkeit, das Wesentliche des Dualismus vorstellen und gänzlich
unvereinbar sind mit monistischer Weltanschauung.

„Ich wage abweichender Ansicht zu sein und ziehe es vor,
zu denken, daß diese drei Glaubensartikel, oder Hypothesen,
oder Dogmen, wie Sie die Sache nennen wollen, Äußerungen
darstellen vom Suchen der menschlichen Seele nach einer ein=
heitlichen Zusammenfassung des scheinbar dualistischen Uni=
versums."

Freilich durch Erkennen sei kein monistisches Universum zu
finden. Wir füllen die Lücken unseres Wissens und Erkennens
durch Hypothesen und Theorien. Gott und Unsterblichkeit seien
oft so aufgefaßt worden, als ob sie im Gegensatz ständen zu
dem Erkennen von Tatsachen und Gesetzen des Geschehens. —
„Aber der Geist des Menschen drängt immer aufs neue un=
widerstehlich hin zu dem Versuch, Einheit und Harmonie in
dem Universum herauszufinden, von dem er selbst ein Teil ist.“

Es folgte der Vortrag von Professor J. S. Nollen
an der Staatsuniversität von Indiana über „Schillers Gedichte
in den Vereinigten Staaten“. — Er teilt seinen Stoff in zwei
Abschnitte: 1. Kritik. 2. Übersetzungen. Redner geht zunächst
zurück auf die ersten Versuche, die Amerikaner mit Schiller
bekannt zu machen, deren schon gedacht worden ist (S. 33 ff.);
auf die Vergleiche zwischen Goethe und Schiller durch Ban=
croft und andere um die Mitte des 19. Jahrhunderts. In den
Festtagen von 1859 sagte einer der berufenen Redner von
Schiller: „Seine Poesie war englisch in ihrer Klarheit und
ihrem Vermeiden krankhafter Sentimentalität; es besteht eine
schöne Harmonie zwischen seinem Leben und seinen Werken.“
Ein anderer: „Kein Poet hat je mit so entflammender Kraft zur
Jugend gesprochen; ich wage Schiller den beredtesten von allen
Poeten zu nennen. Gleich Byron ist er Dichter der Leiden=
schaft mehr als der Gedanken.“

Erst Ende der Siebenzigerjahre, führt Nollen aus, beginne
eine neue Periode für Schillerbiographien und Darstellungen
deutscher Literatur. Aber die Versuche in Kritik Schillerscher
Werke bleiben noch außerordentlich mager. Manche Kritiken
seien auch so, daß man sich fragen müsse, ob der Dichter durch
die Art dieser Lobpreisung entzückt gewesen wäre. Im Jahre
1879 erschienen „Studien über deutsche Literatur“ von Bayard
Taylor und „Goethe und Schiller“ von Boyesen. Einzelne
von Schillers lyrischen Gedichten werden hoch erhoben, andere
verurteilt; ungeteilte Bewunderung wird den meisten Balladen
und dem Lied von der Glocke gezollt.

Fred. H. Hedge nennt in den 1886 erschienenen „Stunden
unter deutschen Klassikern“ Schiller einen von den vornehmsten
deutschen Lyrikern, den ersten Dichter im Drama; ein wunder=
barer Umschwung vollzieht sich in seinen Liedern von den
knabenhaften Extravaganzen der ersten Periode bis zu der

vollendeten Ruhe und Anmut der dritten. „Das Lied von
der Glocke ist ein Juwel von hohem Wert, wie es irgend eine
Sprache nur verlangen kann und jeder Dichter möchte mit
Stolz es in seiner Krone funkeln sehen; wenn Schiller nichts
anderes geschrieben hätte, würde ihm schon dies Lied die Un=
sterblichkeit sichern."

„Mit diesen Worten Hedges von typischem Enthusiasmus
wollen wir unseren kurzen Rückblick auf Kritik und Würdigung
Schillerscher Lieder schließen. Denn die neueste (1902) und am
besten geschriebene amerikanische Biographie von Schiller, die
von Professor Calvin Thomas (S. 38), ist uns allen so ver=
traut, daß es unnötig scheint, hier länger zu verweilen bei
der gesunden Unbefangenheit und dem ‚sang froid‘ ihrer kri=
tischen Ausführungen, welche in dieser Hinsicht fast einzig da=
stehen in der Geschichte amerikanischer Würdigung von Schiller."

Im zweiten Teil seines Vortrags kommt Redner auf:
Übersetzungen. Es sei zu bedauern, daß gerade die gefeiertsten
amerikanischen Dichter und Kritiker, wie Emerson, Whittier und
Lowell, Poe und Holmes, den Liedern Schillers wenig Auf=
merksamkeit geschenkt haben. „Longfellow, unser ausgezeichnetster
Übersetzer aus fremden Literaturen, geht über Schiller weg, um
Uhland, Müller und andere weniger hervorragende Dichter zu
bevorzugen, obwohl Schillers Einfluß klar sich erweist in seinem
Lied „The Building of the Ship", das im Aufbau ganz dem
„Lied von der Glocke" folgt, und in seinem eigenen schwachen
Lied „Song of the Bell". Bayard Taylor sei der einzige
bekanntere amerikanische Dichter, der sich sowohl mit Kritik als
Übersetzung Schillerscher Lieder beschäftigt, aber sein Beitrag
als Übersetzer sei nicht allzu hoch zu stellen. Ein anderer
Amerikaner aus der Zahl der Gelehrten erscheine in der Reihe
der Übersetzer, — George Bancroft, der die Auszeichnung für
sich in Anspruch nimmt, unter den Ersten auf den Plan ge=
treten zu sein als Übersetzer sowohl wie als Kritiker; sein
Beitrag sei ein reicher.

Allein im allgemeinen sei man angewiesen auf Übersetzungen,
die von Engländern ausgingen, wie von Bulwer, Bowring und
anderen. „Soweit ich habe feststellen können, umfaßt die Reihe
amerikanischer Übersetzer 24 Namen. Nur 4 von diesen Über=
setzern sind Deutschamerikaner; die übrigen sind von angel=
sächsischem Stamm, darunter eine Frau und 8 Pastoren." Am

häufigsten sei „Das Lied von der Glocke" übersetzt worden, demnach müsse es hierzulande das populärste sein; zehnerlei Übersetzungen gebe es von ihm; je 4 von Ritter Toggenburg, das Mädchen aus der Fremde, Sehnsucht; je 3 von der Teilung der Erde, Würde der Frauen, Kant und seine Ausleger. Den Gedichten der ersten Periode hätten amerikanische Übersetzer stets wenig Aufmerksamkeit geschenkt, nur 5 machen eine Ausnahme: Hektors Abschied, Gruppe aus dem Tartarus, Die Blumen, An den Frühling, Männerwürde. Alle die Ergüsse an Laura und andere gerade für Schiller bezeichnende Lieder fehlen. Aus den Gedichten der zweiten Periode sind nur 3 durch Amerikaner übersetzt worden: An die Freude, Die unüberwindliche Flotte, Die Künstler.

Mehr als zur Hälfte (109 von 197) seien die Gedichte der britten Periode von den Übersetzern berücksichtigt. Die Balladen seien besonders bevorzugt, aber Die Bürgschaft, Der Handschuh, Der Kampf mit dem Drachen, Der Graf von Habsburg fehlen, während die fromme, etwas schwache Ballade „Gang nach dem Eisenhammer" unter die ersten zählte, die in Amerika übersetzt wurden. „Schließlich mag es noch bemerkenswert erscheinen, daß elegische Stimmung besonders anlockend wirkte; eine ziemlich lange Reihe von Übersetzungen widmet sich den Liedern von elegischem Ton: Hektors Abschied, Gruppe aus dem Tartarus, Die Ideale, Das Ideal und das Leben, Klage der Ceres, Ritter Toggenburg, Kassandra, Sehnsucht, Der Pilgrim, Des Mädchens Klage, Der Jüngling am Bache, Nadowessische Totenklage, Thekla eine Geisterstimme, Der Antritt des neuen Jahrhunderts."

Den letzten Vortrag in englischer Sprache hielt der Professor für Kirchengeschichte an der Northwesternuniversität, C. J. Little, über Schiller als Historiker.

Bald aufgezählt seien Schillers historische Werke, wie schlecht bestehen sie vor dem heutigen Maßstab! Da zeigen sich keine langen Reihen von polyglotten Bibliographien; nirgends ächzt ein Apparat kritischer Gelehrsamkeit; nichts von polemischen Fußnoten, von Ziererei mit unerschütterlicher Objektivität. Nur ein feierlicher Zug von Persönlichkeiten, staatlichen Gebilden und Ereignissen ist zu sehen, vorgeführt von einem Genius und erleuchtet mit Ideen.

„Das ist keine Tatsache, das ist eine Idee," so lautet Schillers ärgerliche Äußerung zu Goethes Auseinandersetzungen über die

Metamorphose der Pflanzen. Dies Wort ist es, das ein Fenster öffnet für seine ganze Geistesarbeit. Sein Geist wimmelte von Ideen, aber er wußte, daß es Ideen waren, und er wußte auch, woher er sie geschöpft. Ob sie ans Licht traten in Dramen wie Don Carlos oder Maria Stuart, oder ob sie Darstellungen durch= leuchteten wie Abfall der Niederlande oder Sendung des Moses, Schiller trennte mit Leichtigkeit die Idee los von ihrer Quelle und wurde sich vollständig bewußt, daß beide, Drama und Historie, hinzielen nach einer höheren und herrlicheren Wahrheit als irgend eine angreifbare Arbeit über die „vestigia, über die ersten Fußstapfen der Menschheit, die sich finden in Monumenten und Chroniken".

„Für einen, der gleich mir erzogen ist in der Schule von Droysen, gilt auch das Beste, was in Geschichte geschrieben werden kann, nur als eine Annäherung an die Wirklichkeit; das, was ihr Wert gibt, sind ja nicht die Stöße emsig gesam= melter Berichte, es ist der ahnende Blick nach innen und der aufbauende Genius, der aus ihnen die Materialien aussondert für die Architektonik seines Werkes."

Besonders bezeichnend sei Schillers Antwort an Körner über die Figur Wallensteins: „Ich bin der Meinung, daß der Held niemals beurteilt werden sollte nach moralischen Eindrücken, sondern nach der Gesamthandlung des Stückes, insofern, als sie sich auf ihn bezieht und von ihm ausgeht." Wie viele Geschichts= bücher und Biographien würden weggefegt in Vergessenheit bei Anwendung derartigen Prinzips!

„Aber ist nicht Schiller selbst abgewichen von diesem Grund= satz in der Art und Weise, wie er das Bild Wilhelms von Oranien zeichnet? Glücklicherweise haben wir zur Vergleichung nicht nur das extravagante Bild von Mr. Motley, sondern auch die neueste Beurteilung des Begründers der holländischen Re= publik, welche die Welt kennen lernt in Cambridge Modern History. Schillers Farben sind einfach gegenüber denen des amerikanischen Historikers, während Butlers Auffassung im Wesen zusammenfällt mit der des deutschen Dichters. Die Wärme fehlen und der Glanz, welche jede Schöpfung des Schillerschen Genius durchglühen; mit unendlicher Geduld ist mosaikartig Stück an Stück geleimt; es gleicht nicht der anderen Arbeit, ein großes Leben, herausfließend aus einer großen Seele."

Oder nehme man jenen Ausspruch, der einem Carlyle un=

begrenzte Bewunderung entlockt, die Schlußworte der Beschrei=
bung jenes dumpfen Schweigens, das in Brüssel geherrscht habe
bei dem ersten Einzug Albas. „Das ist es, was Ruskin die
innere Durchleuchtung nennt, das Hineinblicken in das Herz
der Dinge und Ereignisse. Sicher, das ist nur eine Idee. Aber
es ist eine Idee, die sich herleitet aus einer Masse von Einzel=
studien, welche eine kolossale Persönlichkeit und ihre Beziehungen
zu einer ganzen Epoche beleuchtet. Und kein menschlicher Geist,
Dante ausgenommen, hat die Spanne eines fürchterlichen Augen=
blicks jemals mit so lebendiger Sicherheit und so eindringlicher
Anschaulichkeit gemalt."

Wallenstein und Gustav seien nicht die Schöpfer, sondern
nur die Vollzieher des Schicksals. Es sei unmöglich, Schillers
Ausführung zum Tod des Schwedenkönigs zu lesen, ohne an
die einherschreitende Notwendigkeit der griechischen Welt zu
denken, an das wehvolle, unausweichliche Geschick, dem Helden
und Völker entgegengehen und erliegen. — Ja, Schiller habe
einem Lessing und Kant, einem Herder, Voltaire viel zu danken
gehabt. Gleich Raphael sei seinem Geiste das Aufnehmen und
Umbilden eigen gewesen; von jedem hellen Gefährten habe er
gelernt und doch neben seiner Gelehrigkeit das Unabhängige
und Selbständige seines eigenen Seins gewahrt.

„Dramatiker und Historiker müssen gleicherweise den Himmel
so annehmen, wie ihn die Natur und die Erdkugel wölbte.
Beide müssen ihre Schöpfungen den wirklichen Ereignissen ab=
lauschen. Gerhart Hauptmanns Versicherung ist gar nicht not=
wendig, daß sein Spiel eine düstere Tragödie aus schlesischer
Geschichte darstellt. Jede andere Sache würde unglaublich sein.
Situationen solcher Art werden ja niemals erfunden, sie müssen
abgelauscht sein. Aber da zeigt sich wieder der Unterschied im
Entwerfen eines Gesamtbildes. Der Eine müht sich ab um
Einzeldinge, der Andere um die beherrschenden Ideen. Schiller
befindet sich im letzteren Fall; er hat die Darstellung von Einzel=
vorfällen stets einer Darstellung derjenigen Ideen untergeordnet,
welche durch ihren Konflikt einer Zeitspanne ihre Gestalt geben.
Don Carlos und Der Abfall der Niederlande sind die Resul=
tate derselben Gegensätze." Festzustellen sei zugleich, daß Schiller
unter die ersten zählte, welche die Aufgabe geschichtlicher Wissen=
schaft darin fanden, die lebende Gegenwart zu erklären, für
heutige Institutionen und sozialen Aufbau zu berichten. „Schiller

sah, Kant und Burke ausgenommen, klarer als alle seine Zeitgenossen, daß in das Europa des 18. Jahrhunderts sich hinein-
gelebt hatten alle Taten und alle Ideen, welche den Widerstreit
der Zeiten überleben durften."

„Er sagt ja selbst: Aus der Gesamtsumme der beurkundeten
Berichte wählt der Historiker diejenigen Tatsachen heraus, welche
die Welt von heute gebaut haben, welche von Einfluß gewesen
sind auf den Zustand des heute lebenden Geschlechts, als eine
wirkliche, einwandfreie, leicht auffindbare Folgerung." Freilich
auf den ersten Blick haben seine Aufsätze über Moses, Lykurg
und Solon wenig genug mit dem 18. Jahrhundert zu tun.
Aber auf Rousseaus Redegewalt müsse man zurückgehen, wenn
man Schiller in seinen Beziehungen zur Jugend von Jena
richtig einschätzen wolle.

„Wilhelm Scherers scharfes Urteil wird sich kaum aufrecht
erhalten lassen: Trotz der unvollkommenen Art seiner Gelehrsamkeit entfaltete Schiller doch eine ungewöhnliche Gabe von
durchdringender und zutreffender Auffassung; einen sicheren Einblick in die bauende Seele der Ereignisse und eine Gewalt in
der Darstellung, welche bei einem so großen Dramatiker nicht
überraschen kann."

„Schillers Gelehrsamkeit war in der Tat lückenhaft, ver-
glichen mit der von Ranke oder Lord Acton. Aber sicher groß-
artig, verglichen mit seinen finanziellen und literarischen Mitteln.
Es ist ja kläglich, diesen Riesen von einem Dulder in niedriger
Hütte unterkriechen zu sehen, diesen Kopf mit dem leuchtenden
Fernblick ohne einen Groschen für Reisen oder für Bücher,
diesen Simson, wie er sich quält im Banne der Armut; ohne
Zutritt zu großen Bibliotheken oder Staatsarchiven; und doch
— trotz Krankheit und Schmerz hat er es zu stande gebracht,
Fetzen zweifelhaftesten Materials zu verwandeln in historische
Werte unvergänglicher Art durch den Destillierkolben seiner
mächtigen Einbildungskraft."

„Unter Schillers aufgegebenen Plänen befand sich auch ein
deutscher Plutarch. Man kommt geradezu in Versuchung, auf
die Weltordnung zu schmähen, wenn man sehen muß, daß
Krankheit und Not diesen Plan zu nichte gemacht haben. Was
für eine Galerie von Bildern ist damit der Literatur verloren
gegangen! Welcher Reichtum von lichten Gedanken! Welch an-
schauliche Aufreihung von Männern und Taten! Welches Hin-

abzwingen von vermeintlichen Riesen zu den Zwergen! Welche Aufdeckung von Ideen, die der Welt Gestalt gegeben haben!"

Den Einfluß eines großen Geistes nach irgend einer Richtung auf Zeitgenossen oder auf kommende Geschlechter zu beurteilen, liege außerhalb des menschlichen Könnens. Festgestellt sei, daß unwiderstehliche Anziehungskraft allen von Schiller behandelten Stoffen innewohne. „Deutsche, Engländer und Amerikaner haben sich um die Wette bemüht, ihrer Herr zu werden. Schillers Fragmente aber behaupten ihren Platz. Sie sind unvollständig gleich Michel Angelos Gestaltungen in der Mediceerkapelle. Aber sie lassen trotzdem den Genius des Künstlers durchblicken wie die Gesetze seiner Kunst. Und heute, da die Geschichtschreibung dem Ziele nachjagt, entweder gesichtete Erhebungen in eine trockene Darstellung zu bringen oder eine wunderliche Mischung von Traditionsresten mit neuerlichen Vermutungen zu verquicken, heute mögen diese Schillerfragmente einen mit Glücksgütern mehr als Schiller gesegneten Jünger zu dem Jubelrufe veranlassen: ‚Anch' io sono pittore‘. Wenn das Geschichte ist, bin ich auch ein Geschichtschreiber." —

Damit schloß Professor Little den letzten der in englischer Sprache gehaltenen Vorträge. Ein deutscher von Professor C. Klenze der Chicago-Universität über „Venedig in Schillers Geisterseher" schloß sich an. — Shakespeare habe schon etwas von dem Zauber Venedigs wiedergegeben, auch in Heinses Ardinghello komme Venedig vor: aber doch sei Schillers „Geisterseher" der erste bedeutende Roman der Weltliteratur, dessen Handlung von Anfang bis Ende sich in Venedig abspiele. Die außerordentliche Phantasie des Dichters, der nie südliche Luft geatmet, zeige sich hier so großartig wie irgendwo. — Es handelte sich um den Religionswechsel eines deutschen Prinzen; allerlei Intrigen werden, vielleicht von Jesuiten, gesponnen, um des Prinzen Herr zu werden; im ersten Buche seines Romans entwickelt der Dichter deshalb alle seine Kunst, um Venedig in der landläufigen Vorstellung vorzuführen, als Inbegriff aller Schrecken des Despotismus, der abstoßendsten politischen und sozialen Zustände. Das ändert sich im zweiten Teil: in all seinem Zauber muß Venedig hier erscheinen, berückend und alle Bedenken besiegend.

Den Wurf, den Schiller so glücklich getan mit der Wahl

der Adriakönigin als Schauplatz eines Romans, haben die späteren Romanschreiber wohl verstanden; aber Schiller war es, der den Modernen vorangeeilt ist.

––––––––––

Wenige hundert Schritte von der Stelle, wo sich im Lincoln= park das mir ins Herz gewachsene Grantdenkmal erhebt, in dessen Höhlung ich so oft über die Worte, die man wahrschein= lich von mir zu hören erwartete, nachgesonnen, wenige hundert Schritte davon steht das Schillerdenkmal am Rand herrlich angelegter Blumenbeete, die jetzt eben im schönsten Flor standen. Dann und wann hatten dröhnende Gewitter die schwüle Hitze bisher unterbrochen, heute aber, am 9. Mai, am Hauptfesttag, sandte der Himmel einen sachte und anhaltend tröpfelnden Landregen hernieder.

Da stand das Schillerdenkmal, mit amerikanischen, deutschen und württembergischen Farben umwunden, reich geschmückt mit American beauties, jenen wunderbaren langstieligen Rosen, die jetzt eben einen begehrten, wenn auch etwas kostspieligen Gegen= stand (das Stück von den schönsten und langstieligsten bis zu einem Dollar aufsteigend) für diejenigen bildeten, welche irgend eine Huldigung in anmutigem Gewande erscheinen zu lassen wünschten. Bald nach 1 Uhr Nachmittags hatte sich eine zahl= reiche Gemeinde versammelt und sich im Freien gruppiert. Ich selbst wurde nicht wenig erfreut und geehrt durch die freund= liche Begrüßung, mit der mehrere aus Waiblingen stammende Schillerfestgäste auf mich zutraten, die dort mit mir die Latein= schule besucht hatten. Von einem anderen Landsmann ist mir zum Andenken an den heutigen Tag eine Eintrittskarte zur Tribüne bei der Enthüllung des Schillerdenkmals in Marbach am 9. Mai 1876 übergeben worden.

Ein Posaunenquartett eröffnete heute die Feier, die ver= einigten Männerchöre von Chicago sangen: Das ist der Tag des Herrn. Von den Stufen des Denkmals richtete darauf Redakteur C. F. L. Gauß, ein geborener Stuttgarter, mit weithin vernehmbarer Stimme diese Worte an die andächtig lauschende Gemeinde:

„Ein Schauer der Ehrfurcht muß uns durchbeben, wenn wir an diesem hundertsten Gedächtnistag des Hinscheidens unseres großen deutschen Lieblingsdichters, unter diesem Denkmal in der

Neuen Welt versammelt, seine besonders heute jedes Herz be=
wegenden Worte über die Kluft eines Jahrhunderts zu uns
herüberschallen hören: Wenn ich denke, daß vielleicht in hundert
Jahren, wenn mein Staub längst verweset ist, man mein An=
denken segnet, dann versöhne ich mich mit Gott und meinem
oft harten Verhängnis!" — „Du bist gegenwärtig, wo man
dich erfaßt, nicht nur im Bilde, das dir die Pietät auf freier
Erde gesetzt; — wir feiern keinen Toten!" — „Wir hier am
Michigansee, in dem Land, das das Land der Freiheit heißt,
wollen heute unsere Blicke nur auf die hellen Strahlen richten,
die von diesem Geistesmächtigen, als von einer klaren Geistes=
sonne ausgehend, unsere eigenen Grenzen von einem Ende zum
anderen durchfluten, und in diesen Strahlen werden wir die
ganze Schönheit, die ganze Reinheit, die ganze Kraft, die ganze
lebenweckende, Freude und Glück bringende Macht dieser Sonne
erkennen, empfinden und preisen."

Schiller sei vor allem nicht nur der Prophet, auch der Be=
gründer der wahren Freiheit. — Die innere Freiheit müsse der
äußeren vorangehen. Doch alle Mahnungen und Lehren müßten
bei den Menschen wirkungslos bleiben, wenn nicht der Glaube
und die Hoffnung ihnen Kraft gäbe zum Ausharren.

„Herrlich und vielverheißend erscheint diese Gedächtnisfeier
in diesem Lichte! Wie erfreulich ist sie besonders hier, wo das
ganze ‚Volk der Freien‘ mit uns dem Messias der Freiheit
huldigt!"

Zum Schluß ließ der Männerchor noch das Lied hören:
Stumm schläft der Sänger. —

An demselben 9. Mai Abends 8 Uhr fanden sich die Räume
des Auditoriumtheaters besetzt bis auf den letzten Platz; die
deutsche Festrede des württembergischen Abgesandten und
die des Vertreters des deutschen Botschafters wurden erwartet
nebst Aufführung: „Das Lied von der Glocke".

Die Einleitung des Abends geschah durch „Zur Weihe des
Hauses" von Beethoven. Dann trat unser Vorsitzender, Otto
C. Schneider, auf die Bühne, um mich mit folgenden Worten
dem Publikum vorzustellen:

„Schiller gehört der Welt! Und die Welt blickt mit regem
Anteil auf das schöne Land, wo die Wiege des großen Geistes=

helben stand. Sie verfolgt mit Spannung jede Spur, die ver=
raten könnte, welcher geheimen Triebfeder der Natur ein so
hohes Ergebnis zu verdanken ist, und sie sucht die Art der
Menschen kennen zu lernen, in deren Umgebung ein so edler
Charakter sich entwickeln konnte. Es ist das Schwabenland, dem
diese Ehre gebührt! Viele hervorragende Männer hat es schon
hervorgebracht, aber heute nimmt es mit besonderem Stolze
wahr, wie der Geist seines größten Sohnes, dessen Leib vor
hundert Jahren das Zeitliche segnete, nun unter Millionen von
Lebenden wandelt und deren Gewissen mahnt: Pfleget das
Gute, das Schöne und Wahre!

„Nur einem Schwabensohne sei deshalb der Vorzug gegönnt,
diesem Tag durch das ernste Wort die Weihe zu geben. —
Seine Majestät der König von Württemberg hatte die Güte, einen
Vertreter zu senden, der durch sein ausgezeichnetes Werk ‚Die
Amerikanische Revolution‘ nicht allein seine Freundschaft für
das Volk, sondern auch seine tiefe Einsicht in die Geschichte
dieses Landes bewies, so daß er fast als ein begeisterter Ameri=
kaner gelten kann. Sein Ruf als Schillerkenner berechtigt ihn
vor allem, dem Andenken des großen Dichters auf die würdigste
Weise zu huldigen. Ich habe die Ehre, Ihnen den Redner des
Tages vorzustellen."

Als ich nun auftrat, wußte ich wohl, daß das, was ich zu
sagen hatte, weit nicht reichte an die Bedeutung der Worte von
Calvin Thomas, der zwei Tage vor mir auf derselben Bühne
gestanden, aber die gute Aufnahme, die ich allerorten gefunden,
die ich auch heute wieder fand, stärkte mir den Mut und — mit
keinem König hätte ich getauscht.

Feierlich sei diese Stunde, die uns hier vereinige, begann
ich, feierlich schon deshalb, weil wir wissen, daß mit uns die
ganze gesittete Welt den Tag begehe, an welchem vor hundert
Jahren Friedrich Schiller sein Haupt zum Sterben gelegt.

„Diese Feierlichkeit nimmt aber noch eine besondere Art an
für den Fremdling, der fast täglich an den Stätten vorüber=
geht, wo der junge Adler zuerst in die Sonne zu blicken be=
gann, der vor kurzem noch in dem bescheidenen Geburtshaus
des Dichters stand, und sich nun plötzlich von den Wundern
einer neuen Welt umgeben sieht; wie mit einem Zauberschlag
hervorsetzt von dem altväterischen Städtchen, das auf schmaler
Scholle hoch über dem Neckar sich erhebt, mit seinen engen

Gaffen, feinen behaglichen Häuschen in traulicher Enge, mit
feinen alten Festungstürmen und bröckelnden Mauern.

„Da liegt das Städtchen Marbach im erften Frühlings=
fonnenftrahl, verträumt in fich verfunken. In folcher Stunde
fteigt die Erinnerung auf an die glänzenden Fefttage, die hier
gefeiert worden find, als der Geburtstag des großen Sohnes
im Jahre 1859 zum hundertften Male wiedergekehrt war, als
fein Standbild im Jahre 1876 enthüllt wurde, als in den
Herbfttagen 1903 das Schillermufeum fertiggeftellt war und der
König von Württemberg, Wilhelm II., vor der Tür ftand, um
als erfter die geweihten Räume zu betreten.

„Kurze Zeit vorher hatte der König dadurch, daß er fich in
echt volkstümlicher Weife mit der Bürgerschaft von Marbach
und vom ganzen Schwabenlande in Verbindung fetzte, den
Schwäbischen Schillerverein gegründet und ihm als Ziel be=
zeichnet: Ich erachte es für eine Pflicht und Aufgabe des Landes,
das den Ruhm genießt, die Heimat Schillers zu fein, das an=
gefangene Werk zu vollenden. Gerade in der jetzigen Zeit
ift es von großer Bedeutung für das deutsche Volk, die Erb=
schaft des nationalen Dichters zu pflegen und damit die Er=
kenntnis von dem höheren Wert des idealen Befitzes unferer
Nation zu kräftigen und zu beleben.

„Vor wenigen Tagen ftand ich noch vor meinem Landes=
herrn auf schwäbischem Boden, und heute, da der Schillertag
ein Weltfeft geworden ift, kann ich mich des Auftrags entledigen,
den der König mir erteilt, um ihn über das Meer zu tragen
und vor dem Volk von Amerika niederzulegen: Mit aufrich=
tigen Freundschaftsgefühlen die herzlichften Grüße am heutigen
gemeinschaftlichen Fefttage und die beften Wünsche für die Zu=
kunft! Und neben dem Königsgruße trage ich noch herüber
aus der alten Heimat ein brüderliches Grüßen und Hände=
drücken von den schwäbischen Männern und Frauen, ein Grüßen
vom Schwäbischen Schillerverein und von der Stadt Marbach.

„Alle fühlen es ja diesseits und jenseits des Waffers: mit
dem heutigen Tage wird ein neues Band geiftigen Zufammen=
hangs um die Völker geschlungen, ein Band, welches das Ver=
ftändnis erleichtert insbefondere zwischen Blutsverwandten, die
zur Freundschaft miteinander beftimmt find, wie Deutsche und
Amerikaner. — Materielle Intereffen reißen die Völker aus=
einander, geiftige verbinden fie.

„Noch ein anderes scheint in den Tagen von heute erreicht
zu sein; mit ihrer Entfesselung der Geister, mit der Verwirk=
lichung dessen, was die kühnste Phantasie sich erträumt, mit der
Zuteilung des Gutes der Freiheit an ihre Lieblinge, mit all
dem scheint die Gegenwart dem Erfassen der Ideale Schillers
bei weitem näher zu stehen, als die sämtlichen früheren Gene=
rationen es waren.

„Frei blicken die Menschenkinder von heute zur Höhe empor
und schlagen nicht mehr nur staunend die Augen nieder; kein
Licht ist ihnen zu hell, und sie fühlen sich dem Dichter ver=
wandter als jemals in einem Zeitalter vorher.

„Ja, ein neues Bedürfnis nach Schiller scheint sich geltend
zu machen bei dem Geschlecht von heute, das ahnt, wie Zu=
kunftsaufgaben großen Stils das Einsetzen aller Kräfte, das
Vorantreten geistiger Führer verlangen.

„Heute werde die Frühlingstotenfeier mehr; — sie werde
zum Rückblick auf ein Jahrhundert des von einem reichen Geist
und von reicher Erbschaft ausgehenden Gestaltens im Lebens=
gang des deutschen Volkes, des Volkes von Amerika, der ge=
samten Menschheit, und wir stellen uns die Frage:

„Was ist Schiller gewesen, was wird Schiller sein für die
Seelen der Völker auf beiden Seiten des Erdballs?"

Voll heißen Sehnens habe das deutsche Volk nach der Hand
des ihm nahestehenden Dichters gegriffen; in langer Zeit des
Wartens sei es sich seines Zaubers und seines Ernstes bewußt
geworden.

„Lange dauerte sie, die Zeit des Wartens im deutschen
Volke; manche Erkenntnis brachte sie zwar, aber zugleich lag
in der allgemeinen politischen Öde und Langeweile die Gefahr,
daß es gekünstelter Schulmeisterei gelingen könnte, die großen
Geister mehr und mehr zu entfremden und den Umgang mit
ihnen in kalten Götzendienst zu verkehren."

Da sei das Schillerfest 1859 gekommen mit seinem ge=
waltigen Rufen und Mahnen.

„Gerade weil Schiller alles von den goldenen Tagen der
Zukunft, von der künftigen Einheit und Freiheit erwartete, hat
sich die Feier seines hundertjährigen Geburtstages zu einem
Fest gestaltet, wie noch keines gefeiert worden ist auf beiden
Seiten des Meeres.

— — „Die Völker gerade, wie Deutsche und Amerikaner,

deren Los es war, in harter Arbeit, mit Dransetzen von Schweiß und Blut, sich emporzuringen, solche Völker fühlten sich als Ein Fleisch, als Eine Seele mit dem großen Kämpfer. Nicht um einen Eroberer, um einen Heerkönig im gewöhnlichen Sinn sammelten sie sich in festlicher Stunde; nein, um einen An= führer, dessen irdisches Leben, dessen äußere Schicksale eine innige Verwandtschaft begründeten zwischen ihm und den rastlos aufwärts Strebenden.

„Wahrlich, nicht mit leichter, spielender Hand, als welt= fremder Träumer, durfte Friedrich Schiller in die Rosenbüsche des Lebens hineingreifen, um uns seinen Strauß zu reichen; — die Hand, die er mit seinen Gaben uns entgegenstreckt, diese Hand ist zerstoßen und zerschunden von den rauhen Kanten und Ecken der Welt."

Aber dennoch habe er diese Welt geliebt und niemals den Glauben an die Menschheit verloren. — In aufsteigender wie in absteigender Linie aber pflege sich das Andenken an Unsterb= liche zu bewegen. — Zu Zeiten schien es, als wolle ein Ab= klatsch der Alltäglichkeit den Dichter verdrängen, dessen Aufgabe wesentlich darin bestand, aus engem, dumpfem Leben in lichtere Regionen emporzuführen und die Blicke hinauszuheben über Erdenschwere. Die Ziele, die sich der Mann gesteckt, der ein Sänger der Einheit und Freiheit, der sittlichen Größe gewesen, seien ja scheinbar alle gelöst; ja, dem Parteigezänke und dem geistigen Größenwahn von heute erscheine der Mahner von einst= mals mit seiner selbstverleugnenden Ethik höchst unbequem.

Mit der wachsenden Gefahr hätten sich aber auch Retter gezeigt: Nicht nach dem Maßstab der Gegenwart dürfe der als Seher auftretende Sänger beurteilt werden; niemals habe er mit sattem Behagen nur dem Tag von heute angehört; stets sei er der Sänger der Zukunft gewesen. Auch jetzt gehöre er wieder der Zukunft an. Damit erscheine er als der modernste der modernen Dichter. Möge das Volk der Zukunft heißen wie es wolle, ihm gelten Schillers Lied, seine Lehre und trei= bende Kraft. —

Einer der römischen Philosophen, welche mit ihren Ansichten schon dem Christentum nahestehen, Seneca, habe gesagt: Ich kann mich nicht wundern, wenn die Götter bisweilen die Lust anwandelt, große Männer im Kampfe mit dem Mißgeschick zu sehen. — „Solche Gestalten, die sich durchzuringen haben, stellt

Schiller auf die Bühne, modelt sie nach seinem eigenen Bild und stattet sie mit der ihm eigenen Kraft des Willens aus. Dadurch gerade, daß er die Freiheit des wollenden Menschen in geheimnisvolle Wechselwirkung bringt zum unvermeidlichen Schicksal, dadurch, daß er dies Ringen mit stürmischen Schritten zur Katastrophe führt, dadurch ist er der größte deutsche Dramatiker geworden. Mit echter Herrennatur bewältigt er den Stoff und so spricht er selbst: die Katastrophe ist das Festmahl für den Tragiker.

„Ihm war es nicht gegeben, mit Stimmungsbildern die Zuhörer bis zur Erschöpfung hinzuhalten; nein, seine Ideen verdichten sich zu mächtigen Persönlichkeiten und drängen sich in mächtigen Sprüngen einem gewaltigen Ziele zu, mit vorbildlichen Worten und Taten."

So sei Schiller zum Erzieher geworden, zum Politiker im höchsten Sinn; denn Politik im vollsten Umfang begreife in sich alle Seiten des Kulturlebens einer Nation. — Es sei ganz eigentümlich, mit wie sicherem Ahnen seit mehr als hundert Jahren die Volksseele den Zukunftsgehalt aus den erzieherischen Lehrsätzen Schillers herausgelesen habe, ob diese nun in Dramen und Gedichten oder in den prosaischen Schriften zu finden seien. — „Die Bühne hat der Dichter zur Nationalversammlung gemacht in einer Zeit, da es noch ein weiter Weg war zur Nationalversammlung selbst. — Die Bühne ersetzte den Reichstag. Und auf diesem Reichstag, auf dieser Kanzel handhabte er das Wort wie noch kein aus deutschem Blut Entstammter. Eine Ideenwelt in Worte fassen und andere in deren Sinn und Bedeutung hineinzwingen, darin lag seine Tat und sein Geheimnis des Zaubers.

> „Mein unermeßlich Reich ist der Gedanke,
> Und mein geflügelt Werkzeug ist das Wort."

„Damit hat sich Schiller zur höchsten Stufe aufgeschwungen, zu einem der guten Geister für jedes Volk."

Gleich den Kolonisten der Alten Welt haben auch die aus England stammenden Siedler ihre Hausgötter und Schutzgeister mit nach Amerika genommen: Gesetzmäßigkeit, Ausdauer, Arbeitslust. — Damit die deutschen Weltwanderer nicht mit leerer Hand sich gesellen zu den Gefährten aus angelsächsischem Blut, haben sie den Hauch mitgebracht, der aus Schillers Idealismus und mannhafter Kämpferfreudigkeit herauswehe. — „So hat

das amerikanische Volk neben den guten Geistern, die es als
Schutzengel und Schildwachen um seine höchsten Güter gestellt,
neben Georg Washington und Benjamin Franklin, neben Lincoln und Grant, Irving und Longfellow, neben allen diesen
auch unserem Friedrich Schiller einen Platz angewiesen.“

„Leicht erklärlich ist es, daß der Weltheld, der den Schlüssel
in Händen hat, mit dem man das Zeughaus der Zukunft öffnet,
immer mehr ein Hausfreund wird bei dem Volke der Zukunft,
bei dem Volke, in dessen Mitte jede Art von Arbeit adelt,
wenn sie nur mit Ernst und mit Anspannung aller Kräfte getan wird.“ — „Ja, für unsere Zukunft haben wir ein neues
Kapital notwendig, ein neues Kapital von Zucht und Gewissen, damit Kulturheuchelei den Volkskörper nicht vergifte,
damit wir ein scharfes Auge behalten für die ewigen Gesetze
einer Weltordnung, die wir nirgends so lauter und deutlich
ausgesprochen finden, als bei dem großen Erzieher, dem
Wecker und Mahner, der unter die guten Geister großer Völker
versetzt ist.“ —

„Worin gipfelt aber alles das, was Friedrich Schiller den
Völkern wie den Einzelmenschen in die Seele senken und als
Wegzehrung für die Zukunftswanderung mitgeben will? — In
der Forderung, nach welcher der mit freiem sittlichen Willen
auf sich selbst gestellte Mensch sich als verantwortlichen Teil des
Ganzen, der Gesamtheit betrachten muß mit der Aufgabe, zu
arbeiten und zu kämpfen.“

Ziel des Kampfes sei die Freiheit; in der politischen, in der
seelischen und geistigen Freiheit gipfeln die Gedankenreihen, in
deren Mittelpunkt Schiller mit besonderer Vorliebe verweilt. —
Mit dem Anschmiegen der einzelnen Menschenseele an die Persönlichkeit Schillers wird der Große selbst zur vertrauten Freundes-
erscheinung. — „Aus der köstlichen Gesundheit, die von der
Gedankenwelt des Freundes ausgestrahlt wird, vermögen wir
immer wieder neue Freiheitsgefühle, neue Verjüngung, neue
sittliche Kraft herauszusaugen, damit wir als Zukunftsvolk den
Zukunftsaufgaben gewachsen bleiben.“ — „Denn der gesamten
Menschheit weiht Friedrich Schiller die Fülle edelster Gedanken-
arbeit und zwar nicht eigentlich den Zeitgenossen, sondern der
Zukunft, dem Gestalten und Reifen ferner Generationen.“ —
„So wird jede Scholle dieses Erdenrundes befruchtet von dem
Kraftstrom Schillerscher Ideale; jede Menschenbrust, jeder Erden-

raum wird dem Dichter zur Heimat und allerorten können die
Menschenkinder ihm entgegenjubeln:

> „Dem heitern Himmel em'ger Kunst entstiegen,
> Dein Heimatland begrüßest du,
> Und aller Augen, aller Herzen fliegen,
> O Herrlicher, dir zu!" — —

Nunmehr betrat Präsident Otto C. Schneider wiederum die
Bühne und führte den Vertreter des weiteren deutschen Vater=
landes, Vertreter zugleich des deutschen Botschafters ein, den
Legationsrat Dr. Scheller=Steinwartz, der sich so ver=
nehmen ließ:

Ein Flammengrüßen von Berg zu Berg verkünde heute mit
sinkender Nacht auf deutschem Boden die überall lobernde Be=
geisterung. Das Volk der Träumer von ehemals sei ein waches
Geschlecht geworden, stark in unermüdlicher Tatkraft. — „Der
Idealismus aber war es, der diesem Volke die Kraft gab, sich
herrlicher wieder zu erheben und in die erste Reihe der Nationen
einzutreten." — „Ich weiß, daß das Deutsche Reich im Aus=
land immer als die gewaltige Kriegsmacht und als der neue
Industriestaat bekannt ist. Sie aber wissen, und erst die Welt=
ausstellung in St. Louis hat es glänzend gezeigt, daß es auch
immer noch und mehr als je eine gewaltige Kulturmacht dar=
stellt."

„Erfüllt von dem Geist der Ordnung und Gesetzlichkeit,
arbeitet es rastlos an allen Werken des Friedens und des Fort=
schritts; es war kein Zufall, daß das ehemalige Volk der Träu=
mer in St. Louis im Bilde das schnellste Schiff, das schnellste
Automobil, die schnellste Lokomotive ausstellen konnte." Jeder
Deutsche, der hinausziehe, solle den Glauben an die Schaffens=
kraft dieses Idealismus mit sich nehmen. — „Wo aber findet
sich ein besserer Boden für Befruchtung mit diesem Idealismus,
als unter diesem großen, so unendlich begabten Volke hier, das,
voll von frischen Werbekräften, begierig nach Veredelung auf
jedem Gebiete strebt?"

„Sie wissen, welches tiefe Verständnis der ausgezeichnete
Mann, der an der Spitze Ihres Landes steht, deutschem Wesen
entgegenbringt, welchen Wert er dem Einfluß deutschen Wesens
auf den amerikanischen Nationalcharakter beilegt. Und ist nicht

auch die deutsche Gemütlichkeit, die er so oft preist, ein Ausfluß dieses Idealismus? Das Gold des Idealismus, in Scheide-
münze umgeprägt für den täglichen Gebrauch!"

Was könne es geben, einem edleren Idealismus entsprossen,
als der von unserem Kaiser ins Werk gesetzte Gedanke der
wissenschaftlichen Zusammenarbeit der beiden Nationen, des Aus-
tausches der besten Geister? Aufs glücklichste komme dadurch
die natürliche Wahlverwandtschaft, die gegenseitige Ergänzung
zum Ausdruck. — Keinen besseren Schutzpatron als Friedrich
Schiller könne es geben für die innigen Wechselbeziehungen
zwischen beiden Nationen; — „und heute mehr wie je können
wir Deutsche von Schiller sagen, was Freiligrath vor 46 Jahren
sprach:

,Er wandelt hoch in deinen freien Toren,
Dein Bürger auch, Amerika!'"

Dieser Rede schloß sich der Vortrag eines Gedichtes an.
Dann trat Präsident Otto C. Schneider wieder vor die Rampe
und verlas folgendes Telegramm:

„König Wilhelm, Stuttgart. Viertausend Schillerverehrer
im Chicago-Auditorium senden Dank für die Vertretung und
erwidern mit Gruß an Eure Majestät und das Schwabenvolk.
Schneider, Präsident."

Durch lauten Beifall gab das Publikum seine Zustimmung
zu erkennen.

Ein außerordentlich glücklicher Gedanke war es, mit Schillers „Lied von der Glocke" dem Feste die letzte Umrahmung
zu geben; und zwar mit Benutzung der von Goethe verfaßten
Einrichtung mit neun lebenden Bildern und der melodramati-
schen Musik von Lindpaintner. — Als der Vorhang der mächtigen Bühne herunterging, da lag die schweigende Andacht, mit
der das Publikum gelauscht, noch wie ein Zauberbann auf ihm,
der sich erst im letzten Beifallssturm löste.

So endete die viertägige Schillerfeier, die unvergessen bleiben
wird, und nicht bloß in Chicago.

Kaum waren die letzten Töne des Schillerfestes verklungen,
da schlugen am Morgen des 10. Mai schon wieder andere ans
Ohr: Pferdegetrappel einer Kavalleriescorte und Fanfaren —

Präsident Roosevelt war, auf der Rückkehr von seinem Aus=
flug nach dem Westen, in Chicago angekommen.

Zu Ehren des hohen Gastes war auf den Abend in den
Räumen des Iroquois Club ein Bankett anberaumt, zu dem
ich durch Vermittlung meiner Freunde eine Einladung erhielt,
wobei ich zugleich dem Präsidenten, den ich in der Landes=
hauptstadt verfehlt hatte (S. 14), vorgestellt werden sollte.
So stand ich also heute vor dem Mann, den das amerikanische
Volk sich zum Staatsoberhaupt erkoren, der sein Herz in be=
sonderem Maße erobert hat und es ausfüllt. Theodore Roose=
velt zeigt sich in der Tat aus demselben Holz geschnitzt wie
seine großen Vorgänger Georg Washington und Abraham Lin=
coln; ein Mann voll Mut, von unverrückbarer Aufrichtigkeit,
voll Ernst in den Geschäften, der, wo es gilt, das hohe Maß
seiner Amtsgewalt in rücksichtslosester Weise einsetzt und vor
nichts zurückschreckt. Die Grundzüge seines ganzen Wesens gehen
hervor aus jener Welt geistiger Aristokratie, der er durch seine
Familie angehört, wie aus seinem Lebensgang.

„Knickerbocker" ist durch die Erzählungen Wash. Irvings
aus der Geschichte des alten New York der Name geworden für
die Abkömmlinge der ersten holländischen Siedler auf diesem
Platz, die allmählich sich in den ersten Rang der amerikanischen
Gesellschaft emporgeschwungen haben. Aus solchem Kreise stammt
Roosevelt. Als echter Amerikaner machte er sich bei Beginn
seiner Lehr= und Wanderjahre auf den Weg nach der Harvard=
universität, holte ein Stück seines Wissens auch in Deutschland.
Und nun fing er an, wieder als echter Amerikaner, über zwei
Feuern zu kochen; seine nächste Bestimmung, hervorgehend aus
seinen literarischen und historischen Studien, schien die Schrift=
stellerlaufbahn zu sein. Er versagte sich ihr nicht. Noch nicht
30 Jahre war er alt, als er an sein Hauptwerk ging: die Er=
oberung des Westens. Mit dem Gelehrten aber ging der Jäger
und Sportsman auf demselben Wege. Und diese ganze, an
sich schon vielseitige Persönlichkeit suchte sich bald noch einen
zweiten Beruf, die Politik. Zunächst lernte er den Verwaltungs=
dienst kennen, wurde im Jahre 1895, mit 37 Lebensjahren,
Polizeidirektor der Stadt New York, bald darauf Unterstaats=
sekretär der Flotte.

Da kam der spanische Krieg und der tatkräftige Mann zeigte
sich sofort von einer neuen Seite. Als Jäger hatte er die toll=

kühnen Reiter im Westen kennen gelernt; aus ihnen stellte er eine Truppe zusammen, bei der sich zugleich nicht wenige Söhne der ersten und gebildetsten Familien einschreiben ließen. Man denkt unwillkürlich bei der Zusammensetzung dieses Regiments, „rough Riders" genannt, an das Lützowsche Freikorps. Bei der stehenden Unionsarmee hatte Roosevelt einen Freund, den Obersten Wood; diesen vermochte er, das Kommando zu übernehmen; er selbst diente unter ihm als Oberstleutnant. Rasch ist Roosevelt populär und allgemein geachtet geworden. Nach dem Krieg erhob ihn der Staat New York zu seinem Gouverneur. Die Wahlen zu Anfang 1901 stellten ihn als Vizepräsidenten der Union an die Seite Mac Kinleys und nach dessen Tod im September 1901 trat er nach Maßgabe der Verfassung sein Amt als Präsident an, eine Würde, welche bei der nächsten Wahlperiode wiederum auf ihn übertragen wurde.

Und zwar geschah dies mit erdrückender Mehrheit; da sah das amerikanische Volk einen Mann vor sich voll sittlichen Ernstes, der vorurteilslos an alle Geschäfte und Persönlichkeiten herantrat, dessen Sprache rücksichtslos ehrlich, verblüffend klar klang.

Zweifellos nimmt er, wie Georg Washington und Abraham Lincoln, einen hohen Rang als Erzieher seines Volkes ein, als ein Mann, der aus der Welt seiner eigenen sittlichen Anschauungen heraus eine Wegzehrung nicht gewöhnlicher Art diesem Volke mitzugeben weiß für die Bahn, die es noch zu durchlaufen hat, um sich als fertige Nation zusammenzuschließen.

Da sind wir oben in den Hallen des Jroquois Club. Ich machte mir so meine Gedanken wegen der Sprache. Wie, wenn du nicht richtig Antwort zu geben wüßtest? Wenn du den hohen Herrn nicht richtig verstündest? Es wohnt ja der englischen Sprache vor allen anderen in der Welt die Eigenschaft inne, daß sie für den täglichen Gebrauch leicht sich erlernen läßt. Aber welcher Unterschied zwischen der Alltagsrede und der Sprache, die sich im Munde der Gebildeten und geistig hoch Stehenden zu bewundernswürdiger Kraft und Anmut erhebt! Fast in denselben Worten, wie sie die Alltagssprache kennt, dehnen sich weite Begriffe, jede Spitze trefflicher deckend und den zartesten Gedankennüancierungen sich anschmiegend! Zu solcher Vervollkommnung habe ich es auch nur annähernd im Sprechen wie im Verstehen des Gesprochenen nie gebracht. —

Aber da stehe ich ja vor dem Manne mit dem deutschen Ge=
sichte und den scharf blickenden Augen und — er spricht Deutsch
mit mir. Nur kurz ist die Zeit bemessen, andere drängen nach.

Eine Masse von äußerst zierlich und im schönsten Blumen=
schmuck prangenden Tafeln; Hunderte von Gästen. Man sagt
mir, es sei im Grunde ein demokratischer Klub, der als Gegner
sich bei Roosevelts Wahl besonders tätig gezeigt, jetzt aber
gerade deshalb sich die Ehre, den einst Befehdeten als Gast in
seiner Mitte zu sehen, ausgebeten habe, um die allgemeine
Stimme des Landes zum Ausdruck zu bringen. Der erste Fall
dieser Art seit Monroe im Jahr 1823. Es läßt sich ja denken,
daß es bei einer Präsidentenwahl im Grunde keine Sieger und
keine Besiegten in des Wortes schärfster Bedeutung gibt; auch
die Besiegten können sich vorläufig zur Gefolgschaft des Siegers
rechnen in der Voraussetzung, daß doch in absehbarer Zeit ihr
eigener Kandidat oder ein ihm nahestehender seinen Einzug ins
Weiße Haus halten werde.

Endlich Stille; ein Gebet eröffnet das Essen. Musik und
Tischreden. — Den Willkommgruß entbot der Vorsitzende des
Klubs, Charles F. Gunther. Als Toastmaster fungierte James
Hamilton Lewis; für den Klub selbst sprach J. M. Dickinson;
für die Stadt Chicago ihr Bürgermeister F. Dunne; für den
Staat dessen Gouverneur Charles F. Deneen; und endlich er=
hielt, dem aufgestellten Programm gemäß, das Wort „Our
Guest“, Präsident Roosevelt.

Es ist dem Manne an sich schon ein großer persönlicher
Magnetismus eigen; am meisten wenn er spricht. Er tut das
in einer Weise, die ich „druckreif“ heißen möchte; langsam,
gewichtig; man hört heraus: da gibt es nichts zu korrigieren,
zu verbessern, zu streichen. — An die Worte seiner Vorredner
hatte Roosevelt leicht anknüpfen. Da hieß es: Wenn er nach
Ablauf dieser Wahlperiode wieder auftreten würde als Präsident=
schaftskandidat, glänzend müßte er nochmals gewählt werden.
Nein, meinte Roosevelt, auf solche Probe sollen sie nicht ge=
stellt sein; er werde nicht wieder kandidieren.

Die herkömmliche und auf George Washington als ersten
Präsidenten zurückgehende Tradition setzt ja fest, daß der er=
wählte Präsident eine nochmalige, eine zweite Wahl annimmt,
eine dritte aber ablehnt. Nun ist Roosevelt als Präsident in
Wirklichkeit nur ein einziges Mal erwählt worden; denn sein

erster Amtstermin leitete sich aus seiner Eigenschaft als Vize=
präsident ab. Allein es scheint, daß Roosevelt eine Wiederwahl
doch auch in seinem Fall als dritte Wahl betrachtet und darum
ablehnt.

Im weiteren Verlauf seiner Rede kam der Präsident auf
den eben in Chicago im besten Zug sich dehnenden Streik der
Fuhrleute zu sprechen und forderte den Bürgermeister, wie auch
den Gouverneur des Staates auf, vor allem die Wahrung des
Gesetzes ins Auge zu fassen und vor keinerlei Maßnahmen
zurückzuschrecken da, wo es das Gesetz gelte; hinter ihnen, fügte
er, beiden Beamten das Rückgrat stärkend, hinzu, stehe er ja
mit all seiner Macht. Auf auswärtige Politik übergehend, kam
der Präsident auf Panama zu sprechen, und dabei ist mir —
Wolfgang Goethe eingefallen, der Prophet, der vor mehr als
70 Jahren im Gespräch mit Alexander v. Humboldt gemeint
hat, ein anderer Besitzer dieser wichtigen Erdscholle lasse sich
nicht wohl denken als die Vereinigten Staaten. Damals, als
Goethe sprach, stellten diese ein vergleichsweise noch schwaches
Staatengebilde dar, dessen Grenzen den Stillen Ozean noch
lange nicht berührten; heute erging sich das Oberhaupt einer
großartigen Weltmacht in dem Gedanken, daß er auch für den
Fall, wenn der Kongreß wegen Panama ihn im Stich lasse,
doch unentwegt die Mittel ergreifen werde, die ihm die richtigen
scheinen, um die Zukunft des Vaterlandes zu sichern.

So kann der Mann reden, der, als der zur Persönlichkeit
gewordene Volkswille, durch sein Veto jedes vom Kongreß an=
genommene Gesetz zurückschicken kann und so mehr Macht in
seinen Händen vereinigt als jeder Monarch in einem modernen
Staat.

Der geistige Gehalt der Tischreden ließ das Bankett unter
vielfachen Ausbrüchen des Jubels in höchst anregender Weise
verlaufen. Dazu war das Essen von ausgesuchter Feinheit.
Als Getränk boten zahllose Flaschen mit Apollinaris ihren
Inhalt dar; doch wurden auch weiße und rote französische
Weine und Champagner von herumgehenden schwarzen Kellnern
serviert.

Die nächsten Tage führten in eine ganze Reihe von gesel=
ligen Feierlichkeiten, die mehr oder weniger mit meiner Sen=
dung in Zusammenhang standen; der Schwabenverein von
Chicago, Mitveranstalter des Schillerfestes, hatte mich auf den

11. Mai eingeladen in die Nordseitturnhalle. Den mit deut=
schen, amerikanischen und württembergischen Fahnen reich de=
korierten Saal schmückten das Bild des Königs von Württem=
berg und die Büsten von Schiller und Goethe. Der Präsident
des Vereins, Eugen Nieberegger, hielt eine kurze Begrüßungs=
rede zur Eröffnung des ungemein gemütlichen Abends. Als
seltener Gast war auch der Chefredakteur der Illinois Staats=
zeitung (S. 21), Wilhelm Rapp, erschienen, der heute, nach=
dem Karl Schurz am 14. Mai 1906 heimgegangen, einer
der wenigen noch lebenden Achtundvierziger ist (S. 36). Er
geht nur noch selten aus, wo er aber erscheint, bildet er einen
geistigen Sammelpunkt höchst origineller Art. Er ist im Jahr
1828 geboren als Sohn des Pfarrers in Perouse, Oberamts
Leonberg, und war bestimmt, die Laufbahn des Vaters zu er=
greifen. Befand sich auch schon im Stift in Tübingen, als
ihn mit einer Reihe von Studiengenossen jugendliche Tatenlust
andere Wege wies. Lautere Begeisterung, redlicher Wille
führten manch braven Burschen in das Lager, über dem sich
das schwarzrotgoldne Banner im Winde blähte, mit seinem
Zauber die Mängel des politischen Aushängeschildes verdeckend.
So kam Wilhelm Rapp im Jahr 1849 nach Baden, mußte in
die Schweiz flüchten und hat sich bald darauf in Amerika eine
neue Welt des Wirkens geschaffen. Wiederholt hat Rapp seither
die alte Heimat besucht und seine Seele erquickt an ihrem
Blühen und Gedeihen. Heute auf dem Bankett des Schwaben=
vereins am 11. Mai 1905 hat Wilhelm Rapp in gütigster und
höchst launiger Weise in seiner Tischrede meiner Frau gedacht
als der Gefährtin auf dieser Schillerreise.

In buntem Wechsel war der verehrte Landsmann vom Ge=
schick hin und her geworfen worden. Also, nach dem Scheitern
des badischen Aufstandes 1849 flüchtete er in die Schweiz, be=
kleidete kurze Zeit eine Lehrstelle in Ilanz. Auf württembergi=
schem Boden aber wurde er 1850 verhaftet und auf Hohen=
asperg unter der Anklage des Hochverrats bis Herbst 1851 mit
vielen anderen gefangen gehalten. Die Geschworenen in dem
großen Hochverratsprozeß sprachen ihn frei, obwohl er sich zu
seinen alten, auf die Einigung Deutschlands hinzielenden Grund=
sätzen bekannte. Längst gehegte Sympathie für die Vereinigten
Staaten führte ihn 1852 auf deren Boden. Zunächst hatte er
allerlei schwere Handarbeit in Philadelphia zu verrichten. Da

wurde die Turntagsatzung auf ihn aufmerksam und brachte die
Wendung mit der Berufung als Redakteur der Turnzeitung in
Cleveland. Zugleich betrat jetzt Rapp eine neue Laufbahn, die
als Redner im Sinne der jungen, die Sklaverei bekämpfenden
republikanischen Partei. So übernahm er 1857 die Redaktion
des „Wecker" in Baltimore, wurde 1861 durch den Aufstand
vertrieben und folgte dem Ruf nach Chicago an die Illinois=
Staatszeitung, wo er in Rede und Schrift seine ganze Kraft
einsetzte zu Gunsten der Union; denn, so bekennt er, eine
patriotische und wachsame Presse ist für eine große Sache ebenso
unentbehrlich wie ein tapferes Heer. Mächtig regte sich 1870
der deutsche Patriot wieder in ihm; durch ihn richtete eine
Massenversammlung eine begeisterte Adresse an den Norddeut=
schen Reichstag, Heil und Sieg wünschend.

„Das alte Vaterland" nannte sich das Thema, über das
in geistvoller Weise John Weiß sprach; andere Reden folgten,
insbesondere teilte der Präsident des Schillerkomitees, Otto
C. Schneider, auch die Kabelantwort mit, die aus Stuttgart
auf das an den König gesandte Telegramm eingelaufen. —
Es war rührend zu sehen, wie viele Landsleute sich zur Be=
grüßung eingefunden, zum Teil auch weiten Weg nicht gescheut
hatten. Pfarrer G. Deckinger aus Deerfield, Illinois, schreibt
sein Bedauern, daß Amtsgeschäfte ihn am Erscheinen hindern,
so sehr es ihn auch, den aus Aalen gebürtigen alten Blaubeurer
und Stiftler, zur allgemeinen Vereinigung hinziehe.

Deutsche Kriegervereine haben über das ganze Reich der
Vereinigten Staaten ein dichtes Netz von Verbänden gezogen,
in denen sie alte Erinnerungen pflegen, der Heimat gedenken
und zugleich Hand und Herz bereit halten zum Dienst für das
neue Vaterland ihrer Wahl. Am 12. Mai kam der „Zentral=
verband der deutschen Militärvereine von Chicago und Um=
gegend" zu festlichem Kommers unter dem Vorsitz von Martin
Gaß im Klubhaus 3800 Vincennes Avenue zusammen und be=
schied mir, der hier zu Gast geladen war, die Auszeichnung,
mich unter seine Ehrenmitglieder aufzunehmen. Schon einige
Tage vorher bin ich in derselben festlichen Weise und in der
gleichen Eigenschaft in die Listen des „Deutschen Kriegervereins
von Chicago" eingetragen worden. Es ist dies derselbe Verein,
der unter seinem Führer Joseph Schlenker, der auch jetzt den
Vorsitz führte, im August 1895, in der Stärke von 60 Veteranen

aus dem französischen Krieg dem Fürsten Bismarck in Friedrichs=
ruh seine Aufwartung machte, um ihm das Diplom als Ehren=
mitglied zu überreichen. Damals hat Fürst Bismarck so zu
seinen Gästen gesprochen: „Ich würde gerne die Vereinigten
Staaten gesehen haben; das ist von allen fremden Ländern für
uns noch das am meisten sympathische." Und beim Frühstück
erhob der greise Held das Glas: „Ich bringe Ihnen ein Hoch
auf Ihr neues Vaterland, die Vereinigten Staaten, und bitte,
es zu kreuzen mit einem Hoch auf Ihr altes Vaterland. Die
beiden haben in nichts zu zanken miteinander. Ich bitte Sie
also, stimmen Sie mit mir ein in ein Hoch auf das Wohl der
Stadt Chicago, der die meisten von Ihnen angehören, und auf
das Wohl der Deutschen in den Vereinigten Staaten über=
haupt!" Der Glanz dieses Bismarcktages lebt heute noch un=
vergessen fort.

Einige Tage waren ausgefüllt durch Gesellschaften, wie bei
der Familie Dewes, die mit ihrer Feier den Germaniaklub
vertrat, bei Frau Seipp, welche deutsche historische Bestrebungen
fördert, und anderen Mitgliedern geistig angeregter Kreise. Es
war ein recht bewegtes Leben, das täglich fast allzuviel bot,
um es in dem Erinnerungsfach des Gehirns zu magazinieren.
Früher hatte ich wohl die Erfahrung gemacht, daß die Möglich=
keit, sich öffentlich zu zeigen, von den gesunden Beinen eines
Pferdes abhängig ist, aber — wenn diese Möglichkeit ausgeht
von dem Einschiebknopf, der hier unglückseligerweise der einzige
ist und sich nicht finden lassen will ...!

Ein höchst denkwürdiger Tag enthüllte mir, wenn auch
flüchtig, die Einrichtungen der im Süden der Stadt gelegenen
Universität von Chicago, unter Führung der Professoren
v. Klenze, H. Oncken und Jameson, welch letzterer seither ab=
gegangen ist als Vorstand des Department of historical
research am Carnegie=Institut in Washington, während der
erstere eine Stelle an der Universität von Rhode Island an=
genommen hat. Lehrgebäude, Sammlungen, zum Wohnen für
Studierende eingerichtete Häuser, Bibliothek, Buchhandlung,
das riesige Gymnasium (Turnhalle), Liebhabertheater, Speise=
säle wurden in Augenschein genommen. Schließlich ging es
zum Lunch und Nachmittags zum Kaffeekränzchen der Studen=
tinnen, deren deutsche Studien unter Leitung von Fräulein
Becker stehen.

Eine Einladung von einem der Hauptredakteure der Mil=
waukee Germania, von Gustav Haas, dem Sohn meines alten
Waffengefährten, führte mich für einen Tag auf eine höchst
interessante Weise, teils am Michigan entlang, teils durch
jüngst angebautes Land nach Milwaukee, der bedeutend=
sten Stadt von Wisconsin, von jeher zweite Heimat für das
Deutschtum. Von hier Besuch des benachbart gelegenen Sol=
datenheims, wo 2000 alte Soldaten aus dem Bürgerkrieg
„im Sonnenschein des Vaterlandes" leben. — Chicago liegt
flach am Strand des Sees; hoch bäumen sich aber hier bei
Milwaukee die Ufer auf, bilden einen herrlichen Hafen und
schaffen in Verbindung mit tiefschattigen Waldstrecken über=
raschende Landschaftsbilder. Auf ragender Höhe, dem Wald
benachbart, hat sich unser Wirt sein Heim gebaut, in das
er als Herrin eine Amerikanerin alten Stammes einführte;
und diese Häuslichkeit, diese ungezierte Gastlichkeit gewürzt durch
eine besonders bezaubernde, von der Hausfrau ausgehende und
beherrschte geistige Anregung.

Einer von dem Präsidenten der Wisconsin=Staatsuniversität
in Madison, Van Hise, mir gewordenen Einladung konnte ich
leider, wegen Zeitmangels, nicht nachkommen. Archiv und
Bibliothek in Madison sind reich an Urkunden über die Ent=
deckungsgeschichte dieses Landstriches durch die aus Canada
stammenden französischen Missionare.

Und nun die letzten Stunden in Chicago. — „Die deutsch=
amerikanische historische Gesellschaft von Illinois" erwies mir
noch die Ehre, mich zu Gast in ihr Versammlungslokal zu ent=
bieten, um mir das mit künstlerischer Meisterschaft ausgeführte
Diplom als Ehrenmitglied zu überreichen. Der Präsident Wil=
helm Vocke, Sekretär Emil Mannhardt und der auch als Dichter
bekannte Max Eberhardt hielten die Ansprachen, meiner Be=
mühungen um „die amerikanische Revolution" gedenkend. Auf
den ersten Blick scheint die Arbeit der zahlreichen Geschichts=
vereine in Amerika eine leichte zu sein; noch kann man ja fast
überall der aufkeimenden Entwicklung in die Wiege sehen. In
Wirklichkeit soll es oft ziemlich schwierig werden, gerade für die
Entstehungsgeschichte, für die Aufdeckung des Landes, für die
vorerst noch zusammenhanglos aus dem Boden wachsenden
Kulturmittelpunkte, systematisch geordnete Nachweise und Ur=
kunden zu sammeln.

Winnetka ist ein Dorf mit Bahnstation 30 km nördlich von Chicago. Noch stehen Teile des Urwaldes, in den die einzelnen Stücke und Sitze der Ansiedlung sich hineingearbeitet haben. Am Rand des Steilabfalles zum blauen Michigansee unter Ahornbäumen von wunderbarer Kronenabrundung liegt hier das in einfach schönem Stil gebaute Landhaus des Rechtsanwalts Otto C. Butz. Eine zahlreiche Gesellschaft, darunter nicht wenige von den schönen Amerikanerinnen, hat sich um die blumen= geschmückte Tafel gesammelt. Ich hatte meinen Platz erhalten zwischen der Gattin des Hausherrn und seiner Mutter, der Witwe des Dichters Kaspar Butz.

Um die ganze Tafel läuft eine anregende Unterhaltung über die früheren Leiden und Taten der eingewanderten Deutschen, über die geistige Verbindung mit dem alten Vaterland, über die große Zukunft der beiden Jugendvölker, der Deutschen und Amerikaner, über die Brücke, die Männer wie Friedrich Schiller geschlagen. Von der Seelenerhebung im Schicksalsjahr 1870 war die Rede, von den Erfolgen, die sie gehabt, und wie das alles im letzten Grund auf die Frühlingszeit des Jahres 1848 zurückzuführen sei.

In der Tat, um der Achtundvierziger zu gedenken, konnte es keine passendere Gesellschaft geben. Da saßen zwei Söhne, der Neffe und die Witwe eines solchen. — Otto C. Schneider, unser Vorsitzender bei den Schillerfestlichkeiten, war bald nach dem Jahr 1870 als junger Bursche aus der Pfalz nach Chicago gekommen, zunächst zu seinem Oheim, Georg Schneider, der, einer von den geschäftsgewandtesten Achtundvierzigern, in Chicago eine Zeitlang die Illinois=Staatszeitung redigiert und von An= fang an rüstig an dem Aufschwung der Stadt mitgearbeitet hatte. — Der Richter Theodore Brentano, dessen ich wie seiner Gattin schon Erwähnung getan habe (S. 57), bewohnt ein schönes Haus, an dessen Schwelle sich die Wasser des Michigan= sees brechen, in dem ich auch ein paar herrliche Stunden ver= brachte. Er ist der Sohn von Lorenz Brentano, der im Mai 1849 an der Spitze des revolutionierten badischen Staates stand.

Wenn auch mit Hecker und Struve sinnesverwandt, schloß sich Lorenz Brentano doch denjenigen Liberalen an, welche in der Frankfurter Nationalversammlung durch Reform, nicht durch Revolution ihr nationales Ziel zu erreichen gedachten. Wieder=

holt wurde er zum Bürgermeister von Mannheim erwählt, ohne
daß die Regierung ihn bestätigt hätte. Da erhob die Revolution
von 1849 ihr Haupt; nach der Flucht des Großherzogs suchte
die öffentliche Meinung einen Mann, der allgemeines Vertrauen
besaß, um ihn an die Spitze zu stellen. Die Wahl fiel auf
Lorenz Brentano, der mit diktatorischer Gewalt ausgestattet
wurde. Im Sinne des neuen Oberhauptes vom badischen Lande
lag es, bei der Führung der Geschäfte Mäßigung walten zu
lassen und den Gegensatz zu den in Deutschland schon bestehen=
den Gewalten nicht noch zu verschärfen.

Diese badischen Republikaner stellten eine Gesellschaft dar
von der allerverschiedensten Schattierung und Zuverlässigkeit.
Die große Menge bestand wohl aus solchen, die sich für Re=
publikaner ausgaben, weil sie es im Augenblick als gefährlich
ansahen, es nicht zu tun. Als ihre Nachbarn rangieren die
Republikaner von der pomadigen Sorte, welche alle Abend am
Stammtisch außerordentlich freigebig über Gut und Blut ver=
fügen; eine dritte Klasse hat den kleinen Vorrat von republi=
kanischer Tugend schon verausgabt und behilft sich jetzt mit
Inschreckensetzen der anderen. Die wenigen ehrlichen Männer,
die, wie Lorenz Brentano, für die gesamte Wohlfahrt verant=
wortlich gemacht werden, sehen sich vergeblich nach Stützen um,
welche der Liebhaberei des Einreißens Schranken setzen könnten.

Es ergab sich, daß in der Gesellschaft der Radikalsten sich
sofort noch Radikalere ausscheiden und die Menge für sich ge=
winnen. Als Struve in der konstituierenden Versammlung den
Beschluß durchsetzte, daß jeder, der mit dem Feind unterhandle,
als Verräter erklärt werden solle, legte Brentano sofort sein
Amt nieder, ging zunächst in die Schweiz und kurze Zeit darauf
nach Amerika. Bald da, bald dort versuchte er sich, bis er
1859 als Redakteur der Illinois=Staatszeitung nach Chicago
übersiedelte, wo er während des Bürgerkriegs der Union wesent=
liche Dienste leistete. Für eine Reihe von Jahren, als ameri=
kanischer Konsul in Dresden, schlug er seinen Wohnsitz im neuen
Deutschen Reich auf. Nach Amerika zurückgekehrt, wurde er
1876 als Abgeordneter in den Kongreß gewählt. Fast achtzig=
jährig starb der vielversuchte Mann 1891 in Chicago.

Als junger Mann mit 23 Jahren sah sich Kaspar Butz,
in Hagen (Westfalen) geboren, der Gatte meiner Tischnachbarin,
in die Bewegung des Jahres 1848 hineingezogen, mußte der

Reaktion aus dem Wege gehen und schlug sein Heim in Chicago auf, wo er bald seinen Hausstand gründete und als Journalist und Dichter eine rege Tätigkeit entfaltete. Sein Hauptwerk, „Gedichte eines Deutschamerikaners", erlebte mehrere Auflagen; es gehört zu den wenigen von Deutschamerikanern geschriebenen Gedichtsammlungen, welche auch in der alten Heimat Beifall gefunden haben. Mit Georg Schneider stand er als Haupt= figur im Literary=Club, dem gleicherweise Amerikaner vom deutschen wie vom angelsächsischen Stamm angehörten. Er starb, kaum sechzigjährig, im Jahr 1885.

Kaspar Butz ist der Verfasser des immer wieder bewunderten Prologs zu dem in Chicago gefeierten Schillerfeste des Jahres 1859, und dem neuen Deutschen Reich hat er als Gruß zu= gerufen am 15. Juli 1870, als das erste Aufbäumen gegen welsche Bedrohungen bekannt wurde:

> Vergessen ist ja alles, vergessen jede Not,
> Vergessen jedes Urteil, ob es auch sprach: der Tod!
> Für dich, o Muttererde, du Land der Herrlichkeit,
> Auch deine fernen Söhne, sie stehen mit im Streit!

Kurz vor meiner Abreise in Stuttgart war mir noch auf= getragen worden, den Deutschen in Akron, Ohio, namentlich dem an der Spitze der dortigen Deutschen stehenden Fabrik= besitzer P. E. Werner, die Grüße des Königs zu überbringen. Daraus hatte sich die Aufgabe entwickelt, bei der Schillerfeier in Akron die deutsche Festrede zu halten. Zu dem Ende ver= schob Akron seine Feier bis zum Sonntag den 21. Mai.

Die festlichen Tage von Chicago waren vorüber; wir, meine Frau und ich, hatten im Nachtschnellzug vortrefflich geschlafen. Wir näherten uns am Morgen Akron. Erstaunt vernahmen wir die Klänge der „Wacht am Rhein". Bald standen wir, die neuen Freunde begrüßend, auf dem Bahnsteig, wo die deut= schen Kriegervereine mit der Musik und dem Tambourkorps des 8. Ohioregiments samt einem Peloton städtischer Schutzmann= schaft aufmarschiert waren, deutsche Fahnen und solche mit den Streifen und Sternen in der Front. Unter Vorantritt der Musik ging es durch die Hauptstraße von Akron zu dem glänzenden Wohnsitz von P. E. Werner, wo wir uns bald zu Hause fühlten. Einzelne Städte in Amerika, Boston und andere in den

Neuenglandstaaten, New York, Philadelphia blicken mit ihrer Geschichte freilich schon auf mehrere Jahrhunderte zurück; Chicago aber, die Großstadt, und die Landstadt Akron mit ihren kaum 50000 Einwohnern knapp auf 100 Jahre des Bestehens. Es mutet den aus dem alten Europa Kommenden gar seltsam an, durch die sogenannten alten Straßen solcher Städte zu wandern, von deren Herauswachsen bejahrte Bewohner noch zu erzählen wissen. Und doch haben Großstadt und Landstadt ihr Angesicht in dieser kurzen Zeit in ganz verschiedener Weise geändert. — Die Großstadt Chicago ist rasch gealtert; fast scheint es, das Rennen und Jagen, das rasche Leben haben schnell ihr junges Leben und Aussehen geraubt, mit dem Kohlenstaub und Ruß Züge des Alters eingegraben auf den schwarz-schmierigen Straßen, auf Dächern und Wänden, während die Kleinstadt Akron, einer frischen ländlichen Dirne vergleichbar, immer nur in die Schön- heit gewachsen ist; auf allen Straßen und Plätzen Luft und Licht; von allen Seiten blickt das Grün der Gärten und Parke herein; fast verschwinden in dem lebendigen Bild die paar Dutzend Schornsteine, welche die Industrie nötig hat.

Das langsamere und weniger geräuschvolle Vorübergleiten des Lebens in einem kleineren ruhigen Platz erleichtert nicht wenig den Einblick in reizvolle Einzelheiten, in belehrende Bilder, wie sie die Straßen, die Kaufläden, die Gärten und Parke, ländliche Ausflüge und gesellige Kreise, Industrie und Häuslichkeit bieten. Palastartige Monumentalbauten und bis in die Wolken sich auftürmende Häuser, wie solche das Dächer- meer der Großstädte überragen, fehlen in Akron. Die von der Börse, vom Reichtum, von den Glaubensgenossenschaften, vom Fremdenverkehr aufgeführten Bauwerke nehmen bescheidenere, ländliche Formen an.

Die ersten Abende dienten dazu, um in ungezwungener Ge- selligkeit die Vertreter des öffentlichen Lebens in Akron kennen zu lernen: die an der Spitze der Stadtverwaltung, wie des deut- schen Klubs stehenden Herren, die Kriegervereine und vor allem das Schillerkomitee, an dessen Spitze P. E. Werner selbst stand. Er hat, kaum 18 Jahre alt, kurz nach dem Bürgerkrieg den Boden Amerikas betreten und sich in dieser Zeit, kampffreudig jeder Gehässigkeit und jedem Vorurteil begegnend, zum anerkann- ten Führer des Deutschtums in diesem Teil des Staates Ohio aufgeworfen; zugleich durch seine ungewöhnlichen Charaktereigen-

schaften und eine eigenartige, wohl dem Amerikanertum abge=
lernte, schnell zugreifende Energie die Leitung eines ausgedehnten
Verlags= und Druckereigeschäftes übernommen, das die meisten
Institute ähnlicher Art weit hinter sich läßt und einen Weltruf
genießt. Von keinem will er sich übertreffen . lassen in Hingabe
an das amerikanische Vaterland; mit inniger Liebe aber hängt
er zugleich an der schwäbischen Heimat, am Dorfe Gruibingen,
Amts Göppingen, aus dem er eingewandert. ist, am Deutschen
Reich, an Kaiser und König. Schärfste Tonart pflegt der
geniale Mann mit seiner eisernen Arbeitskraft anzuschlagen,
wenn es gilt, Mißbräuche zu bekämpfen; fördernde Unter=
stützung aber finden bei ihm alle gemeinnützigen Unterneh=
mungen.

Dem Schillerkomitee hatte sich noch weiter beigesellt Kapitän
Georg Billow, das Bild eines echten Soldaten mit treuem, auf=
richtigem Herzen, der sich im Bürgerkrieg Verdienste erworben
hat und jetzt im Ruhestand hier lebt, durch seine Pflichttreue
und aufopfernde Tätigkeit ein Vorbild für die Mitbürger und
das heranwachsende Geschlecht. Ferner gehörten dem Komitee
an: Dr. Sichermann, Fabrikant Martin Beck, Redakteur der
Akron=Germania Seybold und andere Herren.

Noch war vor dem Schillerfest eine kurze Zeitspanne übrig,
ein wunderschöner Maientag; er wurde zu einem Ausflug aufs
Land benützt und zwar an den Turkeyfootlake, an den See,
der nach Art eines Welschhahnfußes ausgezackt ist. Prächtige
Pferde und Wagen. In lebhaftem Tempo geht es vorwärts.
Je weiter von Akron ab, desto schlechter wird die Landstraße;
schließlich verliert sie überhaupt den Charakter einer solchen
und geht in breitspurige Feldwege über. Einstmals in ferner
Zukunft, wenn dies Land bevölkerter ist, mag der Weg durch
geschlossene Dörfer führen, die in enge Gassen um Kirche und
Turm sich drängen; heute liegen die Farmen und sonstigen
Wohnsitze weit auseinander. Aber nun geht es der Tiefe zu
durch Gehölze, und da liegt er, der Wasserspiegel des Turkey=
foot, inmitten des sonnendurchfluteten Waldes.

Ein kleines Boot, durch die Waldlauben huschend, führt
hinein in alle Zauber. Richtiger Urwald; anders mag
der in Maiengrün gebettete See auch nicht ausgesehen haben,
als noch vor 100 Jahren in seinem Kanoe der Indianer über
die Wasserfläche hinstrich. Überall tiefes Schweigen. Wie ehe=

dem senken sich auch heute noch altersgraue Stämme zur Wasser=
fläche herab und verschwinden halb im See, ohne daß irgend
jemand nach ihrem Holz verlangte.

Sonntag 21. Mai, Schillertag für Akron; ein glän=
zender Morgen versprach einen herrlichen Tag. Zunächst Be=
such des Friedhofs, der, als weitläufiger großartiger Park an=
gelegt, ein Juwel der Stadt ist; darauf Gottesdienst in der
Episkopalkirche. Der Geistliche hat dabei nicht verfehlt, der
allsonntäglichen Fürbitte für sein Staatsoberhaupt, den Präsi=
denten Roosevelt, auch eine Bitte für den deutschen Kaiser und
insbesondere für den König von Württemberg beizufügen, welch=
letzterer sich durch seine herzliche Begrüßung des amerikanischen
Volkes bei Gelegenheit der Schillerfeier als Förderer des Friedens
und der Völkerfreundschaft erweise.

Unter den öffentlichen Bauten in Akron hebt sich das Deutsche
Haus als Vereinigungspunkt für das Deutschtum der gesamten
Umgegend, als Mittelpunkt für alle musikalischen Bestrebungen
Deutscher wie Amerikaner, besonders hervor. In die schön
dekorierte Musikhalle des Hauses strömte am Nachmittag das
Volk in langen Zügen. Zur Verherrlichung der Feier hatte
der Festgeber, der deutsche Klub von Akron, den Gesangverein
von Cleveland gewonnen, der in der Stärke von 45 Damen
und 51 Herren erschienen war. Kurz nach 3 Uhr eröffnete
der Vorsitzende P. E. Werner das Fest mit einleitenden Worten,
und nun schwangen sich die Klänge von Schillers Glocke nach
der Komposition von Max Bruch durch den Saal. Darauf
kam ich selbst zum Wort, unmittelbar neben der Büste Schillers
nach Dannecker stehend, welche heute der deutsche Klub dem Haus
zum Geschenk machte. Von den Schillerstätten in der schwäbi=
schen Heimat sprach ich, zugleich die Grüße des Königs zum ge=
meinschaftlichen Feste an das Volk von Amerika überbringend,
insbesondere an die aus deutschem Blut Stammenden und an
die, welche aus dem württembergischen Land herkommen. Auf
die Solitude versuchte ich die Zuhörer zu führen, in die be=
scheidene Stube, in der Vater und Mutter und die Schwestern
den begeisterten Worten des Sohnes und Bruders Friedrich
lauschten, der eben in seinem 21. Lebensjahr aus der Hohen
Karlsschule entlassen und zum Regimentsmedikus ernannt war.

Ein kurzer Gang durch Schillers Leben bis zur Schaffung
seiner vollendetsten Werke, durch deren Idealismus er das Unter=

scheidende vor Augen geführt zwischen seiner eigenen Weltanschauung und der seither geläufigen. Was aber habe man
unter solchem Idealismus zu verstehen? — Nichts anderes
als den Glauben an das sieghafte Einherschreiten des Wahren
und Guten als eines ewigen Weltgesetzes. — In grauer Vorzeit sei der Kampf um die Freiheit in den Bergen der Schweiz
ausgefochten worden. Im hellen Licht der neuen Geschichte
aber haben zwei Jugendvölker denselben Kampf gekämpft: die
Deutschen und die Amerikaner. So erhebe sich die Schiller-
verehrung nirgends zu dem Wesen eines Gemeingutes als in
Deutschland, in der Schweiz und in Amerika. Schiller stelle
ja gerade das voran, was dem Volke von Amerika über alles
gehe, die Freiheit des Willens und das Selbstbestimmungs-
recht; er sei der mit dem nationalen Leben verwachsene Dichter,
der rechte Bannerträger eines selbstbewußten Bürgertums.

Es folgte der zweite Teil von Schillers Glocke und diesem
die englische Gedächtnisrede, gehalten von Rektor Dr. S. N.
Watson, demselben Geistlichen, der am Vormittag in der Episkopalkirche gepredigt hatte. P. E. Werner führte ihn mit
den in Englisch und Deutsch gesprochenen Worten: „Ich stelle
Ihnen hier einen Mann vor, der nicht bloß Diener des Evange-
liums ist, sondern auch ein Mann von Mut, wie ich sonst keinen
auf der Kanzel kenne, der den Heuchlern ins Gesicht zu sagen
pflegt, was sie sind."

Dr. Watson führte aus, wie die deutsche Freiheit und
Einheit, wenn überhaupt, nicht so erreicht worden wären, wie
sie heute bastehen, ohne Schiller. Er sei der Volksdichter, der
wahre Prophet der deutschen Nation. Er machte das Werden
einer deutschen Nation zur Möglichkeit. Mächtig wirke sein
Einfluß fort im gesamten nationalen Leben der Deutschen bis
auf diesen Tag. „Er war ein wahrer und gerechter Teutone
und sein Glaube an die Brüderlichkeit unter den Menschen-
kindern hat sich durchgearbeitet zu einem notwendigen Zubehör-
stück deutschen Lebens und Denkens." — „Obenan und vor allem
anderen: er war der Prophet für das Leben seines Volkes."

Der Schluß der ganzen Festlichkeit galt einer Weihe und
Bekränzung der Schillerbüste, bei welcher Tätigkeit ich von
Fräulein Seybold, der Tochter des Redakteurs der Akron-
Germania, auf das anmutigste unterstützt wurde.

Der hereindämmernde Abend führte mit rascher Automobil-

fahrt ins Landhaus des Fabrikanten B. G. Work, der zeigen
wollte, daß er, als ehemaliger Heidelberger Student, es vortrefflich verstehe, eine Bowle zu bereiten. Sein Haus steht
noch auf dem Stück Urwald, das die ersten aus Connecticut
stammenden Ansiedler gerodet um das Jahr 1810. Denn als
die Neuenglandkolonien gegen die Mitte des 17. Jahrhunderts
ihre Freibriefe erhielten, verlieh ihnen die Naivität des König-
tums ihr Gebiet „von Ozean zu Ozean", d. h. verlängert gegen
Westen bis zum Stillen Meer. So galt das nördliche Stück
des Gebietes, das heute den Staat Ohio bildet, als zu Connecticut gehörig, und Ansiedler aus dieser alten Kolonie waren es,
welche zuerst Fuß hier faßten, wie denn überhaupt die nach
Westen ziehenden Neuenglandmänner die Grundsuppe der Bevölkerung bildeten.

Der späte Abend vereinigte wieder die ganze Schiller-
gemeinde im „Deutschen Haus" zum Bankett. Auch aus
weiter Ferne waren sie gekommen, wie die Vertreter der
60 Kilometer entfernten Gemeinde Zoar, Schwabenkinder,
welche vor bald 100 Jahren ihres Glaubens halber hierher
gewandert sind. Jetzt standen die reckenhaften Bauern da,
noch etwas Deutsch redend, aber im übrigen ganz in Amerikaner, und zwar in den herrlichsten Schlag dieses Amerikanertums, verwandelt. Denn jeder Boden formt sich sein Volk
und aus seiner Tiefe, zusammengehalten mit politischer, religiöser und wirtschaftlicher Entwicklung, wachsen Eigenart jedes
Volks, sein Geist und Nationalcharakter, heraus.

Diese stillen Tage in Akron boten reichlich Gelegenheit,
um Kunde einzuziehen über andere Schillerfeiern im Reich der
Amerikaner. Einzelne davon mögen hier Erwähnung finden,
weil sie vorbildlich sind für das einmütige Zusammenwirken
von den aus deutschem wie aus amerikanischem Blut Stammenden, von der regen Beteiligung der Vertreter der Wissenschaft.
— Als eine aus Grund aus angloamerikanische Veranstaltung
darf wohl die Schillerfeier der Indiana-Universität bezeichnet
werden. Den Aufführungen von „Kabale und Liebe" und
„Wallensteins Lager" am 9. Mai folgte am 10. die in der
Presbyterianerkirche gehaltene Festrede des Professors an der
Columbia-Universität Calvin Thomas, desselben Redners, der
in Chicago am 7. Mai seinen festlichen Worten (S. 55) so
viele ernste Mahnungen angeschlossen hat.

Vier Faktoren sind tätig gewesen bei Durchführung des
Schillerfestes in New York: die Vereinigung alter
deutscher Studenten (Vorstand Dr. Karl Beck), Vereinigte
Sänger, Vereinigte deutsche Gesellschaften (Vorstand Dr.
Albert J. W. Kern) und Columbia=Universität. Demnach hat
das Fest auch, ähnlich wie in Chicago, vier Tage in Anspruch
genommen.

Am ersten Tag, 6. Mai, stand die Vereinigung altdeutscher
Studenten im Vordergrund. In seiner Eröffnungsrede führte
Karl Beck aus: „Wer anders als ein deutscher Student hätte
überhaupt ‚Die Räuber' schreiben können?" Auf den Schiller=
schen Freiheitsbegriff näher eingehend, kommt der Redner zu
dem Schluß: „So finden wir, daß die Auffassung Schillers
beinahe amerikanischer als deutsch erscheint. Wie sein gewal=
tiges Vermächtnis den Grund gelegt zu der todesmutigen Be=
geisterung der deutschen Studentenschaft zur Zeit der tiefsten
Schmach Deutschlands, so hat Schiller bis auf den heutigen
Tag veredelnd auf die Vereinigten Staaten gewirkt. Denn
unter den Studenten, auf welche deutsche Universitätsprofes=
soren die Begeisterung für den Dichter übertrugen, sind gar
viele prächtige amerikanische Jungens, welche die Keime dieser
Begeisterung in ihre Heimat verpflanzen. Und die junge
Studentenschaft ist in Amerika für das Ideale viel empfäng=
licher, als man im alten Vaterland glauben will."

Von den anderen Rednern an diesem Tag sei Professor
Dr. William Hallock von der Columbia=Universität erwähnt,
dessen Worten wir entnehmen: „Daß die bedeutendste Frage
des Jahrhunderts in Bezug auf das Wohl und die Besserung
der ganzen Menschheit die Beziehung der Nationen unterein=
ander ist, bedarf keines Beweises. Der überwiegende Einfluß
liegt in der Befestigung internationaler Erziehung; in der Tat=
sache, daß die herrschenden Klassen einer Nation sich mehr und
mehr über die Völkertraditionen und Ideale anderer Nationen
unterrichten. Der Gedankenaustausch der auf den Universitäten
erzogenen Männer zweier Nationen ist der mächtige Faktor, der
zufriedenstellende Beziehungen jener Nationen bewirkt. Von
allen Nationen, vielleicht mit Ausnahme Englands, ist uns
Deutschland besser bekannt, und wird besser anerkannt und
verstanden als irgend eine andere Nation, weil wir durch di=
rekte Berührung gelernt haben, den deutschen Gesichtspunkt und

deutsche Ideale zu würdigen." — Der Chefredakteur der New
Yorker Staatszeitung, Georg v. Skal, knüpfte an den Ge=
dankengang des Vorredners an, ausführend, daß einem Aus=
tausch von Professoren auch ein solcher von Studenten folgen
müsse.

Der 7. Mai war einem Konzert der Vereinigten Sänger in
der Carnegie = Musikhalle gewidmet. Nachdem Pastor Hilde=
brandt den von ihm verfaßten Prolog gesprochen, betrat der
**Bürgermeister der Stadt New York, Georg B.
McClellan** die Rednertribüne. Schon bei der freudig an=
genommenen Einladung hatte er sich erboten, die englische
Festrede zu halten. „In der Geschichte unserer teutonischen
Rasse", führte er aus, „hat es niemals eine Zeit gegeben, wo
Männer, wenn sie gebraucht wurden, nicht vorhanden waren.
Der Schluß des 18. und der Anfang des 19. Jahrhunderts
sah Deutschland zu Füßen eines fremden Eroberers, seine Frei=
heit war zerstört, sein politischer Fortschritt abgeschnitten und
sein intellektuelles Leben fast zum Stillstand gekommen. Ge=
rade zu diesem Zeitpunkt, da sie am meisten gebraucht wurden,
erschienen die drei großen Genies des modernen Deutschland,
Kant, Goethe und Schiller, denen Deutschland seine Wieder=
geburt, das heutige Kaiserreich seine Existenz verdankt. — Aber
von diesen dreien ist Schiller derjenige, dessen Ruhm am läng=
sten währen wird, dessen Lebensarbeit nicht nur für das deutsche
Volk, sondern für die Völker der ganzen Welt von der größten
Bedeutung gewesen ist." Der Dramatiker Schiller, der Dichter
Schiller könne vergessen werden, aber der Philosoph Schiller
werde ewig leben.

„Das Deutschland, in welchem die Lektion, welche Schiller
ihm erteilte, heute gelernt wird, ist eine gewaltige Weltmacht.
Und diese Lektion Friedrich Schillers haben Sie, seine Lands=
leute vom deutschsprechenden Teile der teutonischen Rasse, uns,
Ihren englischsprechenden Brüdern, gebracht. Zu allen Zeiten
war Schiller erhaben über niedriges Selbstinteresse, speziell in
seiner gemeinsten Form, der Liebe des Geldes. Gerade diese
Lektion ist für uns in diesem Zeitalter des Kommerzialismus
und des Industrialismus, das viel zu sehr der Anbetung des
goldenen Kalbes gewidmet ist, von unendlicher Bedeutung."
McClellan ging noch auf die Ideale der Schönheit über im
Sinne der von Carlyle gebrauchten Worte. Nicht enden wol=

Pfister, Nach Amerika im Dienste Friedrich Schillers 7

lender Applaus wurde dem Stadtoberhaupt für die vollendete Art in der Lösung seiner Aufgabe zu teil.

Die deutsche Festrede von G. v. Skal ging näher ein auf „den Schiller unserer Jugend" und auf „den Schiller unseres reifen Alters". — „Da packte er uns, da erfüllte er uns mit tiefem Abscheu gegen den Schein und gegen die Unwahrheit in jeder Form." — „Sein Einfluß hat Herrliches vollbracht, laßt uns dahin wirken, daß er noch Größeres zu Werke bringt."

Eine imposante Kundgebung war der Fackelzug, in welche Form am 8. Mai die Vereinigten deutschen Gesellschaften der Stadt New York ihre Huldigung kleideten. Bei dem sich anschließenden Bankett sprach der Vorsitzende, Dr. Albert Kern: „Wir Amerikaner deutscher Abkunft haben nicht aufgehört, die Größten und Besten unseres Stammes einmütig und würdig zu ehren. Trotz des Ringens um unsere materielle Existenz haben wir das Verständnis für das Schöne und Wahre nicht verloren. Schillers Ideale sind auch uns der Jungbrunnen, aus welchem wir immer wieder neue Kräfte trinken zur Erfüllung unserer besonderen Pflichten und Aufgaben." — Botschaftsrat von dem Bussche überbrachte den Gruß des deutschen Botschafters, der lebhaft bedaure, heute nicht anwesend sein zu können. Für die Macht Schillers sei der Beweis hier geliefert: alle Deutschen dieses Landes habe er unter einen Hut gebracht, was manchmal eine schwere Aufgabe sei.

Dienstag 9. Mai gehörte der Columbia-Universität. Eine typisch amerikanische Universität hat an diesem Tag den Manen Schillers ihre Huldigung dargebracht, ihrer studentischen Jugend das Evangelium Schillers in ernst gestimmten Worten predigend. Der Ehrenpräsident Karl Schurz eröffnete den Tag mit den Worten: Es sei noch nicht lange her, daß man Schillers Pathos und seinen Idealismus als naive Begeisterungen unter dem überwundenen Standpunkte zu verweisen versuchte. „Die Kritik mag sagen, was sie will — kein Dichter hat die Volksseele tiefer ergriffen, — keiner hat, wie er, so hoch geadelt, was immer er berührte. Zu der sittlichen Größe keines anderen blicken wir mit so aufrichtiger Verehrung empor. — Vor allem aber ziemt es sich, außerhalb Deutschlands, dieser Republik, das Gedächtnis Schillers hochzuhalten, denn von allen großen Dichtern, deren Namen uns die Weltgeschichte nennt, hat

keiner wie er das Evangelium der Freiheit und Menschenwürde
gepredigt, das Evangelium, zu dessen segensreicher Verwirklichung
vor allen Nationen der Erde diese Republik berufen ist." Hier
gerade müsse Schillers Geist gepflegt werden; ein Zeichen hoff=
nungsvoller Bedeutung liege in dem Vorangehen der amerika=
nischen Hochschulen. „Die Columbia=Universität in der Person
ihres Präsidenten hat nun das Wort." — Eine der letzten öffent=
lichen Reden, wenn nicht die letzte, die Karl Schurz gehalten hat;
denn schon im Herbst desselben Jahres erlitt er einen Unfall,
von dem er sich bis zu seinem Tode am 14. Mai 1906 nie
mehr ganz erholte.

Präsident Butler erhob sich auf den Anruf: die kurz be=
messene Lebenszeit habe Friedrich Schiller geteilt mit seinen be=
rühmten Zeitgenossen Napoleon Bonaparte und Alexander Ha=
milton. Schiller habe keine Machtentwicklung, keine Regierungs=
verfassung nötig gehabt, ihm genügte seine Stimme, sein Wort.
— Heine sei es, der von Schiller sage, daß er die Bastille des
Geistes zerstört und dafür den Tempel der Freiheit aufgebaut
habe. Keinen schicklicheren Platz, um den Ruhm Schillers zu
erneuern, könne es geben, als diese Universität, von ihrer Grün=
dung an ein Tempel der Freiheit.

Und nun die Festrede von Professor Will. H. Carpenter.
In einer kleinen deutschen Stadt starb vor 100 Jahren ein
deutscher Dichter, so laute die Kunde. Heute gedenke dieses
Mannes nicht Deutschland allein, die ganze Welt tue es; „er
wird gepriesen, in welcher Sprache, an welchem Orte, das ist
gleichgültig, als ein Dichter, der allen gehört." Der Redner
führte den Werdegang des Dichters aus, sein Aufsteigen zur
Höhe. „Schiller, nicht Goethe ist der große Dramatiker der
Deutschen." — „So ist der Schiller mit der stolzen Seele,
dessen Augen, wie auf dem Standbild vor dem Schauspiel=
hause in Weimar, zu den Sternen empor gerichtet sind. — Und
dies ist, denke ich, die Botschaft, die er seinen Zeitgenossen bringt
und das Vermächtnis für uns und die Nachwelt: Pfleget die
Ideale des Lebens, als die alleinigen wahren Schätze, während
die materiellen Dinge, heute so hoch im Wert gehalten, vorüber=
gehendes Prangen darstellen." Auf uns sei Schillers Botschaft
berechnet, als eines von den Unsterblichen, die sich verewigen
in immer wachsendem Leben. „Wir aber in Amerika, wir treten
heute mit den Gefühlen der Begeisterung herzu und legen unseren

Lorbeerkranz nieder zu den Füßen dieses großen Dichters, dieser
reinen Seele, dieses Ritters ohne Furcht und Tadel."

In der Tat, die Großartigkeit der Feier, die wie in Chicago,
New York und anderen Orten, mit einer Art von herzlichem
Ungestüm aus dem innersten Gemüt der Amerikaner hervorbrach,
mag hinüberhelfen über manche Lücken im alten Vaterlande am
Tage des Schillerfestes.

In Cleveland, Akron benachbart, am herrlichen Strand
des Eriesees gelegen, hat Professor Hugo Münsterberg von
der Harvard=Universität die deutsche Festrede bei der Schillerfeier
gehalten. Nirgends könne das wunderbare Wort Schillers vom
Vaterland tieferen Sinn gewinnen, als dort, wo der Deutsche
berufen sei, fern von den deutschen Landen in krafterfülltem
neuem Staat sich zu betätigen und ein verheißungsvolles neues
Volkstum mitzugestalten. — Nur wenn er ein eigenes zum
Ganzen hinzufüge, werde er in der neuen Heimat nicht nur
nehmen, sondern auch geben, nicht nur genießen, sondern auch
beglücken, nicht haltlos schwanken, sondern der Stärkste sein.
Und Schiller sei es gerade, durch dessen Dichtungen die
Empörung gegen das Unedle, gegen das Erniedrigende, gegen
das Gemeine zittere; deshalb spreche er tiefer zum sittlichen
Lebenswillen des Volkes. Nicht farblos sollen die Deutschen
in der neuen Umgebung aufgehen, sondern, festhaltend an
Schillers Idealen, mit tiefinnerlichem deutschem Glauben die
mitgebrachten deutschen Schätze auch im neuen Volkstum heilig
halten. — „Heute ziehen als Boten der Freundschaft viel Tau=
sende der besten Deutschen alljährlich über den Ozean, und die
wärmsten Wünsche ihrer Fürsten sind heute ihr Geleitwort.
Für Amerika und Deutschland gilt, was Goethe einmal an
Schiller schrieb: ,Daß man uns in unseren Arbeiten verwech=
selt, ist mir sehr angenehm; es zeigt, daß wir immer mehr die
Manier loswerden und ins allgemeine Gute übergehen. Und
dann ist zu bedenken, daß wir eine schöne Breite einnehmen
können, wenn wir mit einer Hand zusammenhalten und mit
der anderen so weit ausreichen, als die Natur uns erlaubt hat.'
— Ja, eine schöne Breite können die beiden edelsten Nationen
einnehmen, wenn sie mit einer Hand zusammenhalten."
Und das ist das Beste, was gesagt werden konnte in diesen
festlichen Tagen.

———

III. Das Deutschtum in Amerika

1. Das deutsche Blut im Volkstum der Amerikaner

Ein Blick auf die Zuhörerschaft bei allen diesen Schiller=
feierlichkeiten zeigt, daß sie sich zusammensetzt aus kürzlich ein=
gewanderten Deutschen, aus solchen, die früher zugewandertem
deutschem Blut entsprossen sind, aus Amerikanern anglosächsischen
Stammes und aus Reichsdeutschen. Ganz denselben Schichten
haben die Schillerkomitees, die Listen der Mitwirkenden und
Redner ihre Mitglieder entnommen, wenn bei den letzteren
vielleicht auch die Angelsachsen überwiegen. Deshalb möchte
ich die Aufmerksamkeit weiter lenken auf die Rolle, welche
deutsches Blut im Amerikanertum spielt, auf das Deutschtum
im Heimatland in seinem Verhältnis zu Amerika und endlich
auf die Stellung, welche Deutschtum und Amerikanertum ein=
nehmen in der Geltendmachung ihrer Eigenart.

„Deutschamerikaner", so lautet ein Thema, das so häufig
wie irgend ein anderes, vielleicht häufiger behandelt worden ist,
von den verschiedensten Gesichtspunkten aus, mit den verschie=
densten Resultaten. Die Entstehung des Deutschamerikanertums
im Laufe der Generationen durch die Einwanderung ist be=
leuchtet worden, sein stetes Schöpfen aus den ursprünglichen
Quellen, sein Kämpfen ums Dasein, um sein Recht, seine
Leiden; von seinen Verdiensten hat man mit Emphase ge=
sprochen, von seinen Aufgaben in der Zukunft. An Vorwürfen
hat es so wenig gefehlt wie an Lobeserhebungen. Die einen
tadelten, daß diese Sorte Deutschtum aufgehe im Volkstum der
Amerikaner; es solle unvermischt beiseite stehen bleiben, nicht
gerade als ein Staat im Staate, vielleicht eher als eine Art
von Vorbild; die anderen priesen als Ziel, dem Amerikaner=
tum sich beizumischen und dieser erst werdenden Nationalität
eine gewisse Farbe aus der Besonderheit des Deutschtums mit=
zuteilen; man tadelte, daß dies Deutschamerikanertum so gar
lässig sei in Ausgestaltung eines Freundschaftsbundes zwischen
Deutschland und Amerika, den nichts erschüttern könne, auch
wirtschaftlich nicht.

„Es ist in der Tat keine Kleinigkeit, die Verwandtschaft

zwischen den Amerikanern und den fünf Millionen Deutscher
zu formulieren, welche unser Land zu ihrer Heimat gemacht
haben; mit ihnen sind einige Übel, ebenso wie viel Gutes gekommen. Wir sprechen naturgemäß von unserer englischen
Abstammung oder unserer engen Beziehung zu dem Elternlande;
sie ist eng und wir hoffen, daß sie in Zukunft nichts verliert,
aber trotzdem müssen wir nicht vergessen, daß wir niemals
einen starken Zufluß englischen Blutes echt von der Quelle
hatten. Seit der Kolonialzeit haben wir niemals eine bedeutende Einwanderung von England selbst gehabt, während anderseits keine Nation den gewichtigen Einfluß einer starken Zu-
wanderung außer acht setzen kann, wie unser Land sie beständig
von Deutschland erhält. Diese Infusion deutschen Blutes
in das amerikanische Leben ist ein wichtiger politischer und
sozialer Faktor. Aus diesem Grunde sind die Amerikaner mit
den Gewohnheiten und Gebräuchen in Deutschland besser bekannt als mit denen in England, und das Ergebnis dieser
Einflüsse auf unsere zukünftige innere wie äußere Politik kann
nicht leicht vorausgesagt werden, ebensowenig wie diese Einflüsse
gering geschätzt werden dürfen."

Das sind die Worte von Professor Lawrence Laughlin bei
der Kundgebung der Chicago-Universität zu Ehren des deutschen
Botschafters Freiherrn v. Holleben am 24. Juni 1900. — Nun
komme ich auf dasselbe Thema zu reden, und ich fühle mich
wie erleichtert dabei; denn es berührte mich bisher oft peinlich,
daß ich so viel von meiner eigenen Person reden mußte, obwohl ich natürlich ungetrübt genug sah, um zu erkennen, daß
die Aufmerksamkeiten ganz wesentlich der vorübergehenden Stellung galten, die ich einnahm. —

Wer ein Stück von der Besiedlung amerikanischen Bodens
betrachten will, der muß obenan den Satz stellen, daß auf dem
Erdball kein zweites Beispiel eines Landes zu finden ist, das
einwandernden Ansiedlern aus allen Zungen und Völkern einen
so weiten und freien Spielraum gegeben hätte, als Amerika.
„Das schönste Land der ganzen Welt," schreibt Henry Hudson
zurück, als er 1609 in den nach ihm benannten Strom ein-
gefahren war; „das beste Land für arme Leute," hieß es
anderwärts. — Ein Wandervolk, wie es die Deutschen sind,
beteiligte sich naturgemäß schon an den Anfängen der Besiedlung; bald in stärkerem Maß als andere Nationen. Denn

die Altmutter Europa sandte Kinder aus allen ihren Familien=
häusern.

Weil aber wir Deutsche von jedem selbständigen Anteil
an der Erschließung der Neuen Welt ausgeschlossen waren, in=
folge unserer damaligen politischen Bedeutungslosigkeit, blieben
unsere auswandernden Landsleute auf der neuen Scholle zu
einer anderen Rolle verurteilt als die Abkömmlinge des Herren=
volks, das seine Sprache, seine Sitten und Gesetze dorthin
verpflanzt hatte. Dennoch hielt sich die deutsche Einwanderung
stets auf einer Höhe, wie sie von keinem anderen Volk erreicht
worden ist. Je mehr man von den Vorzügen Amerikas sprach,
desto unerträglicher mußten der Zwang, die Hoffnungslosigkeit,
der Druck des 17. und 18. Jahrhunderts auf deutschem Boden
erscheinen. Einförmigkeit und Langweile des unwürdigen Lebens
trieben die meisten Auswanderer übers Meer.

So ist die Beimengung deutschen Blutes in die aus angel=
sächsischem bestehende Grundsuppe von jeher als die bedeut=
samste Abänderung des ursprünglichen Stammes erschienen,
neben dem irländischen und niederländischen Blut. Und doch
ist es nicht geglückt, eine Richtung des amerikanischen Volks=
tums in deutschem Sinne zu erzielen. Denn der Boden, auf
dem alle diese Kinder der Altmutter Europa, die einen dicht
geschart, die anderen spärlich vertreten, zusammentrafen, dieser
amerikanische Boden ist es, der seine Rechte in erster Linie be=
hauptete.

Durch die aus dem Boden steigenden Kräfte werden Völker
und Volksteile unbewußt in ihrem Entwicklungsgang umge=
ändert. Die lebendige Seele des Volks vereinigt sich mit dem
Wohnboden zu einem neuen untrennbaren Ganzen.

Auch den umhergestreuten Stücken germanischen Elements
erging es so nach der Völkerwanderung. Aus dem Boden
ihres neuen Wohngebietes stieg gebieterisch und zwingend der
Zauber der Örtlichkeit und formte sich ein neues Volk. Der
ursprüngliche Stamm vereinigte sich mit dem Geist des Wohn=
platzes zu einer neuen Nationalität. So haben die Abkömm=
linge aus englischem Blut ihre Eigenart als Engländer nach
wenigen Generationen vollständig aufgegeben. Was sie Großes
geleistet haben, was sie als Weites, Breites, riesig sich Dehnen=
des in ihre Sinnesart aufzunehmen vermochten, das haben sie
nicht als Englandkinder getan, nein, als Kinder eines voll=

ständig neuen Bodens, als Angehörige einer ganz neuen Nation,
als Amerikaner.

Noch viel schneller ging die Umwandlung der Deutschen
vor sich, weil keine politischen Fäden sie an ein Mutterland
knüpften. Was Deutsche oder aus deutschem Blut Entsprossene
Großes in Amerika und für Amerika geleistet haben, das haben
sie getan als Amerikaner, nachdem sie auf die ursprüngliche
deutsche Tüchtigkeit noch weiter die Energie amerikanischen
Wesens haben wirken lassen.

Man versteht es, wenn Präsident Roosevelt in seiner Rede
über den „wahren Amerikanismus" sagt: „Wir brauchen keine
Deutschamerikaner, keine Irischamerikaner, die eine besondere
Schicht in unserem politischen und gesellschaftlichen Leben bilden
wollen. Es ist ein unsagbar großer Vorteil für jeden Einwanderer, amerikanischer Bürger zu werden. Der Name Amerikaner ist ein Ehrentitel. Wer anders darüber denkt, hat kein
Recht, diesen Titel zu tragen, und muß, je eher je lieber, nach
Europa zurückkehren."

Das sind stolze Worte, die so vom vollständigen Aufgehen
im Wesen des Amerikanertums reden. Ein vollständiges politi-
sches Aufgehen im Wesen und in den Anforderungen des neuen
Vaterlandes ist etwas Selbstverständliches, ein anderes wäre
pflichtwidrig und gewissenlos. Aber auch nach anderer Richtung
hin ist lange Zeit, etwa bis zur Mitte des 19. Jahrhunderts,
das deutsche Blut ziemlich farblos im Wesen des Amerikanertums verschwunden. Nicht mit der wachsenden Zahl, nein, mit
dem wachsenden Selbstbewußtsein, mit dem Anschwellen geistig
hervorragender Beimengungen hat das deutsche Blut angefangen,
etwas von seiner Eigenart hineinzutragen in die neu sich bildende nationale Art des Amerikanertums.

Auch äußerlich zeigt sich das: ohne den deutschen Gehilfen
wäre es nicht geglückt, den Westen für das Amerikanertum so
zu erobern und zu besetzen, wie er erobert und besetzt worden
ist; ohne deutsches Vorbild, ohne Mitwirkung deutschen Ein-
flusses wäre es nicht möglich gewesen, das geistige, musikalische
und künstlerische Leben der Amerikaner aus überkommener
Schablone, aus einengenden Schranken herauszuheben, auf
lichtere Höhen und in wärmere Strömungen zu führen.

Und auf der anderen Seite: Von der Lernbegierde, von
der Emsigkeit, von der Unverzagtheit besonders, unmöglich Ge-

haltenes für durchführbar zu erachten, von dem Selbstvertrauen, von der Frische und Freiheitslust, verbunden mit dem Sinne für Gesetzmäßigkeit mußte die empfängliche Seele des Deutschen genug in sich aufzunehmen, um ihn zu hervorragender Mit= arbeit zu befähigen, zu einem wertvollen Mitglied im neu sich bildenden Volkstum zu machen.

Darum, wenn Deutschamerikaner ihren Stolz darein setzen, Gutes aus dem Geist ihres eigenen Volkstums hinüberzutragen in ihr neues amerikanisches Volkstum, so vermögen sie selbst sich nutzbringend diesem neuen Volkstum nur dann anzugliedern, wenn sie manches Mitgebrachte abgestreift und an dessen Stelle Amerikanisches gesetzt haben.

Zweifellos hat das allmählich zusammenwachsende Ameri= kanertum ein Recht auf Erbschaften geistiger Art aus all den europäischen Mutterländern, die ihm ihre Kinder zugeschickt haben. „Nicht England, sondern Europa ist das Mutterland Amerikas,“ hat Benjamin Franklin gesagt. Eine Mitgift edelster Art, den Sinn für gesetzmäßige Selbstregierung und Freiheit, haben die ersten Ansiedler aus England mitgebracht und ge= pflegt. Mit leidenschaftlicher Eifersucht und Hintansetzung alles anderen haben sie diese englische Mitgift verteidigt. Zu solcher Mitgift sollen nun als weitere Gaben die Erbschaften aus den anderen Ursprungsländern des amerikanischen Volkes kommen.

Wer aber wird solche Erbschaften übermitteln? Es ist dies offenbar nicht ganz leicht. Es ist schon (S. 33) gezeigt worden, wie strebsame junge Amerikaner nach einem Stück ihrer Erb= schaft auf deutschem Boden gesucht haben; wie sie es fanden und hinübertrugen. Anderes wurde überliefert aus den Händen der Eingewanderten; der Versuch, selbst zu holen, wird oft= mals wiederholt; eigene Sendlinge tragen einzelne Stücke vom Mutterboden hinüber.

Bei solchem Geben und Empfangen konnten unerwartete Entdeckungen nicht ausbleiben. Lange hatte man sich in Deutsch= land mit oberflächlicher Kenntnis Amerikas begnügt, absprechende Urteile hörte man nicht selten, man übersah den eigenartig großen Zug, der durch die amerikanische Welt geht, man schätzte die amerikanische Gelehrsamkeit nicht allzu hoch, entbehrte jedes Einblicks in den riesigen Bildungsdrang dort, sprach dem Ame= rikanertum jede Art von Idealismus ab. Erst jetzt entdeckte man, daß es kein Mangel an Idealismus ist, wenn diese Art

von Geistes- und Gemütsrichtung andere Formen und Ziele
annimmt, als dem deutschen Idealismus eigen sind; daß deutsches Gelehrtentum und deutsche Geistesarbeit überhaupt sich
tüchtig regen müssen, um nicht von amerikanischen Fachgenossen
überflügelt zu werden; daß Wissen nicht nur, sondern auch die
Tugenden der Mäßigkeit, der Selbstzucht unter dem Volke in
Amerika nach Breite und Tiefe in steter Zunahme begriffen sind.

Als natürlichster Vermittler der aus Deutschland
stammenden Erbschaft steht das Deutschamerikanertum da.
Nach wie vor werden die meisten aus seiner Mitte eingeschluckt
werden vom Amerikanertum, ohne in der allgemeinen Mischung
eine Spur ihres Dagewesenseins zu hinterlassen. Sache weniger
Persönlichkeiten oder in Vereinen auftretender einzelner wird
es bleiben, denjenigen Stücken deutscher Anschauungen, deutschen
Geistes- und Gemütslebens Eingang in die amerikanische Welt
zu verschaffen, welche als Gegengewicht dienen könnten gegen
mancherlei Schäden und Auswüchse des öffentlichen Lebens. —

Ja, es waren Vorläufer vorhanden, aber mit einiger Wucht
hat sich geistiges deutsches Leben doch erstmals unter den Amerikanern bemerklich gemacht, als die Achtundvierziger in
hellen Strömen über die Landungsbrücke schritten, um an dem
Kampf teilzunehmen, der sich damals vorbereitete zum Schutz
der alten die Union begründenden Gedanken, zum Schutz der
Freiheit und Menschenwürde. Und gerade hier zeigt sich die
Wechselbeziehung zwischen Nehmen und Geben in ganz auf-
fallender Weise.

Die Achtundvierziger wußten Einfluß zu äußern auf das
öffentliche und gesellschaftliche Leben, das ist richtig. Allein
sie kamen dazu nur deshalb, weil sie sich selbst auf dem Boden,
in der Luft ihres neuen Vaterlandes zu ganz anderen gemodelt
hatten. Zuerst empfingen sie, bevor sie sich anschickten, zu
geben. Vom ersten Tag an, da sie den Fuß ans Land setzten,
legten sie, in wachsendem Maße während des Fortschreitens,
eines ihrer mitgebrachten Vorurteile nach dem anderen nieder;
insbesondere lernten sie, daß abweichende politische Ansichten
keinen Charakterfehler bedeuten, nicht als Sünde gegen den
heiligen Geist anzusehen seien, die nicht vergeben werden könne;
daß es Zeichen aller derer sei, die auf politische Einsicht und
Durchbildung Anspruch machen, auch dem System des Gegners,
wenn er als Sieger hervorgehe, sich zu unterwerfen, an dem

öffentlichen Wohl weiter mitzuarbeiten und nicht untätig, miß= launig, griesgrämig beiseite stehen zu bleiben.

Damit bekam die besondere Art der Achtundvierziger, die im Heimatland zur Versteinerung führte, in Amerika neues Leben; Engherzigkeit sah sich geweitet und die sinnlos gewor= denen Schlagwörter verloren zum Vorteil der Redenden wie der Hörenden ihre Kraft. Eine recht beherzigenswerte Lehre haben die Achtundvierziger denen gegeben, die, auch heute noch, erhobenen Hauptes nach Amerika kommen und meinen, bloß geben zu können; sie haben gezeigt, was es heißen will, der rücksichtslosen Energie des Amerikanertums nachzueifern, seinen gesunden Materialismus, seine straffe Mannhaftigkeit, seinen ritterlichen Sinn sich anzueignen und die deutsche Rechthaberei, Umständlichkeit und Krittelei zu ersetzen durch politische Zucht, den toten Doktrinarismus durch naturwüchsige Empirie.

Lernend und lehrend haben sich die Achtundvierziger in den Kämpfen um Erhaltung der Union, wie in der Aufschließung und Besiedlung der Union die größten Verdienste um ihr neues Vaterland erworben, bessere Bedingungen zugleich den unsicht= baren Einflüssen deutscher Anschauungen und deutschen Gemüts= lebens geschaffen. Auch ein an sich unbedeutendes äußeres Zeichen, der deutsche Weihnachtsbaum, weiß den amerikanischen Familien davon zu erzählen. —

Hundertmal wird seit den Achtundvierzigern bis heute die Frage aufgeworfen: Wie ist denn endlich klipp und klar die Aufgabe, das pflichtschuldige Handeln des Deutschamerikaner= tums zu fassen? — Als eine Antwort darauf kann betrachtet werden, was im „Marbacher Schillerbuch" Fernande Richter aus St. Louis in dem Artikel „Der Schillerverein in Amerika" sagt: „Was für ein kolossales Material für den Kampf um die Erhaltung der deutschen Art liegt in diesem Lande brach oder verzettelt sich in kleinlicher Vereinsmeierei! Nicht bloß Gemütlichkeit in engem Kreise soll hier der Deutsche pflegen; er soll auch zuweilen ‚ungemütlich' werden können, wo es not= tut. Jeder einzelne soll mithelfen an der Riesenarbeit, die sich unsere Besten, im Lande zerstreut, gestellt haben: Amerika den Stempel deutscher Geistesarbeit aufzudrücken. Erhaltung der deutschen Sprache tut es allein nicht; das ist ein Schlagwort geworden, das jene am meisten im Munde führen, die mit ihren Kindern schlechtes Deutsch reden und sich in ebenso

schlechtem Englisch antworten lassen. Die deutsche Art des
Denkens und Fühlens, die deutsche Kunst, Wissenschaft und
Technik, den deutschen Kopf und das deutsche Herz, das ist es,
was dieses Land der Zukunft braucht. Dazu möchte der deutsch=
amerikanische Nationalbund helfen, indem er die Deutschen
Amerikas verbindet. Um diesen Zweck zu erreichen, muß alles
kleinliche Parteigezänke unterbleiben, muß das Selbstbewußtsein,
das der Deutsche in der Fremde so leicht verliert, geweckt wer=
den. Darauf arbeitet der Nationalbund hin, dabei möchte ihn
der Schillerverein unterstützen."

Wir sehen, es ist ein recht schwieriges Geschäft, das hier
vorliegt, und an mancherlei Voraussetzungen geknüpft. Nehmen
wir an, es handle sich nicht um das Volk der Vereinigten
Staaten, auf das eine Einwirkung geäußert werden soll, son=
dern um eine politisch und seelisch niedriger stehende Raſſe in
einem Mestizenstaat etwa, so stellte sich weit leichter und sicherer
Rat ein: ballt ein überlegenes Volkstum zusammen, macht es
geltend politisch, gesellschaftlich und materiell, bildet einen Staat
im Staat, eine beachtenswerte Opposition, sehet darauf, daß ihr
im Beamtenstand und in der Volksvertretung, wenn nicht die
Oberhand, doch völlige Parität behauptet.

Nun liegen aber die Dinge in den Vereinigten Staaten
seit Jahrhunderten ganz anders. Die aus Deutschland nach
Amerika flüchteten, um dem bleichen Hunger zu entgehen oder
religiöser Bedrängnis zu Ende des 17. Jahrhunderts oder im
Laufe des 18., sie trugen den Fluch mit sich, Kinder des durch
den Krieg der Dreißig Jahre in allem Kulturfortschritt weit
hinter die anderen Nationen zurückgeworfenen, kaum mehr be=
achteten Volkes zu sein. Am Strande von Amerika standen
sie, freilich arbeitsfroh, aber doch sich klein fühlend gegenüber
dem Ansiedler oder Städtebewohner aus angloſächſiſchem Blut
mit seiner Sicherheit, seinem Selbstvertrauen, seinem Stolz
und jeglicher Art von Überlegenheit in politischer Erziehung.

Ja, wenn der Glanz und die Blüte deutscher Reichsstädte
des 16. Jahrhunderts nicht zu Asche verbrannt worden wären,
wenn sie angehalten hätten bis ins 18. Jahrhundert; wenn die
Kinder dieser Reichsstädte unter selbstbewußten Führern in
Amerika aufgetreten wären, wenn sie sich neben die aus Anglo=
blut Stammenden gestellt hätten als gleiche neben gleiche, alte
Stammesfreundschaft bei solchem Wiedersehen erneuernd, ver=

wandt im Denken und Fühlen, durch Erziehung in langer demo=
kratischer oder aristokratischer Selbstregierung politisch gewandt
geworden, — dann möchte ein Deutschamerikanertum sich her=
ausgebildet haben vornehmster Art, ein wahrhaft adlig Ge=
schlecht.

Die Wirklichkeit hat anderes geschaffen. Und schwer wird
es heute dem seit den Jahren 1848 und 1870 einwandernden
deutschen Geschlecht, das, was früher versäumt worden ist,
einigermaßen nachzuholen. Denn auf die Anfänge des Zu=
sammenwachsens kommt alles an, auf die Wertschätzung jedes
einzelnen Teils der Mischung.

Und auf der anderen Seite: Es fehlt auch heute nicht in
Amerika an fanatischen Nativisten und Schreiern gegen die
Deutschen. Daß sie immer seltener werden, will man beob=
achtet haben; so sagte man mir. Der Standpunkt, die Ein=
wanderer, auch gegen ihren Willen, so rasch als möglich zum
Aufgeben ihrer Nationalität zu zwingen, sei verlassen; der dem
Deutschtum wohlwollend gegenüberstehende Gelehrte Dr. William
Torvey Harris führt in seiner Rede über „deutschen Unterricht
und Empfindungseigenheiten von Angelsachsen und Deutschen"
aus: Es sei von der größten Wichtigkeit, daß der Einwanderer
durch Erkennen der besten Institutionen des Landes amerikani=
siert werde. „Denn wenn wir unsere Einwanderer nicht ame=
rikanisieren, indem wir sie zur Teilnahme an den besten Er=
rungenschaften unserer Zivilisation veranlassen, werden sie weit
eher zur Entartung unseres Gemeinwesens beitragen."

Der Deutschamerikaner müsse sich deshalb mit zwei Sprachen
vertraut machen. Würden seine Kinder ausschließlich Englisch
lernen, so müßte ein zu plötzlicher und unvermittelter Abbruch
der Rassenkontinuität eintreten. Von größter Bedeutung für
die Entwicklung der Jugend zur Individualität bleibe der
geistige Zusammenhang mit der Geschichte der eigenen Vorfahren
in der alten deutschen Heimat. Solcher Geschichtszusammen=
hang gebe soliden Untergrund für die Entwicklung von Selbst=
achtung und Ansporn für Weiterentwicklung. „Eine Klasse von
Einwanderern, die kein Verlangen trägt, mit Heim und Familie
die alten Beziehungen aufrechtzuerhalten, ist wenig wünschens=
wert, denn sie wird wahrscheinlich Unheil in das Land bringen,
in das sie einwandert."

Also kein plötzliches Abbrechen mit dem aus der deutschen

Heimat herüberwehenden Geiste; ein durch Generationen hin=
durchgehendes, halb unbewußt vor sich gehendes Amerikanisiert=
werden; kein Hintersichwerfen der seitherigen Kulturwelt, ein
auch nach geschehener Amerikanisierung noch fortgehendes, weil
zur Gewohnheit gewordenes Festhalten an den Schätzen der
deutschen Gedankenwelt, an all dem Großen und Schönen, was
Deutschland der Menschheit gegeben.

In welcher Weise kann dabei die deutsche Mutter=
sprache gehütet werden? Denn mit der Sprache hängt ja
auch die Gedankenwelt aufs innigste zusammen. Um Antwort
zu erhalten, müssen wir auf Franklin zurückgehen: nicht Eng=
land, nein Europa ist das Stammland des Amerikanertums.
Es gibt keine Unterdrückenden, demnach auch keine Unterdrückte.
Es handelt sich um ein neues, aus allen Völkern sich zusammen=
setzendes Volk, das natürlich auch seine eigene einheitliche
amerikanische Sprache hat, — Englisch, mit eingestreuten be=
sonderen Eigenheiten, wie das sich von den ersten Kolonisten
an weitergeerbt hat. Es ist demnach nie daran zu denken, daß
ein Gerichtshof z. B. in anderer Sprache verhandeln könnte;
man ist ja in Amerika, das seine eigene, von alters her über=
lieferte Sprache hat.

Die Sprache ist ein Fertiges, an dem nicht gerüttelt
werden kann; nur das amerikanische Volkstum, das ist ein
Werdendes, ein erst sich Zusammenschließendes. Deshalb wäre
es ungerecht, vom reichsdeutschen Standpunkt aus einen Deutsch=
amerikaner deshalb zu verurteilen, weil er sich befleißigt, mög=
lichst rasch sich eine Beherrschung der in seinem neuen Vater=
land geltenden Sprache anzueignen.

Dies vollständige Beherrschen der Sprache ihres neuen
Heimatlandes glückt verhältnismäßig nur wenigen; man be=
gnügt sich mit den Alltagsreden; die außerordentliche Kraft,
Schönheit und Schmiegsamkeit der neuen Sprache bleibt den
meisten ein Geheimnis. So kommt es auch, daß Deutsche im
Kongreß und in führenden Ämtern verhältnismäßig selten
sind; etwas häufiger auf der Kanzel und auf dem Lehrstuhl.
Diejenigen sind selten, die, wie Karl Schurz und Reinhold
Solger, sich ganz in den Geist der Sprache des neuen Vater=
landes eingelebt haben. Die nächste, die in Amerika geborene
Generation aber, oder die übernächste, die muß in die Bresche
treten und dafür sorgen, daß dem amerikanischen Volkstum

deutfche Wesenszüge in deutlicheren und bleibenden Furchen eingegraben werden.

Die zweite oder gar dritte Generation des Deutfchameri= kanertums wirken zu laffen, um die neue Heimat deutfcher Art und ihren Geiftesfchätzen, der gefamten aus Deutfchland ftam= menden und mit Recht dem Amerikanertum verfallenen Erb= fchaft, näher zu bringen, darin mag die wefentlichfte Aufgabe des nach Amerika verpflanzten Zweiges deutfcher Nation erblickt werden. Aber gerade damit die zweite und dritte Generation wirken kann, damit fortwirkend auch die anderen an dem an= gefangenen Werk teilzunehmen vermögen, ift es unerläßlich und durchaus notwendig, daß der geiftige Zufammenhang mit deutfchen Errungenfchaften, mit dem Idealismus der Vorväter, mit ihrer Tüchtigkeit, mit ihren fittlichen Anfchauungen leben= dig erhalten bleibt, daß diefe ganze reiche Kulturwelt, vom Märchen angefangen bis zu den lichteften Geifteserzeugniffen, als ein Gefchloffenes, Ganzes, als ein Heiligtum von einer Hand in die andere übergeht, von einem Mund zum andern gepredigt wird. Ob das in deutfcher Sprache gefchieht oder in der Sprache Amerikas, ift gleichgültig; ja es mag nützlicher und eindringlicher fein, wenn es in der Sprache Amerikas fich vollzieht.

Denn volle und tüchtige, bis in die Knochen echte Ameri= kaner wollen ja auch die fein, die nicht farblos in der allge= meinen Mifchung der neu fich bildenden Menfchenraffe unter= gehen, die nicht mit leerer Hand kommen wollen.

Wie ein Sauerteig haben einftmals die aus den Neu= englandftaaten nach dem weiten Weften ziehenden Siedler mit ihren noch halb puritanifchen Lebensanfchauungen auf den allmählich im Lauf der Generationen fich bildenden Nationalcharakter gewirkt und zur Feftigung der gefunden Fafer im Körper des amerikanifchen Volkes ein Wefentliches beige= tragen; jene wortkargen Männer mit den entfchloffenen Ge= fichtern, hart wie gehacktes Eifen, unbeugfamen Nackens, auf nichts fo ftolz als auf das Glück, Amerikaner zu fein. Nie= mals hat wohl die Menfchheitsgefchichte Erzieher, Kolonifatoren, Sämänner von fo ftarkem Geift, von fo hohem moralifchem Wert gefehen. Und doch hat die Zeit zu der Erkenntnis ge= führt, daß manches Vorurteil, manche Engherzigkeit mit ihnen gezogen ift. Solche Mängel zu heben, Lücken zu füllen aus

deutschen Anschauungen heraus, dazu sind schon Anfänge ge=
macht worden. Ein Werk aber, großartig wie kaum ein
anderes, könnte geleistet werden, wenn aus deutschem Blut ein
Geschlecht erstünde, das von amerikanischen Anschauungen genug
eingeschluckt hat, um befruchtend wirken und sich in seiner
Sauerteigart an das Tun jener Neuenglandmänner anreihen
zu können.

So möchte es geschehen, daß die Repräsentanten, die Ab=
leger von zwei Edelrassen sich ergänzen, um ein einheitliches
Neues hervorzubringen. Solchen Vertretern deutschen Blutes,
in zweiter oder dritter Generation in Amerika geboren, mit
ihren deutschen Idealen im Herzen dem eigenartigen amerika=
nischen Idealismus sich vermählend, solchen möchte es gelingen,
die Vermittlerrolle zwischen dem deutschen Ursprungsland und
der neuen amerikanischen Nation zu übernehmen, enge, unlös=
bare Verbindung zwischen Geistesverwandten zu knüpfen. —

Neben deutscher Einwanderung fällt am meisten ins Ge=
wicht die der Irländer. Bedeutungsvoller noch wird, daß, wie
man mir sagte, die Irländer unter allen Umständen zusammen=
halten und für Angelegenheiten örtlicher Politik eine hervor=
ragende Begabung besitzen. Von den Deutschen aber hat lange
gegolten, was in der Zeitschrift „Der deutsche Pionier" gesagt
worden ist: „Noch niemals hat ein Deutscher im öffentlichen Leben
dieses Landes eine Rolle gespielt, der nicht von seinen eigenen
Landsleuten am grimmigsten verfolgt und angegriffen worden
wäre. Wir brauchen gar nicht an die Niederträchtigkeiten zu
erinnern, welche früher, und zwar stets von Deutschen, gegen
Karl Schurz ausgeheckt worden sind, wir dürfen nur erwähnen,
mit welchem Haß Brentano in letzter Zeit wieder in Chicago
verfolgt wurde, und wie gegenwärtig es die deutsche Gesinnungs=
tüchtigkeit im Westen versucht, sich an anderen wackeren Ver=
tretern des Deutschtums zu reiben. Wie kann ein Deutscher
Achtung und Rücksicht von den Amerikanern fordern, solange
diese sehen, daß er an seinen eigenen Landsleuten keinen Rück=
halt hat, daß vielmehr deutsche Zungen und Federn fortwährend
beschäftigt sind, ihn zu untergraben?"

Ja, es komme vor, daß eine ganz bedeutende Minderheit
von Irländern in irgend einer wesentlich von Deutschen be=
wohnten Stadt es dahin bringe, sich alle öffentlichen Ämter und
und jegliche Art von Vertretung in die Hände zu spielen.

Was sagt doch Bismarck von der Lust des Deutschen am Krieg
mit dem Landsmann? Auch das Judentum mit seinem festen
Kitt wisse sich nicht selten einen Vorsprung zu sichern.

Dagegen wird immer wieder über das Abstreifen jeglicher
Art von Idealismus beim großen Haufen der Deutschen ge=
klagt. Das neue Vaterland habe sie wohl satt gemacht, aber
dafür all ihr Wollen und Wünschen, ihre besten Kräfte in
Ketten geschlagen; der Lebensgenuß habe bei ihnen die denkbar
materiellste Form angenommen. Von gemeinschaftlichem Kämpfen
und Ringen, von gegenseitigem Sichstützen, vom Zeigen ge=
meinschaftlicher Ziele sei keine Rede.

Beim Stiftungsfest der „Vereinigung alter deutschen Studen=
ten" in New York im März 1903 trat unter anderen Rednern
auch Richard Bartholdt auf, Kongreßmitglied für Missouri
(S. 13): man möge ihm, der fortwährend inmitten des Kampfes
stehe, seine Mahnungen nicht übelnehmen, aber es dränge
ihn, daran zu erinnern, daß es viel besser wäre, wenn von den
Deutschen die Politik nicht so über die Achsel angesehen würde.
Von anderen Seiten regne es Flugschriften, Beschlüsse und
Eingaben; vom deutschamerikanischen Walde aber gelte: „Über
allen Wipfeln ist Ruh." — „Wir müssen uns am politischen
Leben in regerer Weise beteiligen; es ist uns eine Pflicht nicht
nur gegen uns selbst, auch gegen unser gemeinschaftliches Adoptiv=
vaterland. Wir Deutschamerikaner nehmen es doch sonst so
genau mit der Erfüllung unserer Pflichten, warum nicht mit
dieser?" — Durch Beschluß des Kongresses solle nunmehr dem
deutschen Helden in der amerikanischen Revolution, Baron
Steuben, ein Denkmal in Washington gesetzt werden. Gerne
bekenne er sich zur Vaterschaft der Vorlage. Die Enthüllung
dieses Denkmals gebe dem Deutschtum Gelegenheit zu einer
großartigen Demonstration, die zugleich zum Verbrüderungsfest
sich gestalten könne. „Wir Deutschamerikaner, die wir weder
einen Staat im Staate, noch eine eigene Partei bilden wollen,
sollten es für heilsam und zweckmäßig halten, zuweilen unsere
Stärke zu zeigen, ebenso wie unsere Solidarität in Bezug auf
gewisse heutige Grundsätze und Ideale."

Solchen Worten, den Mahnungen der Presse, dem leben=
diger sich gestaltenden Zusammenhang mit dem Geistesleben
der alten Heimat mag es ja mit der Zeit gelingen, das Deutsch=
amerikanertum aufzurütteln, zusammenzuknüpfen und zum Nach=

Pfister, Nach Amerika im Dienste Friedrich Schillers   8

holen alter Versäumnisse zu bringen, damit deutsche Wesens=
merkmale deutlicheren Stempel auf dem Angesicht der amerika=
nischen Erde hinterlassen. Versäumtes nachzuholen scheint ja
Hauptaufgabe der deutschen Rasse, diesseits und jenseits des
Wassers, zu sein.

Heute treten deutsche wie irländische Einwanderer in den
Hintergrund vor einem Riesenstrom anderen Blutes, der aus
Ost= und Südeuropa stammt. Einst riefelten ins weite amerikanische Land fast nur klare Wasser herein, deren Quellen in
Deutschland, in der Schweiz, in England, Schottland, Irland,
in Skandinavien, in den Niederlanden, in Frankreich zu suchen
waren. Nur tropfenweise noch geben die alten klaren Quellen
ihre Wasser ab; ein mächtiger trüber Strom dagegen wälzt sich
aus Rußland, Österreich, Italien herein.

Im Jahr 1903 marschierten über die Landungsbrücke nur
40000 aus Deutschland, 35000 aus Irland, 26000 aus Schott=
land und England, aus anderen germanischen Mutterländern
noch weniger; dagegen 230000 aus Italien, 136000 aus Ruß=
land, 206000 aus Österreich=Ungarn.

Ja, früher, da sprangen mit frischem Satz die wilden
Schößlinge aus germanischem und keltischem Blut ans Land,
arbeitsfrohe Menge kam an und erhobenen Hauptes stellten
sich selbstbewußte Führer an die Spitze. Zu Schlacken ausge-
brannt sieht man heute Müde und Elende in schleichendem
Zuge sich herbeischleppen.

Eine riesige Aufgabe wird damit den seitherigen zu neuem
Volkstum zusammenwachsenden Elementen gestellt, die Aufgabe
des Aufsaugens, des Angliederns von so ungemein Fremd-
artigem. Ätzende, sauerteigartige, durchdringende Kraft, das
ist es, was als Kennzeichen des alten angelsächsischen Blutes
auftrat, das Deutschamerikanertum und andere ihm nicht allzu
fremde Stoffe angreifend und von ihnen abbröckelnd. Heute
mögen gerade Deutschamerikaner als bluts= und geistesver-
wandte Bundesgenossen erscheinen, um Herr zu werden über
die schwere, nur allmählich zu klärende Masse, in deren ver-
kommenem Kulturzustand vorerst noch wenig Verwandtes zu
entdecken ist.

Alt ist die Opposition gegen unleugbare Schäden unbehin-
derter Einwanderung. Wenig Zweck hatte sie im Grund, so
lange es sich um Verwandte handelte, um Skandinavier, Deutsche,

Schweizer, Irländer, aus England und Schottland Kommende.
Aber heute diese fremden Gesichter, diese bildungslosen Massen,
diese Hunderttausende von Analphabeten! Man beginnt in
Ellisisland scharf und schärfer mit dem Examinieren zu werden.
Vorerst werden Gründe für Zurückschicken geliefert durch Mittel=
losigkeit, Vorstrafen, Krankheiten. So bekommt mancher arme
Teufel nur den Zwinger von Ellisisland zu sehen und befindet
sich sofort auf dem Rückweg nach dem Lande, das ihn eben
ausgespien. —

Wer auf den Bahnhöfen von Baltimore oder Washington
oder noch weiter im Süden die Aufschrift auf den Personen=
wagen gelesen hat, am einen Ende: White, am anderen:
Coloured, der ist damit in eines der schwierigsten Probleme
für die innere Politik der Vereinigten Staaten eingeweiht
worden, in die Negerfrage, die vielleicht noch schwieriger zu
lösen ist als die Aufgabe des Assimilierens der aus Ost= und
Südeuropa zuströmenden fremdartigen Volksmassen.

Auf geheimnisvollen Pfaden pflegen sich Sympathien und
Antipathien der Völker durch die Jahrhunderte fortzupflanzen;
der Widerwillen gegen die Neger, gegen farbige Menschen
überhaupt, scheint unter den Weißen der Vereinigten Staaten,
speziell unter den aus anglosächsischem Blut Stammenden von
Generation zu Generation zu wachsen. — Die Neger, heute
fast 9 Millionen unter 80 Millionen Gesamtbevölkerung, sind
eine schlimme Erbschaft aus den Zeiten englischer Herrschaft.
Es gab ja eine Zeit, in der sich die Wohlfahrt Englands eng
mit dem Sklavenhandel verknüpft zeigte. Wir erfahren gleicher=
weise durch englische wie amerikanische Geschichtschreiber, daß
England die Aufnahme von Negern in seinen Kolonien er=
zwang. Kurz vor der Revolution beklagte sich der Agent für
Südkarolina, auf die sittliche und politische Gefahr hinweisend,
über das Treiben der englischen Sklavenhändler, erhielt aber
von der Regierung in London zur Antwort: „Wir können nicht
zugeben, daß die Kolonien irgend einen für die englische Nation
so vorteilhaften Vertrieb hemmen oder entmutigen."

Trotzdem blieb die Negerarbeit in Amerika eine sehr willkom=
mene Einrichtung und es hat lange gedauert, bis Negerhandel und
Negersklaverei ihr Ende gefunden. „Sollte die Frage der Skla=
verei nicht einstens Verwirrung und Bürgerkrieg, einen völligen
Umsturz erzeugen?" hat Thomas Jefferson 1784 gefragt. Der

Bürgerkrieg der Jahre 1861 bis 1865 vermag Antwort zu
geben. Denn im Grunde hat sich der Zwist doch um Sklaverei
gedreht, wenn auch ein bei weitem höheres Ziel vorschwebte, —
die Rettung des straff gegliederten Bundesstaats, dessen Gesetze
keine Sezession zulassen.

Es ist kein Zweifel, die Mehrzahl der Neger macht äußerlich
einen nichts weniger als sympathischen Eindruck. Allein es gibt
auch wohlgebildete Neger; namentlich begegnet man Negerinnen
von junonischer Erscheinung; ja, es erscheint beim Anblick der
Geschmeidigkeit dieses Gliedergefüges mit seinen weichen, nur
angedeuteten Wellenlinien nicht unglaubwürdig, daß Venus eine
Schwarze gewesen ist.

Alles das mag ganz schön sein, aber die Kluft, der Wider-
wille des Angloamerikaners bleibt. Man sagt, der beizende
scharfe Geruch, den transspirierende Neger erzeugen, sei wesentlich schuld daran. Vielen menschenfreundlichen Theorien ist in
der schwebenden Frage Raum geschaffen worden; aber auch
von dem Bedauern darüber kann man reden hören, daß einer
rohen Masse über Nacht ganz unvermittelt die Freiheit in den
Schoß gefallen sei, während eine gewisse Form der Hörigkeit
sicher der bessere Weg gewesen wäre. Daß es fast in allen
Lebenskreisen und Berufsarten ein paar Renommierneger gibt,
denen faktisch Gleichberechtigung zugestanden ist, kann wenig
helfen.

Freundlicher als der Angloamerikaner stellt sich der Deutschamerikaner den farbigen Mitmenschen gegenüber. Schon die
ersten deutschen Ansiedler von Germantown bei Philadelphia
richteten 1688 eine Petition an die Abgeordnetenversammlung
von Pennsylvanien, in der unbedingte Abschaffung aller und
jeder Art von Sklaverei verlangt wird. Immer sind es wieder
einzelne durch die dem Neger eigene grobe Sinnlichkeit hervor-
gerufene Verbrechen, welche den Zorn des weißen Mannes
zur Lohe entfachen und zu dem System des Lynchens führen,
dem als geheimer Trieb die Begierde zu Grunde liegt, die
Sühne für das beleidigte Gefühl sich nicht durch Gerichtsspruch
am Ende verwässern zu lassen.

Bei dem Mangel an gemeinschaftlichen Idealen auf seiten
der Schwarzen, bei dem Fehlen jeglichen Zusammengehörigkeits-
gefühls, was wunderlich genug klingt, kann von einer eigentlichen Negergefahr nicht wohl die Rede sein. Vielleicht ist von

der Zukunft den Deutschamerikanern die Rolle vorbehalten, auf dem strittigen Feld die Vermittler zu spielen und etwas von ihrem geistigen Einfluß dadurch zu bekunden, daß bloße Theorien in greifbare Wirklichkeit übersetzt werden. Dem Verdienst, das sich die Deutschamerikaner erworben bei dem Kampf um Aufhebung der Sklaverei, um Rettung des straffen Unionsgedankens, würde damit ein neues hinzugefügt. Schönster Lohn für die Beschwerlichkeit, ein Doppelleben führen zu müssen.

Und in der Tat, nach dem was schon oben ausgeführt worden ist, wird das Deutschamerikanertum zu einer Art von Doppelleben, wenigstens für eine Reihe von Generationen, verurteilt. Es soll des Herkommens, der Heimat nicht vergessen und doch mit voller Hingabe das neue Vaterland umfassen; nicht von sich werfen das, was von der deutschen Kulturwelt sich herschreibt, und sich doch nicht verschließen den echt amerikanischen Anschauungen und den frischen, aus dem Boden der neuen Heimat steigenden Kräften.

Die Aufgabe ist so schwierig, daß sie in vollem Umfang wohl nur von wenigen Auserwählten gelöst werden kann. Und doch ist die Verurteilung zur Doppellebigkeit auf amerikanischem Boden nicht neu. „Nochmals grüßen wir dich, glückliches Altengland!" Mit solchen Abschiedsworten sahen die aufs hohe Meer hinaussteuernden ersten Auszügler die Küsten des teuren Heimatlandes verschwinden. Und als sie den Fuß aus neue Land setzten, da bekundeten sie, daß sie ausgezogen seien „zum Ruhm unseres Königs und unseres Landes".

Mit einem Auge blickten die ersten Generationen der Ansiedler immer rückwärts nach dem glücklichen, frohsinnigen Heimatland, nach seinen Freiheitsidealen, nach seinem frisch in die Höhe schießenden Geistesleben. „Ein Altenglandmann zu heißen, war ein Ruhm," versichert Franklin. Zu derselben Zeit aber und mit derselben Entschiedenheit des Geistes wandten sie sich ihrer wahren Aufgabe zu, die neue Heimat sich zu gestalten als neues Land der Freiheit, wohl nach dem Muster der alten, aber unabhängig von ihr, nicht selten in gegensätzlicher Entwicklung. Im Kampfe des Gestaltens aber saugten sie, dem Recken Antäos gleich, immer neue, geheimnisvoll jugendliche Kraft aus dem neuen Heimatboden, aus dieser Mutter Erde, der bald ungeteilt all ihr Dasein galt.

Das alles ist nicht jedermanns Sache; nach wie vor werden

die meisten Deutschamerikaner eingeschluckt werden von dem neu
sich bildenden Volkstum, ohne auf der Oberfläche eine Farbe
oder Spur zu hinterlassen; Sache eines Kreises von Auser=
wählten aber wird es bleiben, die Wesenszüge des Deutschtums
festzuhalten und doch ins Amerikanertum sich so einzuleben, daß
sie im stande sind, als Träger des aus Deutschland stammenden
Erbes hinüberzutreten in die sich neu bildende Nationalität und
in deren Gemüt von den Schätzen deutscher Herkunft die wert=
vollsten einzusenken.

2. Das deutsche Volk und die Amerikaner

Als erster amerikanischer Student aus altem angel=
sächsischem Blut ist nach den neuesten Erhebungen (Viereck)
Benj. Smith Barton nach Deutschland gezogen. Im Jahr 1789
trug er als erster seinen Namen in das amerikanische Kolonie=
buch in Göttingen ein; zwei Jahre später promovierte er hier
als Mediziner. Seine Erfolge in Amerika haben nach zweierlei
Richtungen ihre Wirkung geäußert; einmal mehrte sich bis
zum heutigen Tag die Zahl der amerikanischen Studenten, die
schatzgrabend den deutschen Boden durchwühlen, und zum anderen
sah sich zunächst Göttingen unter den deutschen Universitäten
für die Amerikaner in vorderste Linie gestellt.

„Deutschland war zu jener Zeit den Amerikanern ebenso
unbekannt wie China", wird zu Anfang des 19. Jahrhunderts
versichert, als Wissensdurst vereinzelte Studenten von der Har=
vard=Universität nach Göttingen führte: insbesondere studierte
hier George Bancroft von 1818 bis 1820. Der Strom der
Lernenden und deutsche Methode in die Schulen von Neuengland
verpflanzenden wuchs jetzt alljährlich, und Professor Learned
(S. 32) kann in „Deutschlands Einfluß auf die amerikanische
Literatur" 1901 sagen: „In dieser Periode der deutschen An=
regung haben wir die Anfänge amerikanischer Germanistik zu
suchen, aus der unsere Geschichtschreibung, unser späteres aka=
demisches Erziehungswesen, unsere Gymnastik, unsere Musik,
zum Teil unser Forschungstrieb auf dem Gebiet der Natur=
wissenschaft, unsere liberale Tendenz in Theologie und Religion,
besonders die sogenannte neue Kritik, unsere Philosophie und

zum großen Teil unſere ſchöne Literatur und angehende litera=
riſche Kritik direkt oder indirekt erwachſen ſind. Von dieſer
Zeit an war Deutſchland für den gebildeten Amerikaner ein
zweites Athen."

Es wird berichtet, daß 1898 von dieſen alten „Göttingern"
noch 225 am Leben waren, darunter die größere Hälfte Pro=
feſſoren an amerikaniſchen Univerſitäten oder ſonſtigen höheren
Lehranſtalten. Eine Anzahl von ihnen verſammelte ſich in
New York in einem Raum, der mit den Büſten folgender Kom=
militonen geſchmückt war: Edward Everett, George Bancroft,
Longfellow, Motley, Benjamin Franklin (deſſen Urenkel einer
der Kommilitonen war) und Fürſt Bismarck. Dabei erging
ſich Profeſſor Harris in ausführlicher Rede über die Frage:
„Hat der amerikaniſche Student einen beſonderen
Nuzen zu erwarten, wenn er deutſche Hochſchulen be=
ſucht?" Er müſſe das unbedingt bejahen. Gerade an deutſchen
Hochſchulen komme man mit den wahren Quellen der Wiſſen=
ſchaft und des modernen Denkens in Berührung.

Wenn zu Beginn des 19. Jahrhunderts Göttingen noch den
Hauptanziehungspunkt bildete, ſo verteilen ſich heute die ameri=
kaniſchen Studenten auf eine ganze Reihe von Univerſitäten:
Berlin, Halle, Leipzig, München, Heidelberg, Freiburg, Würzburg.
Rechnet man techniſche Hochſchulen, Muſik= und ſonſtige Kunſt=
inſtitute hinzu, ſo mögen es 700 bis 1000 junge Amerikaner ſein,
welche ein Stück ihres Wiſſens in Deutſchland holen. Eine große
Anzahl von ihnen beſteigt den Lehrſtuhl, verpflanzt deutſche
Methoden, und ſo kommt es, daß gerade die bevorzugteſten
amerikaniſchen Univerſitäten den deutſchen immer
ähnlicher werden.

Kaum hatte George Waſhington ſein Amt als erſter Präſi=
dent angetreten, als er ſich zu Beginn des Jahres 1790 in
ausführlicher, dem Kongreß gewidmeter Programmrede über die
erzieheriſchen Aufgaben der jungen Republik ausſprach: „Nichts
verdient Ihren Schutz mehr als die Förderung der Wiſſenſchaft
und Literatur. Wiſſenſchaft iſt in jedem Land die ſicherſte
Grundlage der öffentlichen Wohlfahrt. In einem Staate aber,
wo die Maßnahmen der Regierung von der Denkweiſe des
Volkes ſo unmittelbar beeinflußt werden wie bei uns, iſt die
Wiſſenſchaft verhältnismäßig noch wichtiger als in anderen
Ländern. Sie trägt in verſchiedener Weiſe zur Sicherſtellung

einer freien Verfassung bei — — dadurch, daß man das Volk
lehrt, seine eigenen Rechte zu kennen und zu schätzen — —
den Geist der Freiheit von dem der Zügellosigkeit streng zu
sondern — —." — „Ob dieses wünschenswerte Ziel durch Unter=
stützung bereits bestehender Pflegestätten der Bildung, durch die
Gründung einer nationalen Universität oder durch andere
Mittel am besten befördert werden kann, das wird der Be=
ratungen der Gesetzgeber wohl wert sein."

Einer der hervorragendsten amerikanischen Philosophen, Ralph
Waldo Emerson, Carlyles Freund, läßt sich ähnlich vernehmen
und ermahnt zugleich die Amerikaner, in geistiger Hinsicht un=
abhängig und selbständig zu werden. So galt es zunächst,
englische Schablone abzustreifen, französische nicht anzunehmen,
von deutscher Methode das Nutzbringende als vorbildlich zu
betrachten, im ganzen und großen aber auf eigenen Füßen zu
stehen. So entstand als ein neuer Begriff die amerikanische
Universität.

Von der englischen wie von der deutschen Art unterscheidet
sich dieser neue Begriff wesentlich und zwar durch das Vorhan=
bensein des College. Die englische hat ja auch Colleges, Semi=
narien, ja sie setzt sich zusammen aus einer Reihe von Colleges,
die sich zur Universität verhalten wie die Einzelstaaten zur
Union oder zum Deutschen Reich. Für die deutsche Universität
fehlt der Begriff College überhaupt. In der amerikanischen
aber stellt die Einrichtung des College die philosophische Vor=
schule für die eigentlichen Berufsfakultäten dar, etwa mit den
Fächern der Prima eines Gymnasiums zusammen mit den ein=
führenden Fächern einer deutschen Universität.

Was angedeutet sich findet in den Worten Washingtons,
eine nationale Universität als geistiger nationaler Mittel=
punkt, als Spitze und Vorbild des gesamten Bildungswesens,
das konnte nicht erreicht werden. Die Universitäten und das
gesamte Erziehungswesen blieben Sache der Einzelstaaten in
Amerika wie in Deutschland. Zu den Universitäten der Staaten
traten noch die reich botierten Privatuniversitäten.

So hat sich die Art und Methode der amerikanischen Uni=
versitäten mit der Zusammenknüpfung von allgemein bildendem
College und Fachschule herausgebildet, so ihre weite Verbreitung.
Über die Ziele der Universitäten gewähren die Worte
Licht, welche die Chicago=Universität von sich sagt: gleich den

deutschen Schwesteruniversitäten erkennen sie den unmeßbaren
Wert der freien wissenschaftlichen Forschung. „Nicht Gelehr=
samkeit an sich ist unser Ziel, nein, Gelehrsamkeit im Bunde
mit den Pflichten des wirklichen Lebens, Weitung des Geistes,
Kräftigung des Körpers, Unbefangenheit im geselligen Verkehr."
Kurz: nicht bloß die Verbindung der Fachschule mit dem
College als Vorschule begründet ein unterscheidendes Kennzeichen
zwischen deutscher und amerikanischer Universität; fast in noch
höherem Grade tut dies der von England herübergenommene
Begriff des Gentleman. — Wiederholt ist mir von glücklichen
Müttern erzählt worden, daß sie eben die Ausrüstung besorgen
für den Ältesten, der mit nächstem die Universität beziehen
solle. „Was der junge Student denn zu werden beabsichtige?"
war darauf die natürliche Frage des noch uneingeweihten
Deutschen. Sie glaube nicht, lautete die Antwort der Mutter,
daß ihr Sohn eine Profession erwähle, er werde nach zwei
oder drei oder vier Jahren des Studiums in Vaters Geschäft
eintreten.
Diese jungen amerikanischen Herren treten also aus dem
College aus, bevor die Fachausbildung zum Mediziner, Rechts=
gelehrten u. s. f. beginnt. Sie hatten ja von vornherein kein
anderes Ziel, als sich in Philosophie, Literatur, Volkswirtschafts=
lehre die allgemeine Bildung des Gentleman anzueignen. Nach
erfolgreicher Absolvierung des College wird der Student durch
Verleihung des Grades eines Bachelor of art (A. B.) ein
Graduierter, das heißt ein alter Herr der Universität. Er ist
damit in den Kreis der Gebildeten aufgenommen, fürs ganze
Leben gestempelt. Und in der Tat, fürs ganze Leben halten
die Universitätsjahrgänge zusammen, die ihnen Angehörigen
fühlen sich stets als Mitglieder ihrer Alma mater, und sie ist
es auch, die in erster Linie bei ihnen eine stets offene Hand
findet. — Die Kameraden, welche nach vierjährigem Besuch des
College in die Fachschulen als Graduierte übertreten, verlassen
diese nach abermaligem vierjährigem Kurs als Doktoren ihres
Berufs, was dieselbe Bedeutung hat, wie anderwärts das Staats=
examen. Das College aber ist es, nicht die arbeitsreiche Fach=
schule, das fürs ganze Leben die zusammenknüpfenden Studenten=
erinnerungen hinterläßt und damit den Gelehrten, den Beamten
mit dem Kaufmann, dem Industriellen, dem Erfinder auf eine
und dieselbe Stufe hebt, ihnen denselben Bildungswert verleiht.

Mancher, der sich mit kleinlichem Tun in engbegrenzter Beamtentätigkeit dreht, die Wissenschaftlichkeit weder verlangt noch gibt, glaubt heute noch auf deutschem Boden eine selbstverständliche Überlegenheit über den Großindustriellen, den Techniker, den Bankier, den Kaufmann, den Künstler beanspruchen zu dürfen einfach deshalb, weil es ihm als künftigem Beamten vergönnt war, ein paar Jahre lang, oft mühselig genug, akademische Luft zu atmen.

Solche Verschiebung des Menschenwerts zu Gunsten des Bureaukratismus würde auf das wirksamste ausgeglichen, sobald deutsche Universitäten und deutsche Familien amerikanisches Vorbild sich aneignen würden. — Die Scheidung der gebildeten Welt nach bisher eingelebtem Vorurteil, führt Dr. Sieveking bei seinem Vorschlag einer Privatuniversität in Hamburg aus, gehöre vergangenen Zeiten an. Eine neue Universität, bei der Mensuren und Kneipzwang ausgeschlossen seien, müsse kaufmännischen und ähnlichen nicht gelehrten Kreisen zugänglich sein. Es sei kein Grund vorhanden, weshalb ein Kaufmann oder Industrieller nicht ein ebenso guter Beamter, Gesandter, Staatsmann, Minister sein könne wie jemand, der das Abiturientenexamen gemacht und einige Jahre studiert habe. „Sollen Deutschlands Kulturträger," schreibt Professor Münsterberg von der Harvard-Universität dazu, „endlich ein einheitliches Bildungsniveau finden, so müssen die künftigen Führer des deutschen Großhandels und der deutschen Weltwirtschaft mit den künftigen Beamten, Politikern und Gelehrten eine Weile gemeinsam akademische Luft atmen und mit ihnen gemeinsam, zu Füßen der größten deutschen Gelehrten, Geschichte und Literatur, Volkswirtschaft und Rechtslehre, Naturwissenschaft und Philosophie studieren."

Dann hätte alle fortschrittsfeindliche Zünftlerei und Möncherei ein Ende; der gemeinschaftliche Boden wäre gefunden unter Verurteilung des exklusiven Kastengeistes, der stete Zusammenhang der gelehrten Welt mit allen Kreisen des Volkstums. Mehr noch, der höheren Intelligenz wäre die Brücke gebaut, um von sich aus wohltätig auf das Leben des Volks einwirken und die Geister lenken zu können.

Wohl aus dem Grunde, weil die vortreffliche Idee George Washingtons (S. 120) von einer nationalen Universität, als eines Vorbildes für alle anderen, sich nicht verwirklicht hat,

zugleich wohl auch, um den unklaren, dehnbaren Begriffen von
University und College eine feste Stellung zu geben, ist im
Frühjahr 1900 von 14 Universitäten eine Vereinigung ge=
schlossen worden zu dem Zweck, in gemeinschaftlichen Maßregeln
alle Fragen über Universitätsstudium zu erledigen. Der Staat
führt ja wohl auch über Privatuniversitäten die Oberaufsicht,
allein der Spielraum für selbständige eigenartige Entwicklung
ist immer noch so groß, daß eine Art von gleichartigem System
sich ohne das erwähnte Abkommen nur schwer erreichen ließe.

Unterschiede im Wert der Universitäten, im Wert der er=
reichten Ziele, der Doktorwürde, gibt es noch genug; auch
Irreführendes durch Namen und Begriffe fehlt nicht. Einzelnes
aber mag als durchgehender Zug gelten: einmal, daß der
amerikanische Student durch die Art, wie er wiederkehrende
Prüfungen und Vorlesungsbesuch zu erledigen hat, zu viel
fleißigerer Arbeit angespornt wird als der deutsche; zum anderen,
daß jede Universität nach ihrem eigenen Maßstab gemessen
werden muß, und zum dritten, daß es höchste Zeit ist, uns von
der vorgefaßten Meinung loszumachen, als wende sich die
Wissenschaft in Amerika nur solchen Zielen zu, die in der prak=
tischen Verwertung einen sicheren Nutzen, einen Lohn abwerfen.
Und nicht zuletzt wird die Stellung der Frau durch das gemein=
schaftliche Studium, das auf einer ziemlich großen Anzahl von
Universitäten stattfinden darf, wesentlich beeinflußt.

Niemals sind vielleicht Ziele und Aufgaben des Univer=
sitätsstudiums so scharf und weitumfassend dargestellt worden,
als durch eine Rede, welche der amerikanische Diplomat
Andrew Dickson White gehalten hat, der Gesandter in Berlin
und Präsident der Cornell=Universität gewesen ist. Es ist im
Sommer 1883; dreißig Jahre sind verflossen seit dem 26. Juni
1853, an welchem die Klasse von White auf der Yale=Univer=
sität graduiert worden ist. Wie es Brauch ist, hatten die ihr
Lebtag zusammenhaltenden Klassenkameraden sich zur Feier des
Jahrestages eingefunden, und White redete sie so an: Wie
könne dem Geschäftsgeist ein Gegengewicht geschaffen werden?
„Die Monarchie, die Aristokratie und der Militarismus sind
Dinge, die wir weder haben könnten, wenn wir es wollten,
noch haben wollten, wenn wir es könnten — aber was müssen
wir haben?

„Ich antworte, daß wir alles tun müssen, was wir können,

um uns bedeutendere Werkstätten zu schaffen, sowohl für den philosophischen Gedanken wie für den literarischen, wissenschaft= lichen, künstlerischen und politischen Gedanken; um die heran= wachsende Jugend immer mehr in diese Gefilde zu erheben, die sie nicht als eine Geschmacksache oder eine gute soziale Gelegen= heit, sondern als eine patriotische Pflicht betrachten soll; um ihr stets vor Augen zu halten nicht den Antrieb von bloßem Gewinn oder bloßem Vergnügen oder bloßem Ansehen, sondern das Ideal einer neueren höheren Zivilisation. Das größte Werk, welches das neue Jahrhundert in diesem Land zu vollbringen hat, ist die Aufgabe, eine Aristokratie des Denkens und Empfindens zu errichten, die Kraft genug in sich besitzt, um sich in der Konkurrenz gegen die Geldaristokratie zu be= haupten."

Außerordentlich anmaßend wäre es, in den Worten von White einen Niederschlag seines Studiums auf der Universität von Berlin, ein Herüberholen deutscher Ideale finden zu wollen. Derartige Gedankenreihen haben von je auch eine Heimat in Amerika gehabt. Aber ein Zusammenklingen ist es, eine Ideenrichtung, welche stets eine Kräftigung finden wird durch den aus dem deutschen Idealismus herauswehenden Geist, durch die Welt, die von Goethe und Schiller geschaffen wor= den ist.

Es ist schon gesagt worden (S. 44), daß unter den be= deutendsten Universitäten gerade John Hopkins es sich zur Aufgabe mache, in deutscher Methode zu forschen und zu wirken, deutsche Sprache und deutschen Geist zu pflegen. Präsident Gilman hat es hier ausgesprochen: "Wie im Mittelalter das Lateinische, so ist heute das Deutsche die Sprache der Gelehr= samkeit und Bildung, und kein Student kann auf diese An= spruch machen, wenn er das Deutsche nicht vollkommen be= herrscht." — Und der Präsident der Harvard=Universität, Charles M. Eliot: gleichzustellen mit Latein, Griechisch und Mathematik seien Französisch und Deutsch. Eher könne man Latein ent= behren als Deutsch, Französisch oder Englisch. — Einer der amerikanischen Philologen, Professor Lawton, kommt zu dem Vorschlag, das Griechische durch die deutsche Sprache zu er= setzen. Die Schätze, die der Schüler in deutschen Dichtungen findet, hält er für viel bedeutender als das, was der gewöhn= liche Lesestoff des Griechischen biete. "Überhaupt kann derjenige,

auf deſſen Arbeitstiſch nicht auch deutſche Bücher zu finden ſind,
nicht zu den Gebildeten gerechnet werden."

Vorerſt iſt der deutſchen Sprache und Literatur auf ameri=
kaniſchen Univerſitäten eine feſte Stellung geſichert und es iſt
nicht ausgeſchloſſen, daß die Vereinigung der Univerſitäten
Deutſch für die Aufnahmeprüfung vorſchreibt. Um die wichtigſten
Denkmäler germaniſcher Zivilisation auf amerikaniſchem Boden
ſtudieren zu können, iſt das Germaniſche Muſeum (S. 38)
auf der Harvard=Univerſität eingerichtet worden, das zu ſeinen
Förderern auch den deutſchen Kaiſer, die Bürgerſchaft von
Berlin und die Bundesregierung der Schweiz zählt.

Wenn irgendwo, ſo zeigen ſich auf dem Gebiet der Wiſſen=
ſchaft die Amerikaner von jeher groß und hochherzigen Sinnes.
Das Bild, das man ſich ſo gerne vom Yankee macht, iſt durch=
aus unvollkommen, wenn nicht darin mit beſtimmten breiten
Strichen ſeine ſtille Vorliebe, ſeine Opferfähigkeit für geiſtige
Güter verzeichnet iſt.

Je mehr die Amerikaner von dem unter dem deutſchen
Volk Gepflegten herübergenommen haben zum Ausbau ihrer
Univerſitäten, deſto weniger geſchah das bei der Gattung von
Schulen, welche dem Beſuch des College vorhergehen und die
High Schools, Hochſchulen, genannt werden, etwa den Rang
eines Realgymnaſiums, einer guten Mittelſchule einnehmen.
Allgemein hört man Klage darüber führen, daß mit dem Be=
griff auch die Einrichtung der Schulart fehlt, die wir in Deutſch=
land Gymnaſium nennen. — Die Volksſchulen dagegen mögen
wiederum als Muſter gelten, erfüllen ihre Aufgabe vollkommen
und entlaſſen ihre Schüler als auf ihren Bürgerberuf wohl
vorbereitet.

Wenn von den geiſtigen Beziehungen zwiſchen deutſchem
Volk und Amerika die Rede ſein ſoll, ſo ſind es immer die
Univerſitäten, welche in erſte Linie zu ſtellen ſind. In keinem
Land der Erde haben die Univerſitäten von je eine ähnliche
Stellung eingenommen wie in Deutſchland. Studenten und
diejenigen Profeſſoren, welche ſich nicht allzu hoch in ihren
Himmel zurückziehen, ſind volkstümliche Erſcheinungen. Was
beſcheidene deutſche Gelehrte in ſtiller Arbeit opferfreudig in
ihren Laboratorien erforſchten, das hat die Induſtrie zu un=
geahnter Höhe gebracht; was Philoſophen predigten, haben
ſtarke Arme in die Tat überſetzt. Der Keim zu ſolchem Idealis=

mus ist es nun, den die Schatzgräber vom ersten amerikanischen
Studenten in Göttingen an (S. 118) hinübergetragen haben
übers Meer.

Nachahmer zu sein, das liebt man in Amerika sonst durch=
aus nicht; das aber hat sich doch nach deutschem Muster ge=
staltet, daß die angesehensten Gelehrten als Wegzeiger für die
akademische Jugend den Geist freier Forschung und Kritik
pflegen, daß der deutschen Art durch Schaffung der „deutschen
Abteilung" an den bedeutendsten Universitäten eine Heimat
gegeben worden ist. Die geistige Wechselwirkung ist im Begriff,
zum Heile der beiden Länder auf die Höhe zu steigen. Es ist
alle Aussicht vorhanden, daß Amerika fortfahren wird, seinen
eigenartigen nationalen Idealismus aus deutscher Quelle zu
nähren, und Sache der deutschen Werkstätten des Wissens wird
es sein, dafür zu sorgen, daß sie von der lernbegierigsten Nation
der Erde nicht am Ende noch überflügelt werden, daß ins=
besondere der gemeinschaftliche Boden, das Zusammenwirken
zwischen der Gelehrtenrepublik und der realen Politik mit ihren
besonderen Kulturaufgaben nicht verloren geht.

In ihrer Einladung an den deutschen Botschafter vom
3. Juli 1899 sagt die Universität von Chicago: die Zivili=
sationsbestrebungen der Deutschen und Amerikaner
seien im wesentlichen dieselben. „Noch mehr ziemt es sich für
die amerikanischen Universitäten, das herzliche Einvernehmen
zwischen den Deutschen und Amerikanern zu fördern, weil beide
Nationen in so enger Stammverwandtschaft stehen. Dieses
Verhältnis ist durch die lange unverbrüchliche Freundschaft und
durch die große Anzahl loyaler amerikanischer Bürger, die
Deutschland ihre Heimat nennen, befestigt worden, ebenso durch
das Interesse, das die Amerikaner der Einigung Deutschlands
und seinem glänzenden Erfolge, sich als Weltmacht geltend zu
machen, entgegenbrachten."

Und Professor Lawrence Laughlin in seiner Rede: „Stärker
als geschriebene Verträge, tiefer als die Wünsche selbstsüchtiger
Männer, sind diese Elemente des Geistes= und Seelenlebens,
in welchen die höchsten Typen der Menschen beider Länder
verbunden sind, und die uns mit Banden verknüpfen, welche
Feuer und Schwert nicht zerstören können."

Einst pflegte man den Deutschen in Amerika entgegenzu=
rufen: „Wir kennen eure Flagge nicht; wohl sehen wir eine

Hamburgische Flagge, die von Bremen, Preußen, von Olden=
burg, aber eure deutsche niemals; wir sehen keine deutschen
Gesandtschaften, keine deutschen Konsulate, begrüßen keine deut=
schen Kriegsschiffe." Seit jener Zeit sind nur wenige Jahr=
zehnte vergangen; diese Jahrzehnte aber sind es gerade, welche
in deutscher Entwicklungsgeschichte am raschesten, geradezu
im Sturme gearbeitet haben. — Da und dort ist deutsche
Einheit und Größe mit recht sauersüßer Miene begrüßt
worden; ehrliche Freude aber sprach aus den Worten der
amerikanischen Regierung sowohl wie aus den Reden der be=
deutenden Männer. Man liebt dort zähe, aufs Ziel unverrückt
hinstrebende Arbeit, man liebt den Erfolg. Das amerikanische
Volk erhielt einen neuen Begriff von der Würde der
deutschen Nation und erneutes Interesse an deren Geschichte.
Achtung vor den Geistesprodukten hatte man längst trotz der
seitherigen politischen Bedeutungslosigkeit. Nun war auch das
gehoben und die Amerikaner freuten sich der leitenden Stellung,
in die sie einen alten Bekannten rücken sahen.

Von guter Vorbedeutung war es gewesen, daß im Bürger=
krieg die Sympathien der Deutschen ausschließlich dem für die
Union und für Sklavenbefreiung kämpfenden Norden gehörten,
daß die Deutschamerikaner, an deren Erziehung Amerika so viel
getan, nunmehr dankbar zurückgaben. Auch bei der Stellung=
nahme im Burenkrieg klang manches zusammen. Im spanischen
Krieg aber gaben Presse und öffentliche Meinung in Deutsch=
land durch vielfaches Eintreten für Spanien den Amerikanern
Anlaß zu leidenschaftlichen Kundgebungen gegen den alten
Freund. Niemals ist auf deutschem Boden so viel krasse Un=
wissenheit, so viel leichtfertiges Urteilen, so viel Verkennen
jugendlicher Kraftentfaltung gegenüber greisenhafter Unfähigkeit
zu Tag getreten.

Das Verhalten in diesen spanischen Dingen ist es wohl
gewesen, was der gelben Presse Amerikas auch in den nächst=
folgenden Jahren Gelegenheit gegeben hat, gegen Deutschland
Stimmung zu machen. Manche Anstrengungen hat es gekostet
hüben und drüben, um falsche Voraussetzungen zu korrigieren,
um Anzeichen alter Freundschaft und Hochachtung aufs neue
zu entdecken. Es ist kein Zweifel, die Beziehungen zwischen
beiden Völkern gewinnen täglich an Wärme und Aufrichtig=
keit, ja, es scheint der Zeitpunkt nicht mehr ferne zu sein,

wo Freundschaft zwischen ihnen als etwas Selbstverständliches
erscheint.

Für alle Zeiten mag Fürst Bismarck recht haben, der am
8. Juli 1890 in Friedrichsruh zu den Besuchern aus New York
so sprach: „Deutschland und Amerika gehören zu den Staaten,
die so glücklich sind, nicht nötig zu haben, sich in ihren gegenseitigen Beziehungen um etwas zu beneiden. Ein freundschaft-
liches Verhältnis ist natürlich, schon wegen der alten Stammes-
verwandtschaft mit den Angelsachsen und wegen der noch engeren
mit dem neudeutschen Stamm. — — Wir werden, so Gott
will, mit Amerika nie Streit haben." — — „Ich habe das
Vertrauen, daß nichts das gute Einvernehmen zwischen Deutschland und Amerika stören kann."

Schwer wird es dem Deutschen, die Leidenschaftlichkeit und
das Gleichartige im Wesen des Patriotismus der Amerikaner zu fassen und diesen Erscheinungen den richtigen Platz
anzuweisen. — Zweifellos hat sich mit dem Sauerteig, der von
Neuengland aus alle anderen Staaten durchdrang, auch der mit
alttestamentlicher Zähigkeit festgehaltene Glaube verbreitet, daß
die Amerikawohner das auserwählte Volk seien, daß nichts
auf der Erde ihrer zugreifenden Energie unerreichbar bleibe,
daß sie die mit ihrem Boden verknüpfte Bestimmung haben,
das erste Land, das erste Volk der Erde zu werden.

Der Patriotismus fällt hier mit der Eigenart des amerikanischen Idealismus zusammen, der seine Spitze hat in dem
freudigen, mit innigster Überzeugungstreue verbundenen Glauben
an die große Zukunft Amerikas, an seine überragende Bedeutung, an seine Vorbildlichkeit für das gesamte Menschentum.
Was bei anderen Nationen als ein Wünschen, Ahnen, als eine
Wahrscheinlichkeit für die Zukunft sich darstellt, als ein Mög-
liches, das steht beim Amerikaner mit freudigem, unumstößlichem
Glauben fest als ein Sicheres, dem Land und Volk nicht aus-
weichen können.

So weit geht die Nachwirkung des von den Vätern Er-
erbten. Ein Anderes hat die Art des Bodens in Phantasie
und Vorstellungswelt verpflanzt. Der ins Riesenhafte wachsende
Maßstab des in herrenloser Schönheit vor den Augen sich
dehnenden Landes hat von vornherein das Großzügige in das
Wesen und in den Patriotismus gebracht. Kein Weltreich hat
jemals solche Weitung seiner Grenzen besessen unter den klima-

tisch am günstigsten gelegenen Himmelsstrichen von einem großen
Ozean zum anderen. Und immer neue Schönheiten seines
Gliederbaus weiß dieser Boden zu enthüllen, immer neue Schätze
bietet er mit offener Hand. Nach jeder Richtung hin zeigt er
eine Unerschöpflichkeit wie kein anderer.

Zurückblickend sehen die Geschlechter von heute, wie die Väter
sich diesen Boden erschlossen und gewonnen haben, wie sie leuchten=
den Auges auf dem Kamm der Hügel des Landes und der hohen
Gebirge standen, über das Gipfelmeer der Wälder und über
endlose Flächen hinblickend ohne den mindesten Zweifel darüber,
daß das alles ihnen gehöre, daß es ihrer Tatkraft gelingen
werde, es für Kinder und Kindeskinder zu eignen.

Kein Wunder, wenn bei solcher Schau in Vergangenheit
und Zukunft, bei solcher Schau über alle Herrlichkeiten hin die
Vaterlandsliebe der Amerikaner als eine so heiße, so leiden=
schaftliche, mit so sicherem Glauben verbundene erscheint, daß
sie anderwärts nur schwer begriffen wird.

Noch ein Großes tritt an ihr zu Tage: sie ist gleichmäßig
durch alle Landstriche, durch alle Volksschichten verbreitet als
gemeinsame Freude am Vaterland, unabgeschwächt durch Ver=
schiedenheit des Herkommens und Stammes, durch sonstige in
der Entwicklungsgeschichte anderer Völker liegende Eifersüchteleien.

So erscheint die Nation, deren Bestandteile auf die ver=
schiedensten Ursprungsländer zurückgehen, welche im endlosen
Raum sich zu verlieren scheint, als die innerlich geschlossenste.
Das Glück, Amerikaner zu sein, das Bewußtsein, damit der
glorreichsten Vergangenheit, der glänzendsten Zukunft, dem un=
erschöpflichsten Lande anzugehören, knüpft ein unzerreißbares
Band. —

„Das Alphabet und die Buchdruckerpresse ausgenommen,"
meint Macaulay, „haben diejenigen Erfindungen, welche
die Entfernungen verkürzen, unter allen Erfindungen das
meiste zur Zivilisation des menschlichen Geschlechts beigetragen."
Erst die Eisenbahnen haben die auf weitem Raum zerstreuten
Menschenkinder geistig sich so nahe gebracht, daß sie im stande
waren, unter einer und derselben Verfassung einen einheitlichen
Staatskörper von Ozean zu Ozean zu bilden, das Gefühl der
Mitgliedschaft an einem großen Gemeinwesen in jedem Einzel=
nen lebendig zu machen, täglich zur Anschauung zu bringen.
So ist das Volk der Vereinigten Staaten in seiner Grundsuppe

schon jetzt zu einer Einheit zusammengewachsen seit jenem
4. Juli 1776, da es sprach: „Wir, das Volk der Vereinigten
Staaten, beschließen und verfügen —"; und es ist auf dem
Wege, sich zu einer noch umfassenderen Einheit zusammenzuschließen.

Einst hat man auch in Deutschland von der die Getrennten
nahe bringenden Macht der Eisenbahnen Großes erwartet, als
man die Aktien zu den ersten Gehversuchen des Dampfes ausbot.

> Die Papiere, ausgeboten,
> Steigen, finken, o Gemeinheit
> Wir sind die Papiere Noten.
> Ausgestellt auf Deutschlands Einheit.
>   (Karl Beck.)

Geistige Verwandtschaft, Gedankenaustausch unter seither
Getrennten ist damit mächtig gefördert worden; aus lokal begrenzten Vereinen sind allumfassende hervorgegangen und der
deutsche Gedanke kam ins Wandern und Erobern. Ohne daß
es nach dem alten Rezept ging, nach welchem geschichtlich Ein-
gewurzeltes umzustoßen, Großes durch Zerstücken der allgemeinen
Kleinheit gleichzumachen war, ist das Deutsche Reich entstanden
als Staat über Staaten, sich in seinen Einrichtungen an dem
Wunderbau anschließend, den zum Heil Amerikas Alexander
Hamilton aufgeführt.

Daher kommt es denn auch, daß der Deutsche mit seinem
doppelten Patriotismus gegen das Reich und zugleich gegen den
Einzelstaat sich in den durchaus verwandten politischen Einrichtungen Amerikas am leichtesten zurechtfindet und sich vielfach
heimatlich angewehnt fühlt.

Als Trennendes könnte sich möglicherweise die Wirtschafts-
politik dazwischenlegen. Der Schutzzoll hat von Anfang des
nationalen Lebens an zu den Daseinsbedingungen der jungen
Republik gehört. Ja, wenn diese im stande gewesen wäre, ihre
aufkeimende Industrie durch Zölle gegen das englische Monopol
zu schützen, dann blieb dem Freiheitsgedanken der Nährboden
karg zugemessen. Im Dingleytarif von 1897 sind die Schutz-
zöllner vollständig Sieger geblieben, und im wesentlichen gilt
jener heute noch. Gewaltiger Aufschwung ist die Folge davon.
Dennoch macht sich eine Bewegung geltend, welche in die nach-
gerade etwas ungesund werdende schutzzöllnerische Abgeschlossen-
heit durch Öffnung eines Fensters mehr Luft zulassen will.

Durch den Schutzzoll mag es auch geschehen sein, daß eine
Erscheinung, welcher die Großzügigkeit nicht abzusprechen ist,
die aber zugleich nicht wenige Schäden und Gefahren birgt, be=
sonders gefördert wird, die Trustbildung, das Zusammenlegen
von Gruppen aus einer und derselben wirtschaftlichen Sphäre
in übermächtige, weithin herrschende Reiche. Auf diesem Ge=
biet sind Dimensionen erreicht worden, welche eine künstlich ge=
schaffene Zerlegung nicht wohl als möglich erscheinen lassen,
vielmehr der weiteren Entwicklung ein natürliches Zerstückeln
zuschieben müssen.

Manche parallele Züge im Wirtschaftsleben der Deut=
schen und Amerikaner lassen sich herausfinden. Energie,
Unternehmungslust, hohe Bildungsstufe, Pflege der Wissenschaft=
lichkeit, unbewußt wirkender Idealismus haben die Grundlagen
zu stetig aufwärts führendem Wohlstand abgegeben. Unerschöpf=
lichkeit des Bodens an Kohlen, Eisen, Öl kommt bei den Ame=
rikanern noch dazu. Fast könnte man annehmen, Amerika wäre
sich damit selbst genug. Und dennoch ist es einer der besten
Kunden Deutschlands. Die Volkszahl spricht dabei mächtig mit.
Wenn von Rußland abgesehen wird, dessen Volk ganz andere
Bedürfnisse hat als das deutsche, so stellen die Vereinigten
Staaten und Deutsches Reich heute die zwei volkreichsten Na=
tionen dar, die eben deshalb die größte Menge von Erzeugnissen
einzuschlucken im stande sind. Die beiden großartigsten Käufer
und Verkäufer sind aufeinander wirtschaftlich angewiesen; das
Wohlergehen des einen bedingt wesentlich auch die Wohlfahrt
des anderen.

Mit dem sichtbaren, ja greifbaren Aufschwung beider Länder
wächst zugleich in Deutschland und in Amerika das Gefühl von
Zuversicht und Selbstvertrauen. Namentlich in Deutschland, wo
man lange genug gerade diese Tugenden entbehrte. In diesem
Sinn kann man in der Tat sagen: Deutschland amerikanisiert
sich. Umgekehrt nehmen die Amerikaner durch die wachsende
Wertschätzung deutschen Geisteslebens und deutscher Art manches
in sich auf, so daß zuweilen das Wort gerechtfertigt erscheint:
Amerika germanisiert sich.

Trotz meiner kurzen Anwesenheit in Amerika hat es sich doch
glücklich für mich gefügt, daß ich manchen Blick in häusliches

Leben und öffentliches Treiben dadurch tun konnte, daß ich in
manche Kreise Zutritt erhielt, die anderen lange Zeit verschlossen
bleiben, daß ich vertrauten Gedankenaustausch zu pflegen ver=
mochte mit solchen sowohl, die sich aus altem angloamerikaner
Stamm herschreiben, als mit eingelebten Deutschamerikanern.
Meine Eigenschaft als Gast, als Vertreter und Sendbote half
hier fördernd mit, ließ vielleicht manches auch in zu hellem
Sonnenlicht erscheinen. Vieles, das von anderen beobachtet
und veröffentlicht worden ist, habe ich bestätigt gefunden, zu=
weilen ließ sich durch Vergleichung auch einzelnes ergänzen.
Auf dieselben Probleme im Völkerleben stößt hier der Beobachter
wie in der deutschen Welt; sie auf eigene Weise zu lösen, ist
von je Aufgabe besonderer Zeitabschnitte und Volksbeanlagungen
gewesen; die Lösung deshalb zu verurteilen, weil sie eben an=
ders und eigenartig ist, würde Sache des Schnellkritikers sein. —
    Beutegier ist es gewesen, was zunächst abenteuernde Unter=
nehmer über das Weltmeer hinübergeführt hat in die Neue Welt;
Beutegier bei den meisten zugleich geeint mit dem Wunsch, mög=
lichst rasch, güterbeladen, nach Europa in die alte Heimat zurück=
zukehren. Der leichte Gewinn hat denn auch zur Wirkung ge=
habt, Spanien auf kurze Zeit zu einem Weltreich voll Glanz
und Reichtum zu erheben. Anderes enthüllte sich den Augen
der Heimatsucher, die von der Küste Neuenglands und Virgi=
niens nach dem Westen zogen; ein weites Gebiet voller Schätze,
die dem in den Schoß fallen mußten, der Arbeit daran rückte,
sie zu erwerben. — Dort nur Goldgier, mit der Sucht, als
Reicher heimzukehren; hier Landhunger, mit dem Ziel, auf
der köstlichen Scholle eine Heimat zu gründen, durch Arbeit
ihre Schätze zu heben und voll naiver Lust alles sein eigen zu
nennen.
    Vom ersten Tag an, da diese kecken Pioniere ihren Spaten
in den Boden stießen, Halme sprossen machten und zugleich den
Klang edler Metalle vernahmen, von Eisen und Kohlen hörten,
beginnt die Aufschließung dieses Heimatbodens als eine Art fort=
gesetzter trotziger Eroberung. Jeder will den Nachbar an wirt=
schaftlicher Betätigung, aber auch an wirtschaftlichen Erfolgen
übertreffen. Der einzige Maßstab, den es für den gegenseitigen
Respekt gibt, ist der Erfolg der Arbeit.
    Dazu kommt noch ein anderes. Alle diese Pioniere bekennen
sich zum Puritanismus, der einerseits unbeschränkte Freiheit des

Denkens und Handelns als unveräußerliches Erbteil für seine
Kinder beansprucht, anderseits aber nicht die Sündhaftigkeit
des Mammons verkündigt, die Tugend der Armut preist; nein,
der bürgerlichen Fleiß und angestrengte Tätigkeit mit weltlichem
Gedeihen wohl vereinbar hält. Ja, der Wohlstand wird für
eine notwendige Grundlage eines freien und mannhaften Volkes
gehalten. „Für einen leeren Sack ist es schwer aufrecht stehen;"
mit diesen Worten meint Benjamin Franklin wohl, daß eine
gewisse Höhe des Wohlstandes erreicht sein müsse, um dem Mann
seine Unabhängigkeit, die Freiheit seines Empfindens und Ent=
schlusses zu sichern.

In der Vorstellungswelt des Amerikaners verbindet sich nun
der Begriff des Reichtums mit dem Respekt vor der Kraft,
diesen Reichtum zu sammeln. Ja, in seiner Denkweise ist die
Kraft, Reichtümer zu sammeln, unendlich wichtiger als der
Reichtum selbst.

Allein die Kraft darf nicht brach liegen, theoretisch bleiben,
sie muß sich zeigen, praktisch betätigen. So kommen wir zu
dem Vorwurf, der dem Amerikaner in hergebrachter Weise am
häufigsten gemacht wird — zur Dollarjagd, zum Jagen nach
Reichtum. Und zwar wird der Vorwurf gerade von denen am
meisten erhoben, die von irgend einem stillen Winkel Deutsch=
lands auf die amerikanische Rennbahn sich geschleudert sehen.
Wer von Frankfurt, Berlin, Hamburg kommt, wird anders
urteilen.

Ja, es ist richtig, am höchsten wird in Amerika gewertet
die Aristokratie des Reichtums. Die Kraft, die Fähigkeit, Reich=
tum zu erwerben, ist es freilich zunächst, was den Maßstab für
den Respekt gegen die überlegene Persönlichkeit liefert, aber un=
bewußt geht der Respekt vielfach auch über in den Respekt vor
dem Reichtum an sich. — In diese Sphäre der reichen Aristo=
kratie sich einzureihen, ist das heiße Streben der Tüchtigsten.
Nach der Höhe des erworbenen Geldes wird ja die geistige Über=
legenheit eingeschätzt, nach ihr auch die am meisten in die Augen
springende Auszeichnung, der gesellschaftliche Vorrang.

Gerade deshalb fehlt auf der großen Rennbahn in Amerika
auch nicht ein gewisser idealer Zug. Im Vollgefühl jugend=
licher Kraft brennt der Amerikaner vor Begierde, etwas zu
unternehmen, mit dessen Erfolgen er Großartiges, Niegesehenes
ausführen könnte. Denn nicht die Lust am Geld um des Geldes

willen treibt zu gewagten Sprüngen, der niemals zu beugende
Unternehmungsgeist ist es, der immer wieder reizt, es den großen
Vorbildern gleich zu tun, gleich ihnen durch Gründung von
Schulen, Spitälern, Kirchen, Bibliotheken glänzen zu können.
So spielt die Freude an der Arbeit herein, welche schon die
ersten Pioniere als wesentlichen Zug in die amerikanische Ge=
dankenwelt eingeführt haben.

Von der Vorstellung, daß der in einer einzigen Hand ver=
einigte Reichtum nur ein aus der Masse des Nationalvermögens
anvertrautes Stück sei, ist nirgends so viel in das öffentliche
Gewissen übergegangen als in Amerika. Daraus folgen dreierlei
Dinge: einmal kennt der Amerikaner, was ein echter Ameri=
kaner ist, nicht den kleinlichen Geiz, der anderwärts gerade dem
Reichtum eigen ist; zum anderen, er trägt leicht Verluste, läßt
sich durch sie nicht niederdrücken; zum dritten weiß gerade die all=
gemeine Wohlhabenheit neben der Lernbegierde auf das Antlitz
dieses Landes die angenehmsten Züge zu zeichnen.

Für materiellen Genuß sammelt der Amerikaner eigentlich
nicht in erster Linie; es gilt ihm sein Reichtum mehr als Unter=
lage, um dem Schmuck des Lebens Eingang in seine Häuslich=
keit zu verschaffen, und das gilt bis zur Arbeiterwohnung; selten
läßt er eine Gelegenheit vorübergehen, ohne der Allgemeinheit
ein Stück des anvertrauten Nationalreichtums zurückzugeben.

Auf einer so ungeheuren Rennbahn nach Glücksgütern aber
kann es neben fleißigen und tüchtigen Strebern auch nicht an
unsauberen Elementen fehlen. Unrecht und Oberflächlichkeit ohne=
gleichen zeigen sich aber darin, wenn solche Elemente bei Be=
urteilung eines großen Staatswesens vorangestellt werden.

Unsauberes arbeitet sich in der Tat da und dort an die
Oberfläche, am meisten vielleicht in der inneren Verwaltung.
Allein wenn auch ein Glied des Körpers leidet, braucht darum
nicht der ganze Körper als krank angesehen zu werden. In einem
Lande, in welchem der Privatinitiative ziemlich alles überlassen
bleibt, wo es Grundsatz ist, daß die Gesamtheit nur da eingreift,
wo die Kräfte des einzelnen nicht zureichen, liegt eben die Ver=
suchung nahe, daß der einzelne Kraft und Einfluß mißbraucht.
Zudem scheint es, als ob trotz der heißen Temperatur des
Patriotismus doch die rechtlichen Verpflichtungen gegen Staat
und Stadt vielfach nicht ernst genug genommen würden. Auch
politische Traditionen nicht allzu lauterer Art mögen schuld

daran fein, daß Beleuchtungswefen, Wafferleitung, ftädtifche Arbeiten aller Art, Lieferungen Gegenftände der Ausbeutung und des Unterfchleifs werden. Wunderbar ift, daß dabei doch das Ganze gefund bleibt, daß derartige Mißftände nicht ver= tufcht, fondern öffentlich befprochen werden.

Der Möglichkeit von Unterfchleifen und Begünftigungen, der Vorausfehung, daß all dies ernftlich doch keinen Schaden am Ganzen anzurichten vermöge, liegt wieder die Vorftellung von den unbegrenzten Mitteln, von der bodentiefen Gefundheit diefes Landes und Volkes zu Grunde.

Nichts ift fchwerer, als fich über die Höhe der Sittlichkeit einer Nation ein Urteil zu bilden. Beobachtungen über Ar= beiterverhältniffe mögen noch am eheften dazu ver= helfen.

Zwei Merkmale find es, welche die amerikanifche Arbeit kennzeichnen: die Intenfität der Arbeit felbft und der geringe Anteil der Arbeiter an fozialdemokratifchen Ideen. — Bei der ungeheuren Dehnung des der Arbeit unterliegenden Gebiets herrfchte von Anfang an Arbeitermangel; er hat fich zu einem chronifchen Zuftand ausgebildet. Abhilfe wird gefucht in Mit= arbeit von Mafchinen und in der Art, wie die Arbeit getan wird. So hat fich die Energie, die Intenfität der Arbeit ein= gebürgert.

Arbeiterfchaft und Sozialismus decken fich hier nicht; ein= fach deshalb nicht, weil der amerikanifche Arbeiter weniger zum Herdengedanken als zur Individualität neigt; er ftellt alfo eine ganz befondere Gattung von Arbeiter vor. Sein Selbftbewußt= fein verleiht ihm als einer Perfönlichkeit mehr Rückhalt. Zudem fieht er die allgemeine Arbeitspflicht auch unter den Reichen; Hunderte von Studenten aus den beften Familien fieht er zum Beifpiel während der Ferien den Schulmeifter, den Kellner machen, auch den Farmarbeiter. Er kann aus taufend täglichen Merkmalen abnehmen, wie es eben nur die Arbeit ift, die adelt und vorwärts bringt. Er ift nicht vergrämt und ftaatsfeindlich, nein, zufrieden und von demfelben Patriotismus erfüllt, der die Eigenart jedes Amerikaners ift. Zahlreiche induftrielle Unter= nehmungen fichern aus eigenen Mitteln ihre Beamten und Ar= beiter durch Verficherung bei Alter und Invalidität.

Ausfchlaggebend wirkt aber neben dem allem der hohe Ver= dienft des Arbeiters und die Art und Weife, wie er den Über=

schuß seines Lohnes anwendet.   Denn Überschuß hat er, muß
er haben.

Sein Lohn erreicht im allgemeinen die doppelte Höhe von
dem in Deutschland üblichen, manchmal noch mehr.   Nun ver=
ursachen all die täglich notwendigen Lebensmittel und die Klei=
dung in Amerika keine höheren Ausgaben als in Deutschland.
Folglich muß er Überschuß haben.   Der deutsche Arbeiter kann
auch Überschuß erzielen, wenn er will; er weiß zumeist auch
ganz genau, was er mit dem Überschuß anfängt, er vertrinkt
ihn.   Anders der Amerikaner; er gibt viel mehr für seine
Wohnung aus, er liebt eine solche geräumig und bequem, für
ihre Ausschmückung ist ihm nichts zu viel.   Er trinkt viel mehr
Tee als der deutsche Arbeiter, der fast nur alkoholhaltige Ge=
tränke kennt; dafür gestattet sich der amerikanische Arbeiter eine
Aufbesserung beim Essen; Braten, Pastete, Pudding, etwas
Dessert sind nichts Seltenes bei ihm; seine Frau kann eben auch
kochen.   Auch in der Kleidung geht er um einen Grad höher,
so daß er mit seiner Familie mehr einen selbständigen Klein=
bürger vorstellt.

Dadurch, daß manche Unternehmer es verstehen, den Ar=
beiter am Erfolg der Arbeit teilnehmen zu lassen, erbreitern sie
die Grundlage für die materielle Existenz des Arbeiters.   Aber
das Wesentliche fließt doch aus den Ersparnissen, welche die
Mäßigkeit im Trinken gewährt, und aus der behaglichen Häus=
lichkeit, die ihrerseits wieder einen ansehnlichen Teil der Er=
sparnisse verschlingt, aber doch am meisten dazu beiträgt, den
Arbeiter mit seinem Los zu versöhnen und ihm das Leben
lebenswert erscheinen zu lassen, gerade so wie es ist.

Mäßigkeit im Trinken alkoholischer Flüssigkeiten, Nüch=
ternheit beginnt sich zu einem allgemeinen Zug im Wesen
des amerikanischen Volkes herauszuarbeiten und tritt außerhalb
der bevorzugten Kreise am deutlichsten und wohltuendsten ent=
gegen bei Arbeitern und Studenten, bei Festlichkeiten aller Art,
bei ländlichen Ausflügen und Gelagen, in der Häuslichkeit beim
täglichen Brauch sowohl als auch bei festlicher Stimmung.   Und
das ist ein Kapitel, aus welchem das deutsche Volk am meisten
lernen kann.

Ja, es scheint, als wolle sich vollständige Enthaltsamkeit von
geistigen Getränken oder doch deren Verbrauch in geradezu
homöopathischen Dosen zu einem besonderen Merkmal der oberen

Volksschichten herausgestalten. Bei weitem mehr als bei der Hälfte des aufwachsenden Geschlechts und bei den Frauen habe ich das gefunden. Die arbeitenden Klassen wären es dann noch allein, die in mäßig begrenzter, aber immerhin doch ins Gewicht fallender Menge geistige Getränke verbrauchen würden.

Die durchschnittlich herrschende Nüchternheit wird noch weiter gefördert durch die ziemlich hohen Preise der Getränke und durch die kolossale Besteuerung von Schankwirtschaften, während die Errichtung von Speiseanstalten, in denen es außer Tee, Kaffee, Limonade nur Eiswasser gibt, begünstigt wird. In den Armenvierteln der großen Seestädte freilich, wo die eben ans Land gesetzten Einwanderer sich drängen, soll es eine Menge Kneipen, eine Masse von Elend und Trunkenheit geben.

„Was soll aus der Welt denn noch werden, wenn keiner mehr trinken will?" fragt das deutsche Lied. — „Ich vermag eine gute Holzhauerarbeit zu beurteilen, aber solch eine Leistung hatte ich noch nie gesehen, nur möglich durch eine eiserne al= koholfreie Muskelkraft," — urteilte ein ausgezeichneter deutscher Forstmann und Jäger, als er auf einer Jagd, um zur Beute zu gelangen, einen riesigen Ahorn innerhalb 20 Minuten zu Boden gestreckt sah, zu dessen Fällen er nach deutscher Leistung einen Verzug von Stunden sich ausgerechnet hatte.

Es ist denkbar, daß Deutschland einstmals überrascht wird durch die von Amerika ausgeführte Leistung, die nur dadurch ermöglicht wird, daß Köpfe und Arme einen Kraftzuschuß erhalten durch selbstverständliche, zur Gewohnheit gewordene Mäßigkeit.

Weit dehnt sich, wie ein riesiger Exerzierplatz, die Rasen= fläche, auf welcher der Spielklub seinen muskelstärkenden Sport betreibt. Ein großartiges Klubgebäude, das all den jungen Leuten Erholung bietet, liegt in der Mitte. Geistige Getränke aber dürfen nicht verabreicht werden. Das ist etwas wert; viel wertvoller aber ist, daß sie von niemand vermißt werden. — Außerordentlich wohltuend wirkt es, wenn an besuchten Aus= flugsorten, besucht von Angehörigen der Kleinbürger= und Ar= beiterkreise, alles höchst vergnügt durcheinander schwirrt und flutet, wenn diese einfach gekleideten Männer ritterlich mit den Frauen und Mädchen verkehren, wenn trotz ausgelassenster Lustigkeit kein einziger im Trinken über die Schnur haut. Alles

... Dem Überfluß hat er, muß ...

... auf einer ... in älteren ... die doppelte Höhe von ... Nun ... und die Klei... in ... viel höherem Ansehen als in Deutschland. ... Der deutsche Arbeiter kann ... er weiß zumeist auch ... was er mit dem Überfluß anfängt, er vertrinkt ... er gibt viel mehr für seine ... gediegen und bequem, für ... Er trinkt viel mehr ... der sich nur alkoholhaltige Ge... während sich der amerikanische Arbeiter eine ... vom Obst, Braten, Torte, Pudding, etwas ... seine Frau kann eben auch ... er um einen Grad höher, ... mit einem selbständigen Klein...

... daß nun die Unternehmer es verstehen, den Ar... ... zu lassen, erbreitern sie ... die materielle Existenz des Arbeiters. Aber ... mit den Ersparnissen, welche die ... und aus der behaglichen Häus... ... einen ansehnlichen Teil der Er... ... aber doch am meisten dazu beiträgt, den ... zu verschönen und ihm das Leben ... ... zu lassen, gerade so wie es ist.

... im Trinken alkoholischer Flüssigkeiten, Nüch... ... zu einem allgemeinen Zug im Wesen ... herauszuarbeiten und tritt außerhalb ... im Nützlichen und wohltuendsten ent... ... und Studenten, bei Festlichkeiten aller Art, ... und Gelagen, in der Häuslichkeit beim ... als auch bei festlicher Stimmung. Und ... aus welchem das deutsche Volk am meisten ...

... die völlige vollständige Enthaltsamkeit von ... oder doch deren Verbrauch in gera... ... zu einem besonderen Merkmal be-

Volksschichten herausgestalten. Bei weitem mehr als bei der
Hälfte des aufwachsenden Geschlechts und bei den Frauen
habe ich das gefunden. Die arbeitenden Klassen wären es
dann noch allein, die in mäßig begrenzter, aber immerhin
doch ins Gewicht fallender Menge geistige Getränke verbrauchen
würden.

Die durchschnittlich herrschende Nüchternheit wird noch weiter
gefördert durch die ziemlich hohen Preise der Getränke und
durch die kolossale Besteuerung von Schankwirtschaften, ferner
die Errichtung von Speiseanstalten, in denen es nur Tee,
Kaffee, Limonade nur Eiswasser gibt, besonders wo in der
Armenvierteln der großen Seestädte freilich, wo die sich neu
Land gesetzten Einwanderer sich drängen, hält es mit den Lange
Kneipen, eine Masse von Elend und Trunksucht aus.

„Was soll aus der Welt denn noch werden, wenn keiner
mehr trinken will?" fragt das deutsche Bier. — „Eine bessere,
eine gute Holzhauerarbeit zu beobachten aber wie sie dann
hatte ich noch nie gesehen, nur weil sie sich mit reiner
koholfreie Muskelkraft," — urteilte ein amerikanischer deutscher
Forstmann und Jäger, als er mit einem unserer deutschen
zu gelangen, einen riesigen Bären erlegen — im Urwald
Boden gestreckt sah, zu dessen Fällen er das an und für sich
einen Verzug von Stunden hat geschoben ein.

Es ist denkbar, daß Deutschland auch einmal dadurch,
durch die von Amerika hereinkommenden ...
ermöglicht wird, daß ...
erhalten durch selbstbewußte ...
Mäßigkeit.

Weit dehnt sich ...
fläche, auf welcher von ...
betreibt. Ein großes ...
Leuten Erholung bieten ...
aber dürfen nicht von ...
wertvoller aber ...
Außerordentlich ...
flugsorten, behält ...
heiterkreise, die ...
flutet, wenn ...
den Frauen ...
Luftloch ...

ist gleich weit entfernt von Frivolität wie von Prüderie, von nichts so weit, als von jedem Anklang an Roheit.

Damit hängt wohl zusammen, was andere längst vor mir beobachtet haben, daß man nie ein häßliches Wort über Frauen zu hören bekommt, über keine Klasse weiblicher Wesen; daß Zoten verpönt sind. Auch auf der Bühne fehlen schmutzige Zweideutigkeiten, wie anstößige Bilder in den Auslagen der Schaufenster. —

Nach den ersten Überraschungen auf dem Boden der Neuen Welt, wenn der Beobachtungssinn sich geschärft hat, wird man gewahr, daß man sich wirklich, nicht bloß der herkömmlichen Bezeichnung nach, in einer Welt befindet, über welche mit verschwenderischer Hand Güter und Vorteile ausgestreut sind; eine Welt für sich, die keinen äußeren Feind zu fürchten, die aus kleinen Anfängen sich zu Großem emporgearbeitet hat und jetzt einen gewissen Vorrang als selbstverständlich in Anspruch nimmt; eine Welt, in der man nicht, über die Gegenwart klagend, wehmütig in die Vergangenheit blickt; nein, in der das ganze Volk, in eine einzige Kolonne vereint, vorwärts stürmt einer großen Zukunft entgegen; eine Welt, in der jeder mit ruhiger Sicherheit seinen Weg geht, in der keine denkbare Art von ehrlicher Arbeit erniedrigt, weil sie, als eine zufällige augenblickliche Rolle, auch mit jeder anderen Art von Arbeit vertauscht werden kann.

In dieser Welt ist ein Volk großgezogen worden, das als besonders aufgeweckt und temperamentvoll in die Augen fällt, ein Volk von unbedingtem Glauben an die eigene Kraft, das wie kein anderes Volk der Erde die in der Luft liegenden Ideen gleichsam vom Himmel herunterzuholen und sich zu eigen zu machen versteht, mit einer Energie der Initiative, die sich sonst nirgends mehr findet, ein Volk, das aus all diesen Eigenschaften seine besondere Art von Idealismus, von geistigem und religiösem Leben sich formt.

Als Gesundheitsbürgschaft, als Heilmittel gegen zweifellose Schäden, die sich neben allen Vorzügen eingeschlichen haben, mag der durch alle Volksschichten, durch alle Lebensalter gleichmäßig seine Wirkungen äußernde Betrieb des Sports gelten. Der Sport mit seinen festen, peinlich aufrecht gehaltenen Gesetzen ist es wesentlich, der Unterordnung lehrt, strenge Zucht übt und den Wert der Disziplin vor Augen führt. Zu

gleich aber wirkt das Zufammenfpiel für alle Unterschiede in
der Lebensstellung einebnend; jedem einzelnen ist es ja möglich, sich hervorzutun, Anmaßung und Aufgeblasenheit an den
Pranger zu stellen.

Vom Knaben an lernt der Amerikaner die scharfe Konkurrenz der Öffentlichkeit lieben; denn auch sein ganzer Sport erhält sich als ins Herz geschlossen nur dadurch, daß er einen
öffentlichen Wettkampf darstellt, der Kräfte und Leidenschaften
weckt und stählt und bis zur höchsten Leistungsfähigkeit steigert.
Ob nun das Spiel Schlagball, Baseball, Fußball heißt, oder in
Rudern und Ringen, Lawn Tennis oder Rennen besteht, gleichgültig, seine Bedeutung und seine Gesetze durchdringen vollständig die Mitspieler sowohl wie die Zuschauer.

Wenn etwas trotz dieser Vermischung sozialer Unterschiede
durch gleichmachende Arbeit und Sport sich heraushebt aus der
eigentümlichen Schichtung der gesamten Volksgesellschaft, so ist
es der Einfluß der geistig im Vordertreffen Stehenden und Führenden.

Es ist ja richtig, die Eigentümlichkeiten der amerikanischen
Volksseele verhindern nicht das Verurteilen und Herabreißen des
eben noch auf den Schild Erhobenen. Allein gerade in der
Gegenwart sprechen Anzeichen dafür, daß sich eine Art von
führender Aristokratie herausbildet, in der sich, um den amerikanischen Ansprüchen zu genügen, gar manches vereinigen muß.
— Geburt? Ja, hohe Geburt, das heißt Familientradition, ist
recht fördernd. Und dazu kommt der Einfluß, der von einer
auf breitester Grundlage aufgebauten wirtschaftlichen Unabhängigkeit ausgeht. Also: Geburt und Reichtum. In erster
Linie aber steht heute doch das Wissen. Die geistige Überlegenheit ist es, die heute emporhebt, das Eingeschworensein auf die
Ideale, welche Kunst und Wissenschaft in die höheren Klassen
der amerikanischen Welt hereingetragen haben.

Neben diesem Glauben an Überlegenheit, an führende Ge-
walt mag im Wesen des Amerikaners noch besonders in die
Augen fallen sein Rechtssinn. Es ist schon von seiner Ge-
duld (S. 22) die Rede gewesen, von seinem Sichfügen in
Unabänderliches. Damit mag zusammenhängen sein klagloses
Sichfügen in alles das, was wie Gesetz aussieht, eine Art
Autoritätsglaube. Das Recht, das er für sich selbst beansprucht,
gesteht er auch gern dem Nachbar zu. Am glänzendsten kommt

das zum Ausbruck und wirkt besonders wohltuend bei jedem
Schritt und Tritt auf den Fremden, als Schonung des öffent=
lichen Eigentums, des dem allgemeinen Schuz Anvertrauten.
   Der Trinkbecher am öffentlichen Brunnen, der anderwärts
nach gemachtem Gebrauch roh hingeworfen und baburch be=
schädigt wird, erfreut sich in Amerika der sorgfältigsten Beach=
tung; denn auf seine Unversehrtheit hat ja der Nächstfehrtheit,
der trinken will, das gleiche Recht, wie der, der ihn eben be=
nützt hat. — Nichts ist in den öffentlichen Parks beschädigt
oder abgerissen, an den Bänken gebrochen oder beschmuzt;
überall tritt der alle Schichten und Lebensalter burchdringende
scharfe und zarte Sinn für das Recht und zugleich für gute,
ritterliche Manier an den Tag.
   Auf einem Versuchsfeld, wie es die Menschheit noch nicht
gesehen hat, ist so ein Volk entstanden, hervorgegangen aus den
unternehmungslustigsten, rüstigsten, auch unbändigsten Söhnen
der Alten Welt. Seinem Überschäumen stehen als Ventil immer
noch weite, ungenüzte Räume zu Gebot. Wie sein innerstes
Wesen sich zusammensezt aus großen, bestimmungsreichen und
aus nebensächlichen Zügen, haben wir in kurzen Umrissen ge=
sehen; Vorzüge und Fehler sind zu Tag getreten. Denkbar ist
es immerhin, daß es diesem Volk in seiner abgeschlossenen Welt
mit dem wie ein weites Tor geöffneten Ventil, gelingt, die
ihm anhaftenden Mängel und Gebrechen abzustreifen; daß es
den Gefahren auszuweichen versteht, die ihm beispielsweise von
einer höchst bedenklichen Abnahme der Vermehrungsenergie
drohen; daß es sich noch weiter emporzuschwingen und mit
sittlichen Idealen zu füllen vermag. Dann ersteht auf dem
großen Versuchsfeld ein wirkliches Adelsgeschlecht, ein Volk von
großer Architektur, emporstrebend und überragend, ein Volk,
von dem als Gesamtheit man sagen könnte, was Goethe im
Einzelmenschen, in Schiller, gesehen: „Das war ein rechter
Mensch, und so möchte man auch sein."
   Mit einer Raschheit, die man fast amerikanisch nennen
könnte, haben sich die in die Höhe führenden Umwälzungen im
Deutschen Reich vollzogen. Aus demokratischer Schule ist ein
Volk hervorgegangen, dessen Unternehmungslust und Tatkraft,
dessen wachsender Wohlstand, dessen eigentümliche Schichtung
einen vollständigen Gegensaz bilden zu den Verhältnissen von
ehemals. Verschwunden ist die stille Kleinwelt: das Deutsche

Reich nimmt es als Industriestaat mit jedem anderen in der Welt auf; das Geistesleben blüht und hat sich mit glückhafter Raschheit des Umdenkens zu einem beachtenswerten Teil in den Dienst des Erwerbs gestellt; als Seefahrernation tragen die Deutschen vielfach den Sieg davon. Aber auch an Gesundheitsschädigungen hat es nicht gefehlt, deren erste Anzeichen in der Hastigkeit übersehen worden sind.

Wie in Amerika gilt es auch in Deutschland, die einfachen großen Gedanken, die als Leitsterne dienen, die Grundlagen öffentlicher Moral in all dem Gewirre des Völkerlebens, in dem Brausen der aufeinander platzenden Gegensätze festzuhalten, oder ihnen, wo sie verloren gegangen sind, wieder zu ihrem Recht zu verhelfen. — Ja, wenn sie in solcher Weise an der Selbstvervollkommnung arbeiten, dann eignen sich die beiden großen Jugendvölker zu Gefährten, die Hand in Hand nach dem großen Ziele für die Menschheit weiterschreiten, nach der Aufrichtung eines Weltreichs, das den Weltfrieden als eine reife Frucht dem Menschengeschlecht zu bieten vermag.

IV. Weitere Eindrücke und Heimkehr

Es ist in der Tat zur Abwechslung auch ganz angenehm, in einem Saale zu weilen, an einer Tafel zu sitzen, ohne daß ein Augenblick kommt, wo du nicht länger schweigen darfst, wo es Pflicht wird, für alle hörbar zu werden. Und hier am Niagara läßt sich ohnedies eine Stimme hören, die alles andere übertönt, ein Schauspiel enthüllt sich hier den Blicken, das jedem das Bewußtsein seiner eigenen Winzigkeit aufzwingt.

Wenn von großen Wasserfällen die Rede ist, so stellt man sich allermeist vor, daß man in tiefem Tale stehe und die Wasser aus ihrer Höhe herabstürzen sehe. Solch überwältigender Anblick kann hier nur ausnahmsweise genossen werden. In dem weitläufig gebauten Städtchen Niagarafalls mit seinen breiten Straßen, niedrigen Häusern, zahlreichen Hotels, mit seinem ganzen jahrmarktähnlichen Aussehen, in diesem Städtchen angelangt, steht man auf der Hochebene, durch die der Niagarafluß, ohne ein Tal zu bilden, die Wasser vom Eriesee nach dem

Ontariosee führt. Da kommt die breite Masse des Niagara-
flusses plötzlich an den Rand einer tiefen Kluft, in die sie sich
stürzen muß, den Spalt ganz ausfüllend, in welchem sich der
Niagarafluß weiterdrängt dem Ontariosee zu. So steht man
also zunächst oben am Rand des Plateaus, in das sich der
Spalt eingegraben hat, und sieht die Wasser über die Fels-
kante sich hinabbiegen. So mächtig das Rauschen und Donnern
auch wirkt, in seiner vollständigen Großartigkeit zeigt sich hier
das Schauspiel noch nicht.

Da standen wir oben an der Kante, auf der Fläche, die
von der Fremdenstadt Niagarafalls bedeckt wird, nachdem wir
eben, meine Frau und ich, nach Beendigung der letzten Schillerfeierlichkeiten in Akron (S. 93) dem Zug entstiegen waren.
Eine höchst angenehme Fahrt hatte am Südufer des Eriesees
über Buffalo nach Niagarafalls geführt, wo wir im Hotel Kalten-
bach äußerst gemütliche Unterkunft und eine aus Deutschen und
Amerikanern gemischte Gesellschaft fanden. Es liegt das Hotel
hübsch zwischen Bäumen halb versteckt ziemlich nahe am Niagarafluß, der hier gerade anfängt, in brausende Stromschnellen
überzugehen, welche seine Wassermassen pfeilschnell zu der Kante
führen, über die sie sich in die Tiefe zu stürzen haben. Zugleich
liegt unsere Herberge nahe der Brücke, welche hinüberführt nach
der Goatsinsel, die als ein Stück des Plateaus, von dem der
Strom hinabstürzt, stehen geblieben ist und den Fluß, somit
auch den Fall, in zwei ungleiche Stücke zerlegt: in den kleineren
amerikanischen Fall und in den größeren canadischen.

Auch hier auf der Goatsinsel, eben weil man auf dem
gleichen Niveau mit dem Flusse steht, der hier erst anfängt zu
stürzen, sieht man von den beiden Fällen, von dem fast gerad-
linigen amerikanischen, wie von dem in Hufeisenform einge-
schnittenen canadischen, wenig mehr als die Kante, über welche
die Wasser in dunkelgrüner Färbung sich hinabbiegen.

Und dies Hinabbiegen ist ganz wörtlich zu nehmen.
Man hat gesagt, hier oben auf dem Plateau von Niagarafalls,
vom Plateau der Goatsinsel, sei nicht viel von der Großartigkeit der Fälle zu sehen. Ich muß gestehen, daß gerade dies
schwere Drängen und Fluten der Wasser zur Kante hin, über
die sie mit Naturnotwendigkeit stürzen müssen, gerade dies Hin-
ziehen zum Sprung mir den großartigsten Eindruck gemacht
hat. So drängen sich die Wasser zum Todessprung Jahr-

taufende unb. Jahrtaufende lang, unb immer bleibt ihre Maffe gleich gewaltig unb überwältigenb bas Schaufpiel, bas fie ehe= mals bem in feiner herrenlofen Schönheit baliegenben Urwalb boten unb heute bem aus aller Welt zufammenftrömenben Volke geben. — Ja, ber Ausbruck „Hinabbiegen" ift ganz wörtlich zu nehmen. In fchwerer, fcheinbar bicker Maffe, ben Einbruck langfamen Umbiegens machenb, gehen bie Waffer über bie Kante unb erft bann fcheint eine gewaltige Schnelligfeit in ben Fall ber Sturzflut zu kommen. Aber hier oben fieht man ja wenig mehr als eben nur bie Kante unb ben Anfang bes Sturzes, nichts vom Zerflattern ber Waffer in einem kochenben Gifcht.

Um bas anftaunen unb ben vollen Anblick ber Fälle ge= nießen zu können, gibt es zwei Wege. Entweber geht man über bie Brücke, beren zierlicher Bau neben bas großartige Schaufpiel ber Natur ein Menfchenwunber ftellt, hinüber aufs canabifche Ufer unb hält von hier Einblick; ober man fchifft fich, nachbem man in ben Spalt hinabgefahren, auf bem nach bem Sturz wieber beruhigten Niagarafluß auf einem kleinen Dampfer ein unb bringt fo weit, als es eben Wirbel unb Strubel unb ftürzenbe Maffen Wafferftaubes geftatten, nach ber fallenben Waffermauer, ihren Fetzen unb flatternben Gifchtregen vor.

Auf beiben Wegen entfalten bie Fälle ihr volles Bilb; jetzt können wir zu ber Kante emporblicken, über bie fich enblofen Dranges bie fchweren Waffer wälzen; wir hören ihr Donnern unb fühlen, wie fie mit trotziger Brutalität auf bie felfigen Rippen ber Mutter Erbe aufftoßen.

Dem Eingreifen bes Staates ift es zu banken, baß bie Fälle felbft unb ihre Umgebung für bie Öffentlichkeit gerettet worben finb; auch bie wunberbare Ibylle ber inmitten ber Fälle gelegenen Goatsinfel mit all ihrer Baum=Ehrwürbigfeit unb ihren fchönen Spaziergängen. Von ihrer bem Eriefee zuge= kehrten Spitze fieht man bie ganze breite Maffe bes Niagara= fluffes meilenweit aufwärts, wie er in ftiller, breiter Pracht baherfließt, als ahnten bie Waffer noch nichts von Stürzen unb Gießen, Zerfetzen unb Peitfchen.

Noch muß ich hier wieberholen, baß alle Einrichtungen, bie zur öffentlichen Bequemlichfeit getroffen finb, fich von feiten bes Publikums ber größten Schonung zu erfreuen haben. Es ift, als käme nur bie vornehmfte Gefellfchaft hierher. Nirgenbs ift

etwas zerbrochen oder abgeknickt. Ordentlich rührend sehen die
Aufschriften auf kleinen Brettern aus: Do not harm — Ver-
letze nicht das Buschwerk, die Bäume. Keine Bettler. Auch
keine Aufdringlichkeit an einem durch den Fremdenverkehr ent-
standenen Platze? Doch eine einzige. Von einem Kutscher. Der
Überredungsreiche gab sich erst zufrieden, als man ihm sein Verhalten als ein in diesem Lande recht seltsames verwies.

Horch! Da lärmt wunderliche Musik um die Ecke; Trommel,
Trompete, Guitarre und Fiedel; dazwischen Gesang von Männ-
lein und Weiblein. Die Heilsarmee hat an einer Ecke Posto
gefaßt, weiß zu lärmen und anzuziehen. Wie seltsam und
grotesk Andersdenkenden die Geschmacklosigkeiten und Gewalt-
samkeiten dieser Art der Propaganda erscheinen mögen, sie haben
doch unschätzbare Erfolge hinter sich. Eine große Zahl von ver-
kommenen und verwahrlosten Menschen wußten sie einem an-
ständigen Arbeitsleben zurückzugewinnen. Wo irgend eine Erscheinung sich zeigt so ekel, so abstoßend, so entsetzlich, daß alle
anderen fliehen, der Soldat der Heilsarmee oder die Soldatin
nimmt sich des Elendes an, berührt das für alle Ekelhafte.

Und diese kleine Musikantenschar der Salutisten, wie sie hier
steht, singt, schreit, ihre Instrumente bearbeitet, macht den Eindruck, daß sie aus glücklichen Menschen besteht. Den Mönchen
gleich haben sie alle Lust des Weltlebens wie eine hinderliche
Bürde abgeworfen und schwärmen nun in Gebetsattacken, in
nervenerregender Musik, in Seelenfang. Hinter dem allem
aber liegt eine umfassende Kulturarbeit in Europa wie in
Amerika: Rettungshäuser, Trinkerasyle, Wöchnerinnenheime,
Kinderhorte. —

Was heute die Eisenbahnen sind, das bedeuteten zur ersten
Kolonistenzeit in Amerika die Wasserwege. Straßen, Fuhrwerke
gab es nicht; da und dort konnte man wohl reiten, aber die
hauptsächlichste Fahrstraße wurde doch dargestellt durch die
Wasserläufe, Seen, Flüsse, Bäche, und das Fahrzeug bestand
in dem leichten Kanot, das sich über trennende Landstrecken,
an Wasserfällen und Stromschnellen vorbeitragen ließ. In
solchen Trageplätzen erkannten die ersten Pioniere, Franzosen
und englische Ansiedler, Punkte von strategischer Bedeutung, die man in der Hand haben mußte, um der Indianer
auf ihren Kriegszügen Herr zu werden. So bauten hier an
dem Trageplatz um den Wasserfall herum von 1727 ab die

Franzosen ihr starkes Fort Niagara, das ein Glied bildete in der Kette von wohl 60 Schanzen und Blockhäusern, die sich von Quebec den Seen entlang zum Ohio bis zum Missisippi spannte. Am Ohio selbst lag Fort Duquesne (S. 19) und am unteren Ontario Fort Frontenac; die Tragestelle aber, die den schon zur Indianerzeit wichtigen strategischen Weg vom Lorenzstrom über den Champlain und Georgsee zum Hudsontal unterbricht, beherrschte ihr Fort Ticonderoga, das in allen Kriegen eine besonders hervorragende Rolle spielte. Die Wegnahme des französischen Forts Niagara durch die Engländer am 1. Juli 1759 bildete eine wichtige Voraussetzung für ihren Sieg bei Quebec am 13. September desselben Jahres, wo General Wolfe die Franzosen unter Montcalm schlug und damit den Grund legte zur Herrschaft des angelsächsischen Elements in ganz Nordamerika.

Heute kommt der Lage von Niagara, obwohl an der Grenzscheide zwischen der Union und dem englischen Gebiet von Canada gelegen, keine strategische Bedeutung mehr zu; denn mit sicherem Weitblick haben die Amerikaner längst die trennende Schranke der Grenze sich weggedacht.

Und doch finden sich kriegerische Erinnerungen in Niagarafalls, dieser Station am Allerweltsweg. — Wie oftmals gesagt, nimmt der Bürgerkrieg 1861 bis 1865 in der Vorstellungswelt der Amerikaner dieselbe Stelle ein, die wir Deutsche dem großen Krieg 1870 und 1871 gegen Frankreich einräumen. Rasch füllen sich die freien Plätze in Städten und Parks mit Denkmalen, die auf den Bürgerkrieg Bezug haben. Da wo in Niagarafalls sich die Straßen über einen freien Platz zum Prospektpark senken, erhebt sich eines der bescheidensten und doch sinnigsten Kriegerdenkmale, die ich gesehen habe, in Stein ausgeführt, oben bekrönt durch die vielleicht allzu klein geratene Figur eines Infanteristen in voller Ausrüstung.

Die Seitenwände des Denksteins sind dem Gedächtnis der Männer gewidmet: Died for their country — Gestorben fürs Vaterland. Es sind besonders bedacht das 28., 76., 151. Regiment New Yorker Volunteers (Niagarafalls liegt ja im Staate New York); 2. New York Mounted Rifles; 18., 14. Regiment der Unionsarmee; 10. Regiment New Yorker Kavallerie. Unter den Vornamen der Kämpfer sind mir manche, wie: Zebulon, Hiram, Joel, aufgefallen, die sicher auf eine Einwanderung aus

den Puritanerstaaten hindeuten. An deutschen Namen habe ich
gefunden: Jakob Willich und Wüdrichs Battery.

Trefflich läßt sich träumen in den Waldschatten der Goatsinsel trotz der Angriffe ganzer Banden von Photographen,
gerade gegen die anmutigsten Plätzchen gerichtet. Aber die Zeit
ist gar knapp bemessen für den, der schon am 3. Juni an Bord
der „Prinzessin Irene" sein soll, um nach der alten Heimat
zurückzufahren. Da stehen sie auch schon in ihren nagelneuen
Zylinderhüten, die fünf Abgeordneten, die, mit Richter Lorenz
Zeller an der Spitze, den Auftrag haben, uns beiden die Einladung des Schwabenvereins von New York zu überbringen
und uns zu entführen.

Schon seit lange haben sich die einzelnen deutschen Lands-
mannschaften in New York in Volksfestvereine zusammen-
getan, so die Pfälzer, Badener, Hessen, Bayern, Sachsen,
Thüringer. Einen der rührigsten und erfolgreichsten Vereine
haben die Schwaben geschlossen unter dem Namen „Cannstatter
Volksfestverein", und sie sind es, deren entgegenkommender Güte
ich eine ganze Reihe von neuen Einblicken zu verdanken habe.

Mit der Trambahn vollzieht sich die kurze Fahrt von Niagarafalls nach Buffalo außerordentlich angenehm in offenen Wagen
bei herrlicher Abendluft, deren kräftiges Strömen eine wider-
liche Beigabe nur erhält durch den eigentümlich aromatischen
Duft, der von einem gummikauenden Pärchen ausgeht. Da
sitzen die verliebten Menschenkinder und blicken mit leeren
dunkeln Samtaugen gleich wiederkäuenden Schafen sich an.

Rasch verging der Abend in Buffalo, wo sich unserer Gesellschaft noch einige Journalisten der Stadt anschlossen. In
aller Frühe am Morgen des 27. Mai wurde der Zug nach
New York bestiegen, in welchem unsere schwäbischen Freunde
für alle Bequemlichkeiten gesorgt hatten, welche die abgeschlossene
Bahnwohnung eines Drawing Room bieten kann. Ungefähr die
Strecke von Basel nach Berlin, 800 km, ist ja zu durchlaufen, um
von Buffalo, von einem der westlichsten Punkte des Staates
New York, nach dem südlichsten, nach der Stadt New York, zu
gelangen. Zunächst geht es rein ostwärts, dann, bei Albany
in rechtem Winkel sich brechend, dem Süden zu.

Gerade diejenigen Bodenstücke durchschneidet die Bahn oder
nähert sich ihnen doch, welche meine besondere Aufmerksamkeit
erregen mußten, als ich nach den besten Karten und nach den

Plänen, die sich in Winsors Werk finden, meine Vorstudien zur Geschichte der amerikanischen Revolution machte. Gerade im Entscheidungsjahr 1777 spielten sich die hauptsächlichsten Ereignisse im Mohawktal und am Hudson ab.

Über die Hochfläche im Süden des Ontariosees ist die Stadt Syrakuse erreicht, ungefähr halbwegs zwischen Buffalo und Albany. Es folgt Oneida in der Nähe des Oneidasees, nur durch eine schmale Landstrecke von dem Mohawkfluß getrennt. Zur Beherrschung dieser Strecke war vor alters schon Fort Stanwix (Schuyler) errichtet worden. In ihm kommandierte Oberst Gansevoort, als vom Ontariosee her im Sommer 1777 die verbündeten Engländer und Indianer rückten, um das Fort wegzunehmen und das Tal des Mohawk zu erreichen. Der weitere Plan ging dahin, durch das Mohawktal an den Hudson zu ziehen und die Vereinigung mit dem Heere des Generals Bourgonne durchzuführen, der von Norden, von Canada her, süd= wärts gegen New York marschierte. Gelang der Anschlag, so erhielt Bourgonne einen mächtigen Zuschuß namentlich an in= dianischen Streitkräften, und dann gelang es ihm wohl, der Amerikaner Herr zu werden.

Im Mohawktal saßen neben Ansiedlern, die aus Neuengland stammten, seit dem Anfang des 18. Jahrhunderts namentlich Pfälzer, und ihrem Fleiße war es gelungen, das schöne Tal in ein herrliches Kulturland voll kleiner Städte, Dörfer und einzelstehender Farmen zu verwandeln. Schon vor Zeiten, im Krieg gegen die Franzosen, 1757 und 1758, hatten sie sich als mannhafte Krieger gezeigt. Jetzt, seit 1775 und 1776, nach der Erklärung der Unabhängigkeit, schlossen sie sich von ganzem Herzen der Sache der Freiheit an und zogen zu Feld unter ihrem Führer Nikolaus Herkheimer, den der Staat New York zum Brigadegeneral der Miliz ernannt hatte. In 4 Bataillone geteilt marschierten 800 Mann jener pfälzischen Nachkommen= schaft in den ersten Tagen des August 1777 den Engländern und Indianern entgegen, die Fort Stanwix bedrohten.

Auf schmalem Waldweg hatte sich die Schar lang aus= einander gezogen, als sie sich am Morgen des 6. August bei Oriskany plötzlich von überlegenen Indianerschwärmen und eng= lischen Truppen angegriffen sah. Herkheimer überblickte rasch die verzweifelte Lage. Auf langes Schießgefecht durfte er sich nicht einlassen. Durch Handgemenge mit dem langen Messer mußte er sich Luft verschaffen; so geschah es, und nun vermochte Herckheimer seine Schützen vorteilhaft zu verteilen und die Feinde unter Feuer zu nehmen. Allein jetzt erhielt der tapfere Führer selbst einen Schuß, der ihm das Bein zerschmetterte. Er ließ sich, auf seinem Sattel sitzend, an einen Baum lehnen und fuhr fort, durch Zuruf und mannhaftes Ausharren die Herzen der Seinen in ihrer bitteren Not zu stärken. Salve um Salve, Schützenfeuer räumten auf in den Reihen der wilden Bestien; in wirrer Flucht stürzten gegen Abend alle von dannen; das blühende Mohawktal war gerettet.

Tränenvollen Auges aber blickten die Sieger über das Schlachtfeld: da lagen sie hingestreckt, die tapferen Knaben zusammen mit den Vätern und Großvätern; zwei Wohlleben waren geblieben, neun Schell, viele von den Familien Kast, Demuth, Heß, Baumann, Nette, Orendorf; im ganzen 200 Mann.

Nach wenigen Tagen starb auch General Herckheimer. Der Kongreß ehrte seine Taten und der Held schläft unter einem riesigen Marmorobelisk, vom Staat New York errichtet; County und Stadt Herkimer tragen seinen Namen. — „Herckheimer war es," bezeugte Washington, „der zuerst den düsteren Auftritt des Nordfeldzugs lichtete." Und Präsident Roosevelt vor kurzem: „Herckheimers (Herkimers) Kämpfe im Mohawktal bildeten den Wendepunkt im Unabhängigkeitskrieg."

Viel hat Amerika an seinen aus Deutschland kommenden Ansiedlern getan; manches konnten diese ihrem neuen Vaterland heimzahlen, nachdem deutsche Mannhaftigkeit und deutscher Freiheitsgeist durch den neuen Boden, durch neue Verhältnisse und neue Kameradschaft gestärkt und wiederbelebt aufgewacht waren. Nikolaus Herckheimer, um 1715 von deutschen Eltern im Mohawktal geboren, ist ein würdiger Vertreter des Deutschamerikanertums in seiner vollen Hingabe an das neue Vaterland.

Und jetzt tut sich das Mohawktal auf in all seiner Schöne mit seinen Städtchen und Dörfern, seinen Wiesen, Feldern und Obstgärten, von waldigen Höhen umsäumt. Etwas unterhalb der Mündung des Mohawk liegt Albany (ehemals von den Holländern angelegt als Fort Oranje), die Hauptstadt des Staates New York; schon wird sein Kapitol sichtbar. Bis hierher bringen die Wirkungen der Flut den Hudson aufwärts und führen große Schiffe mitten ins Binnenland hinein. —

Ungefähr 60 km nördlich von Albany, auf dem Schlachtfeld
von Saratoga, hat General Bourgoyne am 17. Oktober 1777
die Waffen vor den Amerikanern gestreckt, nachdem durch Herckheimers Sieg, dem andere Erfolge im Hudsontal sich anschlossen,
seine Lage hoffnungslos geworden war.

Gerne wäre ich nach jener denkwürdigen Scholle gepilgert,
aber die Zeit drängte; ohne Aufhalten rasselte der Zug weiter
auf der linken Seite des Hudson durch eine Gemäldegalerie
gewaltigster Art. Am Abend geleiteten uns die Freunde in
die Herberge, die sie uns in New York ausgesucht in dem
glänzenden Hotel Astor auf dem Broadway in der Nähe
der 46. Straße, Times Square. Über dem Eingang flatterte
eine Fahne mit den württembergischen Farben, und der Besitzer,
Wm. C. Muschenheim, führte uns in die zugewiesenen, mit viel
Geschmack und fürstlicher Pracht ausgestatteten Räume des ersten
Stockwerks. Wieder eine Heimat! Ihre vornehme Stille wirkte
außerordentlich wohltuend.

Sonntag, 28. Mai. Fahrt mit den schwäbischen Freunden
durch die Wunder des Zentralparks; Besuch des Grabmals von
Ul. Grant. Den nächsten Tag füllten Entdeckungsreisen in der
auf dem Felsengrund der Insel Manhattan sich aufbauenden
Stadt. — Der Hudson ist ja wohl der einzige große, die ge-
waltigsten Seeschiffe weit aufwärts tragende Strom der Erde,
der bis zu seiner Mündung von felsigen Höhen umgeben ist,
nur ausnahmsweise kleine Strecken von Niederung zeigt. Überall treten die harten Rippen der Mutter Erde zu Tag, welchen
denn auch der New Yorker wahre Ungetüme von Bauwerken
aufladet. Von den felsigen Höhen des linken Ufers blickt man
hinüber zu den senkrecht abstürzenden Basalthängen der „Pali-
saden", dazwischen der gewaltige, 2 bis 3 km breite Strom voll
flutenden Lebens, rechts und links die Türme und Kuppeln, die
wie riesige Zacken in das Blau des Himmels stechenden, hellfarbigen Überhäuser. Ist irgendwo ein altes Kirchlein zwischen
solchen Riesen eingekeilt, so erscheint es samt seinem Turme
wie ein Zwerg.

Schwer ist es, über den Verkehr etwas zu sagen; ebenso
kühn und großartig erscheint er wie rücksichtslos. Zunächst wirkt
sein Zusammengreifen verwirrend, und man braucht nicht nur
einen einzigen Tag, um einigermaßen sich zurechtzufinden.

Der Abend sammelte wieder zum Schwabenbankett im Hotel

Aftor, wo ich meinen Platz angewiesen erhielt zwischen dem Richter Lorenz Zeller und dem Chefredakteur der New Yorker Staatszeitung, G. v. Skal (S. 98). So machte mich die Gunst des Schicksals zum Nachbarn von zwei alten Bekannten. — Als ich bald nach dem Krieg zu Anfang der Siebzigerjahre Hauptmann im Grenadierregiment Königin Olga in Stuttgart war, schickte uns die Kriegsschule in Hannover eine Anzahl junger Schwaben als angehende Leutnante, darunter Lorenz Zeller. Nur wenige Jahre blieb der überall gern gesehene schlanke Offizier unser Kamerad, als ihn die freundschaftlichen Verbindungen mit einer in Stuttgart wohnenden amerikanischen Familie, der seine Frau entstammt, veranlaßten, um seinen Abschied einzukommen und seinen Wohnsitz nach New York zu verlegen. Hier studierte er Rechtswissenschaft, wurde Anwalt und ist heute einer der Richter der Stadt New York.

Der Nachbar zur Rechten aber, G. v. Skal, ist es gewesen, der mit freundlichen Worten sich meiner neuesten Schrift „Die amerikanische Revolution" unmittelbar nach ihrem Erscheinen Ende 1904 angenommen. Mit Skal verabredete ich noch einen Besuch bei Karl Schurz an einem der nächsten Tage. Schon aber war Schurz aus der Stadt abgereist nach seinem Landhaus am Lake George, wo er im September 1905 die Vorrede zum ersten Band seiner Lebenserinnerungen geschrieben hat. Wegen Zeitmangels mußte der Gang an den Georgesee unterbleiben; so habe ich ihn nicht mehr gesehen, den bedeutendsten politischen Kopf, den am glänzendsten begabten Mann, den Deutschland jemals nach Amerika gesandt hat. Ziemlich ein Jahr später, als wir zum Bankett beisammen saßen, am 14. Mai 1906, ist er gestorben.

Und nun von den beiden Nachbarn einen Blick auf die Tafel! Schon der künstlerisch aufgebaute Schmuck aus hunderten jener Rosen, American beauties genannt, gab eine Vorstellung von der verschwenderischen Pracht, mit der die Festgeber den Abend zu verschönern trachteten. Der Tischreden wurden, in wohlgeordneter Reihenfolge, nach amerikanischem Brauch gar viele gehalten; die bedeutendsten von Zeller und Skal; weitere von den Beamten des Vereins, den Herren Brändle, Häußler, Breuner, Schmalzl und anderen. Ich finde, daß amerikanisches Vorbild auch solche befähigt hat, in wohlgesetzter Rede ihre

Gedanken vorzubringen, denen sonst freie Rede durch ihren
Beruf ganz fern zu liegen pflegt. Überall amerikanische, deutsche
und württembergische Farben, und zu ihnen paßte manch ein
treffliches Wort zum Lob der alten und der neuen Heimat, des
Schwabenlandes und seines Landesherrn. —

Landpfeiler in der Höhe des Kölner Doms tragen die ge=
waltige Brücke, die über die Wasserstraße führt, welche New York
von der auf der Insel Long Island liegenden Vorstadt Brooklyn
trennt. Wir fahren in aller Frühe hinüber; denn es ist ja
30. Mai, Gräberschmückungstag, und ich hatte eine Ein=
ladung erhalten zur Enthüllung des Denkmals für General
Slocum, welche durch die Anwesenheit des Präsidenten Roose=
velt verherrlicht werden sollte.

Als der erste nationale Festtag gilt der 4. Juli jedes Jahrs.
Es ist das schon bezeichnend genug für die besondere Art der
Auffassung der Dinge durch Amerikaner. Kein Siegestag ist
gewählt, kein Friedensschluß; nicht der Augenblick, da der erste
Schuß für die Freiheit fiel und grollend das Volk sich erhob;
kein blutiger Tag; nein, der Vorgang im Schoße des Kongresses,
der mit kalt abgemessenen Worten die Freiheit schuf, dem
gewalttätigen Oberherrn seine Sünden vorrechnend, mit priester=
lichem Tone sein eigenes menschliches Recht wahrend, und
endlich mit scharfen Worten einen festen Willen, die Unab=
hängigkeit, den Entschluß, auf eigenen Bahnen zu gehen, be=
kundend; — den Augenblick dieses Vorgangs, 4. Juli 1776, hat
das nationale Gefühl sich erkoren. Denn, nachdem die große
Tat der Erklärung des Volkswillens geschehen, zweifelte das
Volk selbst keinen Augenblick, daß alles andere, lediglich als
Beiwerk, sich von selbst ergeben werde.

Nach ähnlichem Gedankengang scheint mir auch der 30. Mai
als Gräberschmückungstag gewählt zu sein. Kein Siegestag,
kein Tag des Jubels nach blutigem Ringen, kein Tag des
Friedensschlusses; ein neutraler Tag, möchte man sagen, an
dem es keinen Sieger und keinen Besiegten gab. Es wird
erzählt, die Sitte, der Gefallenen Gräber an bestimmtem Fest=
tag gemeinschaftlich zu schmücken, sei vom Süden ausgegangen,
wo in jeder weißen Familie der Tod blutige Ernte gehalten.

Heute ist der Träger des Festgedankens am 30. Mai jeg=
lichen Jahres der Verein der Grand Army, einer der groß=
artigsten, von den edelsten Ideen getragenen Kriegervereine.

Noch hatten die Kriegervereinigungen in Deutschland kaum
nennenswerte Ausbreitung gefunden, als in Amerika schon der
Gedanke zu einem nationalen Verein (Grand Army of the
Republic) im Jahr 1866 Gestalt gewann.

Im Herbst 1865 ging der Bürgerkrieg, der im Jahr 1861
entbrannt war, zu Ende; Friede wurde mit den Südstaaten
geschlossen, und die gewaltige Bundesarmee, die als Siegerin
auf dem weitgedehnten Kriegsschauplatz stand, begann sich auf-
zulösen; die Freiwilligen und alle Wehrmänner, die in ihren
Reihen gedient hatten, zogen der Heimat zu, dem Norden und
Westen der Vereinigten Staaten. Alle ihre Erinnerungen an
die blutigen Schlachten, an den Sieg der Union über die
Konföderierten, an die Erhabenheit der durch die Vereinigten
Staaten erfochtenen, von den Vorvätern überlieferten Ideen,
all das trugen sie mit sich. Und dies Gemeinschaftliche war
es, was zunächst den Anlaß gab zu dem Gedanken, alle Kriegs-
veteranen, die unter dem Banner der Union gekämpft, in einen
großen Verein zusammenzuknüpfen.

Die Anregung ging von einem Regimentsarzt aus, dem
Dr. L. F. Stephenson vom 14. Infanterieregiment des Staates
Illinois. Zwecke und Ziele: Pflege patriotischen Sinnes und
treuer Anhänglichkeit an Verfassung und Gesetze, gegenseitige
Unterstützung und Sorge für eine würdige Ruhestätte der Toten.
Heute zählt der Kriegerverein der Grand Army 270000 Mit-
glieder, die sich in 6045 Lokalvereine (Grand Army Posts)
gliedern. Vor 9 Jahren waren es noch 420000 Mann.

Am 30. Mai aber treten alle, soviel ihrer noch übrig sind,
in Reih und Glied; die Schulen feiern, ein großer Teil der
Geschäfte ist geschlossen, flaggengeschmückt stehen die Häuser,
und durch die Straßen wogt die Menge, um auf den Fried-
höfen Soldatengräber aufzusuchen und mit Blumen zu schmücken,
um sich bei den Denkmälern der Führer im großen Kriege in
Parade aufzustellen.

Aber da sind wir auch schon an der Tribüne am östlichen
Parkweg von Brooklyn, wo dem Programm zufolge um 10 Uhr
30 Minuten Vormittags die Enthüllung stattfinden sollte. Auf-
merksamstem Entgegenkommen verdankte ich einen herrlichen
Platz in der Nähe des für Roosevelt bestimmten Sitzes.
☞ Wir sind aber sehr früh daran und müssen noch lange
warten; immer weiter dehnt sich das Meer von Menschen rings-

um aus; die Bedford Avenue wird freigehalten und stopft sich allmählich voll mit Truppen: Abteilungen der Unionstruppen, der Marine; die Scharen der Veteranen; Nationalgarde, Regiment an Regiment. Noch hat die Hitzwelle, welche New York wenige Tage später plagte, die Stadt nicht erreicht, aber es steigert sich auch jetzt schon die Wärme fast unerträglich. Wie es aber scheint, hat jede Kompanie sich für einen Neger gesorgt, der mit gewaltigem Wassereimer hin und her geht, um die Durstigen zu laben. Und wie ich den geschäftigen Wasserverteiler beobachte, kommt mir ein anderes Bild in den Sinn, ein anderer heißer Tag, eine prächtige Wasserverteilerin, ein tapferes deutsches Weib. — Es war am 28. Juni 1778, als George Washington bei Monmouth mit den Engländern unter Clinton im Gefechte stand. Entsetzlich brannte die Sonne; viele stürzten auf dem Marsche tot zusammen. Da lief bei der amerikanischen Artillerie das Weib des Kanoniers Heiß, Maria Heiß, geborene Ludwig, nach ihrer Gewohnheit mit dem hölzernen Wassereimer (pitcher, auch im Deutschen „Pitsche" genannt) von einem Durstigen zum anderen, Labung zu bringen. Das resolute Weib war ein Liebling der Soldaten; von Lager zu Lager, von Gefecht zu Gefecht zog sie mit; die Kranken half sie pflegen, die Verwundeten aufsammeln und verbinden; nach ihrem Wasserkrug, von dem sie unzertrennlich war, hatte sich der Name „Molly Pitscher" gebildet. — Gut; die Batterie, bei der sich Mollys Gatte befand, fuhr auf. Molly wählte sich ihren Standort. Die Engländer griffen ihrerseits an; es ging heiß her. In der Batterie lag die Mehrzahl der Bedienungsmannschaft niedergestreckt, auch Mollys Gatte verwundet neben seiner Kanone; die Leute begannen zu wanken. Da stürzte mit fliegenden Haaren Molly herbei; rüstig hob sie den zu Boden gefallenen Wischstock empor, schwang ihn hoch in der Luft und begann das der Bedienung beraubte Geschütz zu laden und zu richten. Laut erschallte bei solchem Anblick rings der Ruf: „Ein Hurra für Moll Pitscher!" Erschöpfte und Verwundete rafften sich auf, Reservemannschaften stürzten herbei und bald feuerte die Batterie lebhafter als je zuvor.

Es wird erzählt, Washington sei auf die Szene aufmerksam geworden, sei herbeigeritten, habe Molly belobt und ihren Gatten zum Sergeanten befördert.

Aber jetzt ist's vorbei mit dem Rückwärtsschweifen der Ge-

banken. Immer näher und näher, donnernder klingen die
Hurrarufe; ein Reitertrupp sprengt an mit dem Wagen, aus
dem Präsident Roosevelt mit jugendlicher Leichtigkeit springt,
um seinen Platz auf der Tribüne einzunehmen. Der Geistliche
spricht das Weihegebet. Darauf wird das Denkmal von dem
Kommissioner Kennedy der Nation und der Stadt New York
zur Obhut übergeben. In diesem Augenblick hat die Enkelin
des Generals Slocum, Miß Gertrud Slocum, die Schnur ge=
zogen; die einhüllenden Flaggen mit den Sternen und Streifen
sinken zurück und von tausendstimmigem Jubel begrüßt steht
das Standbild des verdienten Führers im Bürgerkriege da,
mit seinen feinen Linien in den wolkenlosen Frühlingshimmel
gezeichnet.

Der Bürgermeister der Stadt New York, Mc Clellan
(S. 97), ergriff nun das Wort, um das Denkmal zu über=
nehmen. Die Nationalhymne ertönte und unter riesigem Jubel
erhob sich Roosevelt zu einer höchst bedeutsamen Rede, aus
welcher, in den verschiedenartigsten Wendungen, immer wieder
das Recht des durch seine Zwecke geheiligten Krieges für Frei=
heit und Wohlfahrt der Nation durchklang. „Es hat noch nie
ein Volk, das der Erhaltung wert war, existiert oder wird je
existieren, das nicht im stande gewesen wäre, in Zeiten der
Not das Schwert zu erheben!" Hauptsache aber sei es für jede
mächtige Nation, im Geiste der Gerechtigkeit und Großmut
gegen alle anderen Völker zu handeln. Aus beleidigenden Reden
könne nichts Gutes kommen, das möge die Presse bedenken.
Wenn eine Nation reich, unternehmungslustig und rasch zu=
greifend sei, so dürfe sie dabei nur noch als wehrlos erscheinen,
um alle Vorbedingungen für ihren Untergang geschaffen zu
haben.

Nunmehr konnte die Parade beginnen; die Tambours schlu=
gen ein, Musiken ließen sich hören. Voraus zogen reguläre
Truppen von der Vereinigten Staaten-Armee und von der
Flotte; sie machten einen vortrefflichen Eindruck; durch Be=
spannung und Ausrüstung zog namentlich die Batterie die
Augen auf sich. Teils in Feld=, teils in Paradeuniform zogen
vier Milizregimenter vorbei, alle in guter Verfassung und recht
stramm. Darauf folgten die eigentlichen Männer des Festes,
die Veteranen mit ihren alten zerfetzten Regimentszeichen. Wei=
tere Regimenter der Nationalgarde schlossen.

Indessen war die Mittagstunde längst vorüber; die Hitze
war drückend geworden, zeigte sich aber erträglicher, als wir
bei der großen Schaubudenstadt Coney Island den Meeres-
strand erreicht hatten, um längere Rast zu halten. Dabei ver-
fehlte unser Führer, Richter Zeller, nicht, uns für den folgenden
Vormittag in den Gerichtssaal, Justice Court of Special
Sessions, first Division, einzuladen.

Es wird ja zugestanden, daß das gesamte Gerichtsverfahren
der Vereinigten Staaten einer durchgreifenden Reform bedürfe.
Allein ich für meinen Teil muß gestehen, daß mir in der
raschen, kurz angebundenen, freilich etwas formlosen Weise viel
Sinn für wirkliches, natürliches, verständliches Recht zu liegen
schien, ohne Zwang, ohne Verschnörkelung, ohne die Wider-
natürlichkeiten, welche anderwärts höher entwickelte Rechtsformen
mit sich bringen bis zur Verdunkelung, Unverständlichmachung
des Rechts selbst. Das Verhalten des Publikums, der Ange-
klagten, der Kläger und der Richter machte mir den allerbesten
Eindruck.

Das Verfahren war schon im besten Gang, als ich in den
Saal trat; von dem Vorsitzenden des aus drei Richtern im
Talar bestehenden Kollegiums wurde mir ein Platz auf der
Richtertribüne selbst angewiesen. Ein ziemlich großes Publikum
hatte sich auf den Bänken eingefunden, aus allen möglichen
Volksstämmen und Abtönungen der Hautfarben zusammen-
gesetzt; es verhielt sich außerordentlich respektvoll und achtsam.
Vor der Estrade, welche die Richterbank umgab, befanden sich
Kläger, Angeklagte, so wie sie nach der langen Liste, die auf-
lag, vorgeführt wurden; ferner Staatsanwalt, Rechtsanwälte,
Dolmetscher und eine zahlreiche Schar von Polizisten.

Gerade die Figuren dieser Polizisten sind es, welche den
sehnigen, schlanken amerikanischen Menschenschlag am sprechend-
sten vor Augen führen. Es sind entschieden schöne Leute mit
offenem, kühnem, klarem Blick, kraftstrotzend. Freilich, die Aus-
wahl der Leute zum Polizeikorps ist eine sehr sorgfältige; ein
ziemlich hoher Bildungsgrad muß nachgewiesen, große Körper-
kraft vorgezeigt werden. Die Leute sind gut bezahlt, ich glaube
bis zu 1000 Dollars jährlich, und erfreuen sich großen Respekts;
sie bilden die Armee der Stadt. Nicht bloß das Vorführen
und Abführen ist Sache der Polizisten im Gerichtsaal, sie
dienen zugleich als Zeugen und Ankläger.

Eine lange Reihe von Fällen kam zur Aburteilung; da wurden Männer vorgeführt, die ihre Frauen mißhandelt hatten; junge Diebe; außerordentlich gesetzt aussehende Kupplerinnen; Streit zwischen Herrschaft und Dienstboten. Dann und wann erfolgte ein Freispruch; Stellung unter Polizeiaufsicht wurde verfügt; Geldstrafen, Gefängnis. Erkannte Geldstrafen müssen auf der Stelle bar bezahlt werden; zur Absitzung der Gefängnisstrafe wird ohne weiteres abgeführt. Keine Appellation. Eine ganz merkwürdige Art von Unterwürfigkeit dem Richteramt gegenüber war bei Klägern und Beklagten, wie bei Verurteilten zu bemerken; Ruhe, schweigendes Sichfügen.

So blicken im arabischen Märchen die Gläubigen zu dem Kadi auf, in den sie volles Vertrauen setzen, daß er wisse, was Rechtens sei, daß er das Unrecht herauszufinden und zu rächen vermöge. — Zuweilen entspinnt sich auch zwischen Gericht und den Vorgeführten eine Art Unterhaltung. Ob sie denn nicht besser täten, sich zu versöhnen, wurde einem Ehepaar vorgeschlagen; der Gatte war angeklagt, seine Frau roh behandelt zu haben. Richtig; Klage zurückgezogen; sie ziehen feierlich Arm in Arm ab. Eine Negerin wird vorgeführt in schönem Putz; sie zeigt auf ihrer Wange die Wunde, die der Gatte ihr geschlagen. Ob sie dem Beispiel des Paares, das eben vor den Gerichtsschranken sich versöhnt, nicht folgen wolle? Da loderten wild ihre Augen auf; nein, Strafe müsse sein!

Auf den Zuhörerbänken saß eine Reihe von jungen Negerinnen. Eine davon hätschelte und liebkoste ein kleines Negerchen im Wickelkissen, dessen dunkles Gesichtchen drollig genug in der Wolke von weißen Spitzen aussah. Ihre Nachbarin folgte gespannt der Gerichtsverhandlung. Der angeklagte Negergatte wird vorgeführt; er leugnet nicht, die Verunstaltung auf der Wange seiner Frau durch seine Roheit verschuldet zu haben. Verurteilt und ins Gefängnis abgeführt. Da springt das Negermädchen auf und, eben als der Polizist seinen Schützling zur Türe hinaus zu dem ins Gefängnis führenden Fahrstuhl schieben will, drückt sie dem Verurteilten einen schallenden Kuß auf. Und wieder lodert das Auge der Negergattin, die noch auf der für den Kläger bestimmten Bank sitzt.

Es wird fast gar nichts geschrieben; das Verfahren ist mündlich und außerordentlich rasch. In drei Stunden sind wohl vierzig Fälle erledigt worden. Richter Zeller, neben dem ich faß, erklärte mir übrigens, daß regelmäßig in der Woche vorher jeder einzelne Fall schon untersucht und vorbereitet sei; die Polizisten seien außerordentlich gut darauf eingeübt, den Tatbestand herzustellen und Zeugen aufzutreiben. Zweckmäßigkeit und Vermeidung allzuhoher Kosten sind dabei die leitenden Gedanken.

Die Richter haben sich alle zehn Jahre einer Wiederwahl zu unterwerfen, genießen aber unter ihren Mitbürgern ein hohes Ansehen. Die Höhe ihres jährlichen Gehalts beträgt neuntausend Dollars. So weit hätte es Judge Zeller, der ehemalige Leutnant und Regimentskamerad von den Grenadieren her, kaum bringen können, wenn er Kriegsminister geworden wäre. —

Wie eine Akropolis staffeln sich die Bauwerke der Columbia-Universität im nördlichen Teile der Stadt New York auf. Weit schweifen die Blicke über die Stadt hin, über den Spiegel des Hudson und sein rechtes Ufer. — Mehr als hundert Jahre ist Columbia-Universität jünger wie Harvard. Erst in der Mitte des 18. Jahrhunderts ist sie ins Leben gerufen worden und erhielt vom König Georg II. nebst allerlei Zuwendungen den Namen „Kings College". Während des Revolutionskrieges, da New York als Hauptquartier und Hochburg der Engländer diente, stellte die Schule ihre Lehrtätigkeit ein und gab ihre Räume zu Lazarettzwecken ab. Erst 1784 öffnete sie wieder ihre Tore und empfing den Namen „Columbia College".

Jung ist vergleichsweise die Organisation der Anstalt als wirkliche Universität. Sie begann zunächst mit einer Platzveränderung. Das alte College lag zwischen 49. und 50. Straße an der Madison Avenue. Es sei hier bemerkt, daß die „Avenues" von Norden nach Süden gehen und senkrecht geschnitten werden von den „Straßen"; eine Orientierung ist demnach so leicht wie mit Längen- und Breitegraden. — Auf ihrem alten Platz zwischen 49. und 50. Straße fand sich die Anstalt aufs äußerste eingezwängt. Für die Summe von zwei Millionen Dollars wurde deshalb 1892 zunächst der neue Platz erworben, 116. bis 120. Straße an der Amsterdam Avenue.

Rüstig wurde angefangen zu bauen, und das hat heute noch nicht aufgehört. Allein schon 1897 konnte das alte College als neue Columbia-Universität eröffnet werden. Schon im nächsten Jahre zählte sie über 2000 Studenten. Heute aber hat sie den

Wettlauf mit der alten Kollegin Harvard aufgenommen mit
mehr als 500 Lehrern und annähernd 6000 Studenten.

Die geschmackvoll georbnete, durch Höfe und Gärten unter-
brochene Anhäufung von mächtigen Bauwerken macht einen imponierenden Eindruck. Endlich fanden wir den Professor Calvin
Thomas, den Schillerrebner von Chicago her (S. 52), in seinem
Arbeitszimmer, das mit Handbibliothek jeber der Hochschullehrer
in der Nähe seines Lehrsaales zu haben scheint. — Calvin
Thomas ist Mitglied der deutschen Abteilung, welche hier wie
anderwärts innerhalb der philosophischen Fakultät eingerichtet
worden ist und heute elf Professoren und Hilfslehrer zählt.
Und zwar führt Calvin Thomas seinen Titel als sogenannter
Gebhard-Professor.

Das führt auf die Geschichte des Deutschtums an dieser
Universität zurück. Mancherlei Anläufe waren gemacht worden;
mit wenig Erfolg. Da trat ein Deutschamerikaner auf, Friedrich Gebhard, und stiftete 20000 Dollars mit der Bestimmung,
daß sie von der Universität verwaltet werden sollten, bis von
den Zinsen ein Professor der deutschen Sprache und Literatur
angestellt werden könnte. Calvin Thomas steht mit Professor
William Henry Carpenter (S. 99) heute an der Spitze der
deutschen Abteilung, deren Hörerzahl sich innerhalb der Zeitspanne von wenigen Jahren in erstaunlicher Weise vermehrt
hat, heute gegen 800 beträgt. Unter der Führung von Thomas war bald wenigstens ein Überblick gewonnen über die
Einrichtung der Universität. Zum Schlusse stiegen wir noch die
breiten Stufen hinauf, welche zu dem überaus großartigen
Kuppelbau des Tempels führen, der hier einer der hervorragendsten amerikanischen Gottheiten (S. 16), dem Buch, errichtet worden
ist. Die noch junge Bibliothek zählt heute fast 300000 Bände.
Seth Low, Präsident der Universität von 1890—1901, legte
den Grund für sie mit einer Stiftung von 1 175 000 Dollars.

Seth Low, 1850 geboren in Brooklyn, ist selbst ein alter
Columbiaschüler. Nachdem er studiert und graduiert hatte, trat
er ins kaufmännische Geschäft des Vaters, wurde Bürgermeister
von Brooklyn und 1890 zum Präsidenten der Universität erwählt. Nach elfjähriger ruhmvoller Amtsführung trat er von
diesem Posten zurück, um sich als Kandidaten für das Bürger-
meisteramt von New York aufstellen zu lassen. Eine echt amerikanische Laufbahn, welche den Idealismus eines Gelehrten

hineinträgt in bürgerliche Ämter und einer gelehrten Anstalt
Nutzen zu schaffen weiß aus den Erfahrungen des Geschäfts-
manns. So wird auf der einen Seite hochnasiger Bureaukratismus, auf der anderen eng verkapselte, verbissene Möncherei
und eingebildete Zünftlerei zum Teufel gejagt.

Auf der Bibliothek selbst erhielt ich das Buch, dessen Titel
ich aus dem Zettelkatalog entnommen und aufgeschrieben hatte,
innerhalb weniger Minuten durch Röhrenpost in die Hände geliefert. Eine Menge junger Leute, zwischen 16 und 20 Jahren
etwa, sah ich hier beschäftigt. Sie seien zum großen Teil auf
Probe angenommen, erklärte Calvin Thomas, und es ergebe
sich aus ihnen bei der rücksichtslosen Strenge der Sichtung
immerhin im Laufe der Zeit eine stattliche Anzahl guter Hilfs-
kräfte.

Nach dem Gerichtssaal und nach der Universität wieder ein
militärisches Fest. Wahrhaftig, ich hatte es gut getroffen; da
lag die Einladekarte, welche mich aufforderte, am 1. Juni mich
der Prüfungskommission in der Militärakademie Westpoint
anzuschließen. Zugleich waren meine Frau und ich von dem
Vorstand (Superintendent) der Akademie, General Albert Mills
und seiner Gattin in ihr Haus gebeten. Zu dieser außerordent-
lichen Gunst des Geschicks trat noch eine weitere: der Schwabenverein schloß sich in eigenem Dampfer dem Ausflug an. So
schifften wir uns denn am frühen Morgen des 1. Juni auf
dem Hudson ein und fuhren dem Norden zu, stromaufwärts.

Heute sind es beinahe 300 Jahre, daß das erste Seeschiff
den Spiegel der Hudsonwasser durchschnitt. Es ist schon (S. 6)
gesagt worden, daß der in holländischem Dienst stehende Henry
Hudson auf seinem Schiffe „der Halbmond" sich glücklich schätzte,
hier eine Durchfahrt durch den amerikanischen Kontinent nach
dem Stillen Meer gefunden zu haben. Tastend suchte man die
Küsten ab nach einer Durchfahrt, und der Hudson gerade schien
einem breiten, von Höhen umsäumten Sunde zu gleichen.

Und dieser erste Eindruck, den Henry Hudson empfing,
überhebt mich der Mühe, den Hudson selbst mit dem Rhein
oder mit der Donau vergleichen zu müssen, wie vielfach geschehen ist von solchen namentlich, die einzig und allein deshalb nach Amerika gekommen zu sein scheinen, um Vergleiche
anzustellen, Gegensätze herauszufinden, an Eigenartigem, ohne
Vergleich Dastehendem vorüberzugehen. — Hudson hat den ganz

richtigen Eindruck empfangen: das ist ein Meeresarm mit seinem
ruhigen tiefen Waſſer zwiſchen anſehnlichen Höhen und felſigen
Uferböſchungen; ſo mündet kein Strom, ſo ohne Mündungs=
niederung, ohne Verflachung der Ufer. Salzflut bringt ja auch
weit aufwärts. Und in der Eigenart dieſes Stromes, der ohne
beſondere Eindämmung und Uferbauten an ſich ſchon den
ſchönſten Meereshafen der Welt bildet und weit hinauf ins Land
2—3, ja zuweilen 6 km breit bleibt, liegt eine der wichtigſten
Vorbedingungen für den märchenhaften Aufſchwung der Stadt
New York.

Rings Segelſchiffe, Dampfer und Boote, ſo geht es rüſtig den
Strom aufwärts unſerem Ziele Weſtpoint, 90 km von New York,
entgegen. Bald liegt die Stadt hinter uns, Waldberge um=
ſäumen den Strom; da, dort bringt der Blick in das Gipfel=
meer eines Seitentals; betriebſame Städtchen am Ufer; auf
vorſpringenden Terraſſen elegante, großartige Schlöſſer und
Sommerſitze; wie beſeſſen raſſeln auf beiden Ufern hin die
Eiſenbahnzüge.

Mit unvergänglichen hiſtoriſchen Erinnerungen haben die
Taten George Waſhingtons das Tal des Fluſſes gefüllt, das er
für die wichtigſte ſtrategiſche Linie in der jungen Republik der
Vereinigten Staaten halten mußte. Denn wäre es dem Gegner
gelungen, ſich zum Herrn dieſer Linie zu machen, ſie zu beſetzen
von Canada bis zur Stadt New York, dann fielen die drei=
zehn Staaten in zwei getrennte Hälften auseinander ohne
natürliche Verbindung miteinander: in die Neuenglandſtaaten
auf der einen Seite, in die um Pennſylvanien und Virginien
gruppierten auf der anderen; dann war es leicht, eine der ge=
trennten Hälften nach der anderen zu überwältigen. Deshalb
klebte Waſhington auch ſo feſt an dieſer Linie, die ihm ans
Herz gewachſen war.

Da liegt Dobbs Ferry am linken Ufer, wo der amerika=
niſche Feldherr ſich im Sommer 1781 mit den neuen Ver=
bündeten, mit der faſt 5000 Mann ſtarken Diviſion Rocham=
beaus vereinigt hatte. Erſt jetzt vermochte Waſhington ſich den
Entſchluß abzuringen, die Hudſonlinie für ſich ſelbſt auf eine
gewiſſe Zeitdauer ſorgen zu laſſen, um dem Siege nachzugehen,
der ſich auf dem Schauplatz in Virginien vorzubereiten ſchien.

Aber jetzt zeigen ſich ſchon zwiſchen Baumgipfeln die erſten
hellfarbigen Gebäude der Akademie Weſtpoint auf einer jener

mit pralligen Felswänden zum Strom abstürzenden Terrassen, die dem Aufbau der Ufer zum besonderen Schmuck gereichen. Sofort nach der Landung wurde ich meinem Führer, dem Oberst= leutnant G. Fiebeger, Professor der Ingenieurwissenschaft, über= geben, der mich vor allem dem Vorstand (Superintendent) der Akademie, General Albert Mills, vorstellte. Dann ging es zur Prüfungskommission, der ich mich anschließen sollte, aus zwölf Mitgliedern (Generalen, Stabsoffizieren, Senatoren, Professoren) bestehend; freundlich empfing mich der Vorsitzende, der Gouver= neur von New Jersey.

Kanonendonner begrüßt das Hervortreten der Kommission auf den Übungsplatz. Da stehen die 580 Mann Kadetten, in sechs Kompanien formiert, aufgestellt in zwei Treffen; der kommandierende Stabsoffizier vor der Front, Tambourkorps, Musik, zwei Fahnen, eine mit den Sternen und Streifen, die andere mit den Abzeichen der Akademie. Abschreiten der wunder= bar schön gerichteten Linie. Nicht ohne Bewunderung betrachtete ich Mann für Mann; diese herrlich gewachsenen ausgeturnten Gestalten; der jüngste 17, der älteste 26 Jahre alt; alle mit aufgeweckten, intelligenten Mienen. — Darauf Exerzieren und Paradenmarsch. Ein großartiges Schauspiel; musterhafte Haltung der gleichmäßig schlanken Körper, genaueste Beobachtung eines peinlich gewahrten Zeremoniells und doch Fehlen jeder Steifheit.

Die Einschätzung einer glänzend verlaufenen Parade als etwas Wertvolles scheint wunderlich zu sein; allein der Ameri= kaner mit seinem ausgebildeten Formgefühl erkennt doch eine höhere Bedeutung hinter dem Beherrschen des Körpers und aller seiner Bewegungen unter Wahrung gewisser vorgeschriebener Formen. Es ist ihm einfach die Prüfung der Muskelausbildung zu einer besonderen Art von Technik, bei welcher starker Wille und Intelligenz, rasches Erfassen sich paaren mit rein körper= licher Tätigkeit. Und für peinliches Zeremoniell hat er, der jede Mißachtung und Verunzierung geselliger Formen hart ver= urteilt, ganz besonderen Sinn.

In der Kommission traf ich noch einen amerikanischen Offizier des Ruhestandes, den General Klauß, der vormals Lehrer an dieser Akademie gewesen. Er gab mir, wie auch mein Führer, Oberstleutnant Fiebeger, wertvolle Aufschlüsse über den Gang der Dinge. — Aus bescheidenen Anfängen im Jahr 1802 ist die heutige große Akademie hervorgegangen. Erst

vor wenigen Jahren find vom Kongreß 6 Millionen Dollars
verwilligt worden, um Erweiterungsbauten aufzuführen. Meist
höchst origineller und monumentaler Art, gruppieren sie sich
um den weitläufigen Exerzier= und Paradeplatz: die Reithalle,
eine riesige Ritterburg darstellend, Halle der Akademie, Hospital,
Post, Baracken für die hier untergebrachten Truppen, Wohnräume
für die 580 Kadetten, Landhäuser für die Lehrer, Gedächtnis=
halle, Kapelle, Gymnasium (Turnhalle) und andere Gebäude.
     Alljährlich findet Aufnahmeprüfung der von den einzelnen
Staaten und vom Präsidenten vorgeschlagenen Kandidaten statt;
beim Eintritt darf keiner jünger sein als 17 Jahre, keiner älter
als 22 Jahre; Universitätszeugnisse können die Prüfung ersetzen.
Vierjähriger Kurs; am 1. Juni jedes Jahres, nach der Parade,
der ich eben angewohnt, tritt die älteste Klasse als Offiziere in
die Unionsarmee über. Eines der Gesetze der Anstalt lautet:
„Nicht befriedigende Führung und ungenügende wissenschaftliche
Leistungen führen die sofortige Entlassung aus der Anstalt
herbei." Eine harte Androhung, wenn man bedenkt, daß es
alle guten Familien als eine Auszeichnung betrachten, wenn ein
Junge durch seinen Staat als Kandidat für Westpoint auf=
gestellt wird. Allein durch so strenges Gesetz wird eben ein
sicheres stetiges Fortschreiten der Klasse am besten gewährleistet.
Die Fächer in der obersten Klasse sind: Taktik, Ingenieur=
wissenschaft mit Signaldienst und Telegraphie, Gesetzeskunde,
Geschichte, Artilleriewissenschaft, Philosophie, Chemie, höhere
Mathematik.
     Dem Turnen, dem Sport, aber auch der Fertigkeit in freier
Rede, im Debattieren, in Deklamation und Aufsatz wird be=
sondere Aufmerksamkeit zugewandt; viele große Redner sind aus
der Schule hervorgegangen.
     Jetzt tritt die Musik vor dem Haus des Generals Mills
zusammen. Allein unser Dampfer muß abgehen; ich hatte eben
noch Zeit, meine Aufwartung zum Abschied bei der Frau Gene=
ralin zu machen, um mich den Reisegefährten vom Schwaben=
verein anzuschließen. Diese traf ich, im Gebüsch in der Nähe
des Exerzierplatzes gelagert, wie sie eben sich ihre Zigarren an=
zündeten; bisher hatten sie sich am Rauchen gehindert gesehen
durch eine der aufgestellten Schildwachen, welche in unver=
fälschtem Sächsisch ihnen zurief: „Aber heeren Se, roochen derfen
Se nich während der Parade!"

Allmählich wurde es dunkler auf dem Spiegel des Hudson, den wir hinabfuhren nach New York zurück. Dort sinkt die Sonne hinter den Hügeln von New Jersey. Dort liegen die Höhen von Morristown, 50 km westlich vom Hudson, wo George Washington sein Feldherrntalent im hellsten Lichte gezeigt hat, vielleicht am hellsten in seiner ganzen Laufbahn. — Nach den kühnen Schlägen, die er bei Trenton und Princeton in der Weihnachts- und Neujahrszeit 1776 auf 1777 geführt hatte, unternahm Washington das Gewagteste, was sich der weit überlegenen englischen Armee gegenüber denken ließ; er durchbrach ihre von New York gegen den Delaware ausgedehnte Operationslinie und setzte sich in ihrer rechten strategischen Flanke auf den Höhen von Morristown fest, wo er längst Vorräte gehäuft und angefangen hatte, Schanzen anzulegen. Mit sicherem Blick hatte Washington damit den Punkt herausgewählt, der ihn der ins Herz geschlossenen Hudsonlinie (S. 160) wieder nahe brachte und zugleich die ersten Ideen beim Feinde weckte zu dem verderblichsten Entschluß, den er überhaupt fassen konnte.

In Philadelphia tagte der Kongreß, da hauste die Regierung dieser widersetzlichen aufständischen 13 Kolonien. Nach Philadelphia, zum Verderben dieser Rebellenregierung, zielten alle Pläne des englischen Oberbefehlshabers Lord Howe. Aber der Landweg war ihm entleidet worden durch die Schläge bei Trenton und Princeton. Und jetzt vollends diese Flankenstellung der Amerikaner bei Morristown, sie machte ihn gegen den Landweg erst recht mißtrauisch. Wozu aber hat man denn eine Flotte mit ungezählten Transportschiffen? Auf dem Seeweg kann Washington, so klug und erfinderisch er ist, kein Hindernis bereiten. So tat Lord Howe das Verderblichste, was er für seine eigene Sache tun konnte, im Sommer des Jahres 1777; er schiffte sich im Hafen von New York mit dem größten Teil seiner Armee nach dem Süden ein, um von dieser Seite dem Regierungssitz der Rebellen in Philadelphia beizukommen.

Während er aber auf hoher See schwamm, während er in der Nähe von Philadelphia mit Washington rang, blickte sein Gefährte, der mit ihm zusammenarbeiten sollte, blickte General Bourgoyne am Hudson im Norden von Albany, bei Saratoga, gar sehnsüchtig nach Süden, nach New York, ob denn Lord Howe nicht heraufkomme, den Eingeklemmten zu helfen. Durch seine Seefahrt hatte aber Lord Howe auch die Depesche ver-

fäumt, die ihn mit Bourgoyne zusammenknüpfen sollte. So
ging ein englisches Heer bei Saratoga verloren, und der Bund
Amerikas mit Frankreich war die Folge. — Ohne Blutvergießen,
rein nur durch die Wahl der für die englischen Pläne bedroh=
lichen Stellung bei Morristown, hat Washington alle diese
Erfolge seiner Sache möglich gemacht und eingeleitet.

Unglaublich ist es, mit welch bescheidenen Mitteln Georg
Washington seine Erfolge erzielte, wie schwierig es für ihn
war, Geld und Mannschaften aufzutreiben. Heute geben die
Vereinigten Staaten für die Armee gegen 500 Millionen Mark,
für die Flotte weit über 300 Millionen Mark aus. Seit dem
spanischen Krieg sind ja für alle Streitkräfte erweiterte Rahmen
gesteckt worden. Recht oft trifft man auf Anschläge wie dieser:

U. S. Marine Corps.

Men wanted.

Duty on shore, at sea and in the island possessions.
For full information apply at —

Militärischen Fragen wird heute bei weitem mehr Beach=
tung geschenkt als ehedem: Armee und Flotte gelten dem Ameri=
kaner recht als Schirm und Schild, hinter dem die Wohlfahrt
gedeihen, das geeinigte Volk auf dem Weg zum Weltreich weiter=
schreiten kann. Die Wahrscheinlichkeit, daß der Nation Unheil
drohe, meinte Roosevelt am Gräberschmückungstag in Brooklyn
(S. 154), sei nur vorhanden, „wenn wir unsere Marine ver=
kümmern lassen".

Eine Reihe von kleineren Ausflügen war geplant für Frei=
tag den 2. Juli; allein Gewitter um Gewitter donnerte über
die Riesenstadt hin; man mußte zu Hause bleiben und sich dem
Anordnen des Gepäckes widmen. Recht die Zeit für einen
Rückblick auf alles Erlebte oder wenigstens auf ein Stück des=
selben. Und wie es bei Rückblicken zu geschehen pflegt, daß die
höchsten Gipfel allererst zum Vorschein kommen, so hoben sich
auch hier einzelne der ungekrönten Könige hervor, welche
dies gewaltige Gebiet beherrschen.

Von den unsichtbaren Mächten, die hier regieren, nimmt
die öffentliche Meinung wohl den ersten Platz ein. In
derselben Weise, wie es ehemals bei Einführung der Verfassung
1787 geheißen hat: „Wir, das Volk der Vereinigten Staaten,
beschließen und errichten — —", ganz in derselben Weise er=
scheint die öffentliche Meinung als Ausfluß des nationalen

Willens, gleichsam als Gerichtsvollzieher in jedem einzelnen Fall, der im Völkerleben zur Beurteilung und Abstimmung kommt. Den Stürmen vergleichbar, welche jetzt im Gewitter über die Stadt, die sich so gerne Empire City nennt, hinsausen, fegen auch die Schwingen der öffentlichen Meinung unwiderstehbar über das Land hin, über Einrichtungen, Persönlichkeiten, Mißbräuche. Gerade da, wo Gesetze fehlen, oder wo vorhandene Gesetze nachsichtig und lau angewandt werden, übernimmt die öffentliche Meinung mit scharfem Auge das Amt des Wächters, damit die öffentlichen Angelegenheiten nicht zu Schaden kommen.

Auf geheimnisvollen Pfaden zwingt der auf allen Lebensgebieten herrschende Geist jeden einzelnen denkenden Menschen, ein kleines Rad in diesem außerordentlich fein zusammengesetzten Organismus der öffentlichen Meinung zu werden. Der herrschende Geist selbst aber wird erzeugt durch die Luft, die ausgeht von dem Recht und dem Willen der Selbstregierung, von dem grenzenlosen Selbstvertrauen, das in den Gemütern der einzelnen zur Herrschaft kommt.

Die Presse ist es ferner, jene Macht, die alles erfährt und, in Amerika wenigstens, nichts verschweigt, die Presse ist es, welche sich, sobald einmal die Zeit gekommen ist, in den Dienst der öffentlichen Meinung stellt und rücksichtslos alles an die Öffentlichkeit zieht. — Aus den ersten Ansiedlerjahren an der Massachusettsbai berichtet der Chronist: „Nachdem uns der Herr glücklich nach Neuengland geführt hatte, war eines der ersten Dinge, nach denen wir uns sehnten und ausschauten, das Wissen zu fördern." Das gilt heute noch. Auf Schritt und Tritt kann der suchende Fremdling beobachten, wie niemand auf der Erde lernbegieriger sich zeigt, als der Amerikaner. Darum sind die Zeitungen auch so ungemein mannigfaltig; mit anspruchsvollen Überschriften prangen nicht wenige ihrer Abschnitte, gewöhnen den Leser unglücklicherweise aber auch an Hochschätzung der Quantität, an Bewunderung riesiger Zahlen, an Verwechseln von Zahlengröße mit innerem Wert.

Deutlich reden öffentliche Meinung und Presse über ihre eigene Macht seit der siegreichen, überraschend schnellen Erledigung des spanischen Krieges. Seit jener Zeit hat sich ein unverkennbarer Wandel vollzogen. An Weltwirtschaftspolitik hat sich die Union von jeher beteiligt, an der Ausbreitung zum Weltreich hat sie von jeher gearbeitet; heute aber bekennt sie sich offen dazu.

Damals beim spanischen Krieg standen wir Deutsche auf der falschen Seite (S. 127); es ist das nach Kräften ausgebeutet worden. Erst im Lauf der Jahre sind sich die beiden Völker wieder näher gekommen, und heute hat sich ein inneres Verständnis auf geistigem und sittlichem Gebiete herausgebildet, ein Verständnis, das sich zweifellos vervollkommnet, je näher die geistigen Vertreter beider Völker sich kennen lernen, je aufrichtiger man in Deutschland alte Vorurteile abstreift und sich in manchen Dingen amerikanische Anschauungen zu eigen macht, je deutlicher sich eine ausgesprochene Art des Nationalcharakters in Amerika herausbildet.

Heute tritt dem Fremdling als das Seltsamste und Überraschendste in der Denkweise, im Werden des amerikanischen Nationalcharakters das hervor, daß der Amerikaner inmitten der größten Gegensätze in der Kultur doch vom Atlantischen bis zum Stillen Ozean immer als derselbe uns gegenübertritt, im Grund seines Wesens von denselben Gesinnungen beseelt, als eine einheitlich geformte neue Menschenrasse. Und darin liegt auch das Geheimnis, daß der Einwanderer, er mag kommen woher er will, doch allmählich mit jener Einheitlichkeit verschmolzen wird und seinerseits wieder ein Stäubchen liefert zu jener neuen Eigenart des Menschentums, die als „Amerikaner" dem Willen, der Erkenntnis, der Arbeit neue Gebiete aufschließt.

> Rings das Land war voll von Menschen,
> Rastlos kämpfend, schaffend, strebend,
> Viele Zungen redend, dennoch
> Einen Herzschlag nur im Busen.
>
> Longfellow.

Nicht ohne Wehmut nahmen wir von dem gastlichen Lande und von den Freunden Abschied, als wir am Samstag den 3. Juni gegen Mittag im Dock von Hoboken eintrafen und im Begriff standen, über die Landebrücke hinüberzuschreiten aufs Deck der „Prinzessin Irene". Mit klopfendem Herzen erwartet man das letzte Zeichen. „Seien Sie nur ganz ruhig," meint einer der Wackeren, die uns begleitet, in seinem lieben Deutschamerikanisch, „seien Sie nur unbesorgt, die Bell wird ja noch gerungen." Da! — ein letztes Lebewohl; wir spüren, wie das Schiff sich regt; Liebe und Anhänglichkeit haben unsere Kabine in einen Blumengarten verwandelt. Noch einmal lassen wir die Größe der Bai von New York auf uns wirken; es geht im

südlichen Kurs; dort der Leuchtturm und die kleinen Häuser
von Sandy Hook; die letzte Scholle Amerika verschwindet; es
geht hinaus ins mare tenebrosum.

Heiß lag die Sonne eines Sommernachmittags auf den
Fenstern der Schulstube im Gymnasium zu Stuttgart. Es war
Unterricht in Geographie; denn auf solche Nachmittagstunden
war diese nicht für ganz ebenbürtig gehaltene Wissenschaft ver=
wiesen. Fern und immer ferner klang in der brütenden Schwüle
die Stimme des Lehrers, der von fremden Gestaden und Inseln
erzählte. Schwer nur ließen sich die Gedanken zusammenhalten.
Sie fingen an spazieren zu gehen auf den verschiedenen Karten=
blättern, von Inselgruppe zu Inselgruppe wanderten sie, wie
sie, von blauer Farbe umhaucht, auf dem Blatt Papier ba=
lagen. Ob das Meer dort wirklich so blau ist? Ob vielleicht
auf dem einen oder anderen Eiland ein Robinson gehaust?
Wie sich ihre Küsten heben, wie ihre Berge sich aufbauen, ob
es dort wohl Palmen gibt; ob es möglich wäre, auch einmal
mit eigenen Augen solche Wunderländer zu sehen? — Es war
am 9. Juni 1905, dem sechsten Tage unserer Fahrt auf der
„Prinzessin Irene“, als etwas wie Nebel in der Luft am öst=
lichen Horizonte lag.
Wir waren bisher offenbar durch eine der ödesten, verlassen=
sten Strecken des Weltmeeres gefahren; äußerste Faulheit und
Energielosigkeit war unser Los; kaum ein bißchen fühlte man
sich angeregt durch die unter anderen Verhältnissen außerordent=
lich angenehme Gesellschaft; denn die „Irene“ galt von je als
Verlobungsschiff. Aber jetzt diese Nebel am Horizont, die immer
mehr umrissene Gestalt annahmen, sie rüttelten alle Lebensgeister
wach. — Die Azoren! belehrte der Kapitän. Also sollte es
mir doch noch vergönnt sein, Inselgruppen, hingestreut ins Welt=
meer, zu sehen, nachdem ich als Knabe so sehnsüchtig beim Blät=
tern im Atlas auf sie hingeblickt.
Und zwar in nächster Nähe sollten sie sich sehen lassen in
all ihrer Pracht. Das Fahrwasser ist tief, die Luft war, wie
bei der ganzen Fahrt, ungemein ruhig; so konnte unsere schwim=
mende Heimat ganz nahe an den mit gewaltigen Steilwänden
aus dem Meer sich hebenden Inseln, zunächst an Fayal, vor=
überfahren. Bis zum Gipfel hinauf in leuchtendes Grün ge=

kleidete Berge, Waldschluchten, Gießbäche, die sich über ben steilen
Uferrand als Wasserfälle ins Meer stürzen; ein märchenhaftes
Bild. Und die ganze Landschaft mit zahllosen weißen Häuschen
regellos übersät; dazwischen rot gestrichene Windmühlen. Aus
hellfarbigen Häusern sich terrassenförmig mit vielen Kirchen und
Klöstern aufbauende Städte: Fayal, Horta, San Jorge.

Wenn nur bas Schreiben von Ansichtspostkarten nicht wäre,
so könnte man noch ungestörter die Galerie zauberischer Bilder
genießen. Jetzt, gottlob! sind die Karten und andere Post=
stücke eingesammelt. Ein wasserdichter Beutel wird als Ballon
zusammengeschnürt und über Bord geworfen. Und da tanzt bei
San Jorge ein mit grellen Farben bemaltes Boot daher, den
schwimmenden Ballon aufzufangen und zur Post zu befördern.
Das ist aber auch das einzige Boot, das wir sehen; sonst alle
Gewässer zwischen den Inseln leblos. Gegen Süden erheben sich
die spitzen Piks der Insel San Miguel, auf der auch der Haupt=
handelsplatz Ponta Delgada liegt. Gegen Abend verschwinden
die letzten Klippen und wir schwimmen wieder auf ödem Meer.

Der Archipel, als „Atlantis" schon von den Alten vermutet,
ist vor der Mitte des 15. Jahrhunderts von den Portugiesen
entdeckt und nicht bewohnt gefunden worden. Der herrliche vul=
kanische Boden lud sofort zur Kolonisation ein; heute zählt man
300 000 Einwohner. Anzeichen lassen darauf schließen, daß
dieser erste in den Ozean geworfene Trittstein zwischen Europa
und Amerika schon den Karthagern bekannt war.

Das Umherrennen auf dem Deck beginnt wieder, in Gruppen
geteilt oder als Pärchen; dazwischen Einzelmenschen, durch vieles
Reisen teilnahmlos und zäh geworden. Man erholt sich etwas
an der Musik, am Hinabblicken auf das Treiben der Passagiere
dritter Klasse. Sie bestehen durchweg aus Italienern, die mit
ihren Ersparnissen zur Heimat zurückkehren. Nicht weniger als
38 aber sind unfreiwillige Passagiere, zurückgeschickt in Ellis
Island von der amerikanischen Kommission als nicht geeignet
zur Einwanderung in die Vereinigten Staaten aus den ver=
schiedensten Gründen. In der Schar dieser Gebemütigten fällt
durch die Ärmlichkeit seiner Kleidung und zugleich durch seine
sprechenden dunkeln Augen ein Junge auf, ein Grieche, der auch
noch das Unglück hat, sich mit niemand verständigen zu können.
Der Himmel weiß, wie er nach Ellis Island und in die Läute=
rungsmaschine dort kam. Mit äußerster Verschämtheit ballt er

sein Taschentuch in der Hand, wenn er es brauchen muß;
denn zeigen kann er es offenbar nicht. Meine Frau weiß zu
helfen; in der Abenddämmerung komme ich nahe heran und
kann dem Jungen ein paar Taschentücher reichen. Die Nächte
sind kurz; noch vor der Sonne bin ich nach meiner Gewohnheit
auf Deck; da sitzt auch der kleine Grieche, der es offenbar nicht
erwarten kann, mit einer gewissen Ostentation sein blüten=
weißes Tuch aus der Tasche zu ziehen und es im hellen Tages=
licht voll zu entfalten.

Pfingstfeiertage am 11. und 12. Juni; Gottesdienst der
Episkopalkirche in der ersten Kajüte, der deutschen lutherischen
in der zweiten. — Da ballt sich wieder ein Nebel zusammen
am Horizont; Kap Vincent mit seinem Leuchtturm wickelt sich
heraus; es trägt auf seinem Rücken eine Schanze, entweder dem
Kriegsgott geweiht oder der Kirche. Mächtig bricht sich die
Brandung an diesem Südwestpfeiler Europas. Nahe an der
Küste von Algarbien fahren wir vorüber; bei Nacht durch die
Straße von Gibraltar. Jetzt sind wir im großen Zug des Welt=
verkehrs; zahllose Dampfer und Segler beleben die Fläche.

Wir liegen still in tiefer Nacht; da heben sich in der ersten
Morgendämmerung des 13. Juni wie ein Märchen die Umrisse
des Felsens von Gibraltar heraus. Immer deutlicher werden
die Linien und malen sich mit den Farben südländischer Städte.
Blutigrot kommt die Sonne zum Vorschein; ein ziemlich trüber
und kühler Tag. Es geht ans Land. — Immer habe ich die
kleinen Pferde bedauert, die aus ihrer Freiheit, aus Island
oder den Shetlandinseln kommen und nun, in die Tiefe eng=
lischer Bergwerke hinabgelassen, ihr Leben in Nacht und Elend
vertrauern müssen. Ich hatte eben die kleinen, rassigen Pferd=
chen in Gibraltar mit ihren weiten Nüstern und schmalen zier=
lichen Gliedern noch nicht gesehen, wie sie, von ihren Quäl=
geistern getrieben, die Hänge auf und nieder keuchen. Still und
ernst schreiten Araber durch das Gewirre, durch das betäubende
Geschrei der Zeitungsbuben und Händler, durch das Seufzen
der Kreatur.

Schmale Wege, Galerien und Tunnels führen hinauf zur
Höhe, wo die in Felsen gesprengten alten Kasematten liegen;
auch ein Geschütz steht darin. Mit vollkommener Ruhe könnten
die englischen Sergeanten, die als Führer dienen, das alles den
gewiegtesten Spionen zeigen; die Besucher freilich leben des

frommen Glaubens, ein Stück der artilleristischen Bewaffnung des
Platzes gesehen zu haben. Aber etwas Großartiges zeigte sich
doch dort oben; im Rahmen der Felsenstückpforte eine Landschaft,
wie sie wirkungsvoller nicht gedacht werden kann: Bai von
Gibraltar, und drüben Algesiras mit seinem dunkeln Korkeichen=
wald; dahinter in dämmeriger Ferne die Berge von Marokko.

Abstieg zur Alameda mit ihren halbtropischen Bäumen und
schönen Gärten zum Haus des Gouverneurs, das in üppigem
Parke liegt. Und hier wohnt der einzige Bekannte, den ich in
Gibraltar habe, der General White, der mir freilich nur des=
halb bekannt ist, weil ich sein Tun als Verteidiger von Lady=
smith im Burenkrieg aufmerksamst verfolgt habe.

Im Abendlicht versinken die Berge des südlichen Spaniens;
wir fahren am anderen Morgen an der verlassenen öden Süd=
küste der Insel Sardinien vorüber. Noch ein Morgen — Golf
von Neapel. Nach langer Wanderung sitze ich auf dem Platz
Vittorio Emanuele vor einem Café zum Mittagessen. Was
zieht nicht alles vorüber, Bettler, Korallenhändler; da, ein Zei=
tungsverkäufer. In seinem Bündel erkenne ich an Druck und
Papier die „Münchener Neuesten Nachrichten". Ich schlage auf;
richtig, da habe ich's: „Friedrichshafen. Seine Majestät der
König ist zum Sommeraufenthalt angekommen." Nun hatte ich
Wegzeigung, nach der ich mich lange gesehnt.

Herrliche Fahrt nach Genua; Verspätung, denn, ehrlich ge=
standen, die „Irene" wollte nicht mehr recht. Abendzug ver=
säumt; drei Uhr Morgens fährt der Schnellzug. O Denkmal des
Kolumbus, deine Stufen, auf denen wir, meine Frau und ich
samt ein paar schweizerischen Reisegefährten, gesessen, sind Zeugen
unserer Geduld, unseres sehnlichsten Erwartens! — Am 18. Juni
Abends in Friedrichshafen; am nächsten Tag Bericht an Ihre
Majestäten den König und die Königin, die mich huldreich auf=
nahmen. Am anderen Tag nach Stuttgart, wo ich nur einen
einzigen Besuch machte — dem Schillerdenkmal, der ganzen
Weltbedeutung des sinnenden Mannes mich erinnernd.

Endlich nach wenigen Tagen hinauf in mein kleines Land=
haus, das im Dorfe Buoch in der Nähe von Stuttgart auf
waldiger Berghöhe gelegen ist; empfangen hier von Freunden
mit ihren Zeichen alter Güte. Und ich hätte nicht geglaubt,
daß so viel Glück, so viele großartige, beseligende Erinnerungen
Platz finden könnten in dem knapp bemessenen Raum.

Verlag der J. G. Cotta'schen Buchhandlung Nachfolger
Stuttgart und Berlin

Die Amerikanische Revolution
1775 bis 1783

Entwicklungsgeschichte der Grundlagen zum Freistaat wie zum Weltreich

Von Albert Pfister

Zwei Bände. Mit 2 Karten. Geh. M. 12.— In zwei Leinenbänden M. 14.—

..... Angesichts der Tatsache, daß jetzt die Zeit gekommen ist, wo die Staatenwelt des gesamten Erdballs an allen Fragen, die jetzt die Welt irgendwie bewegen, mehr oder weniger lebhaften Anteil nimmt, erregt eine neue, sehr gewaltige literarische Erscheinung ein ganz besonderes Interesse; ein Buch, welches uns die Entwicklung der ungeheuren Macht, über welche „Onkel Sam" in unseren Tagen verfügt, durchaus verständlich macht. Das hier in Rede stehende vortreffliche Werk eines deutschen Stabsoffiziers, der — gründlich ein echter Nachfolger des um die kriegerischen Erfolge der bei seinem Eintritt in ihre Reihen gerade überaus schwer bedrängten Amerikaner so hoch verdienten Barons Friedrich Wilhelm von Steuben — über ein ungemein reiches literarisches Material verfügt, wird unter den beiden großen, bunt=staatlich geeinigten Völkern diesseits und jenseits des Atlantischen Ozeans viele teilnehmende Leser finden. In der Tat wird man es zu den wertvollsten Schöpfungen unserer deutschen historischen Literatur der Gegenwart zählen. Die warme Liebe für den Stoff und für das Volk, dessen Geschichte in der ersten großen Krisis seiner nationalen Entwicklung der Herr Verfasser tiefeingehend und mit reichster Sachkenntnis behandelt hat, ohne jedoch die Schattenseiten außer acht zu lassen, ist auch in Amerika nicht ohne beredte Erwiderung geblieben. Neuerdings hat ihn die John Hopkins=Universität in Baltimore zum Doktor of Laws ernannt, mit der Begründung: „In recognition of his valuable services in historical research and in promoting a feeling of brotherhood between Germany and the United States."

Die gebildeten Leser unseres Volkes werden gern der Führung eines Schriftstellers von hoher Intelligenz folgen, der uns mit sicherer Hand und weitem durchdringenden Blick durch die überaus reiche, fast verwirrenden Fälle der politischen und der kriegerischen Ereignisse leitet, die wir unter dem Gesamtnamen der amerikanischen Revolution zusammenzufassen uns gewohnt haben.....'

Gustav Hertzberg in der Magdeb. Zeitung.

..... Soweit meine Kenntnisse reichen, finde ich, daß keine andere deutsche Darstellung und das gleiche zu leisten imstande wäre; von den amerikanischen aber gilt, daß sie, so hervorragend sie auch sind und so anziehend gerade auch wegen des ihnen eigentümlichen amerikanischen Geistes, den Gegenstand nicht von den Gesichtspunkten deutscher und europäischer Kultur aus behandeln. Dies eben leistet uns Pfister... Es gehört zu den anziehendsten Seiten des Werks, wie in ihm die Rolle der Teutschen erleuchtet wird. Man erhält da einen wahren Reichtum von sachlichen Anregungen und Lichtern für das große Problem der Stellung des Teutschtums in der Beziehung zu Amerika. Alle Seiten treten uns entgegen. Die Teutschen als verkaufte Truppen deutscher Fürsten, die Teutschen in dem französischen Hilfskontingent, darunter der tapfere Prinz von Zweibrücken, der bei dem Entscheidungskampf um Yorktown sich hervortat, die Teutschen im Heere Washingtons, allen voran der Freiherr v. Steuben, der als Ordner und Erzieher, der seine Erfahrungen im Heere Friedrichs des Großen verwertete, um das Eigentümliche amerikanischer Kampfesweise zu leistjern und zu entfalten, dann der Kalb, der am Schlachtfelde starb. Weiter die ergötzende Erscheinung des Generals Peter Mühlenberg, der als Pfarrer noch zum Freiheitskampfe aufrief, um sogleich selbst sich demselben zu widmen. Endlich einer der Unvergessenen auch in heutigen Amerika, der Held des wichtigen Kampfes in Mohawktale, der für die Entscheidung von Saratoga bedeutsam wurde, der Pfälzer Herkheimer.

Aus ganzer deutscher und humaner Gefühlsweise und mit wahrer Liebe hat der Verfasser seinen Gegenstand dargestellt. Er behandelt ihn aus jener vollen Lebendigkeit, die allein der Geschichtschreibung ihren eigentümlich wirksamen Charakter zu verleihen vermag. Überall fühlt man, wie sehr der Verfasser bewegt ist von dem Gesamtproblem der Entstehung einer amerikanischen Welt= und Kulturmacht und von der inneren Verwandtschaft und Bestimmung der beiden großen Völker, der Amerikaner und der Teutschen. Ja man kann sagen, aus dem Gefühl davon, welch eine hohe Sache es ist, das Verständnis für bride in uns zu erhellen, ist offenbar das Werk erwachsen, und so wird man auch lebhaft wünschen, daß es eifrig gelesen und gewürdigt werde....'

Albrecht Stauffer in der Allg. Zeitung, München.

..... Ein Buch, entsprungen ernsten Studien der Geschichte und lebevoller Kenntnis der gegenwärtigen Verhältnisse, ein Buch, gründlich und herrlich, aber in der Form edelster Popularität ein Buch, wie wir es brauchen, um in den Kreisen der Gebildeten lichtere Anschauungen zu verbreiten über Einst und Jetzt.....

Albert Pfister hat sich vielfachen Dank von deutscher und amerikanischer Seite verdient und von letzterer auch voller Anerkennung gefunden. Die Teutschen können ihn am besten abstatten, wenn sie das Buch lesen. Nicht allzu oft ist die Zahl solcher Werke in Deutschland, die wichtigen Inhalt in leichter Form bieten; darin sind uns Franzosen und Engländer weit voraus, doch nur deswegen, weil sie ein dankbares Publikum haben.....'

Theodor Lindner in der Saale=Zeitung, Halle.